LE POIDS DES OMBRES

Marie Laberge

LE POIDS DES OMBRES

roman

Boréal

Les Éditions du Boréal sont inscrites au programme de subvention globale du Conseil des Arts du Canada.

Ce roman a été écrit en partie grâce à l'aide d'une bourse A du Conseil des Arts du Canada.

Conception de la couverture : Gianni Caccia
Photo : Martine Doyon

Toute ressemblance avec des personnes
ou des faits réels ne peut être que fortuite.

L'auteur remercie à M. André Gauthier de la morgue de Montréal pour son aide et sa patience.

Données de catalogage avant publication (Canada)
Laberge, Marie, 1950-
Le Poids des ombres
ISBN 2-89052-639-9
I. Titre
PS8573.A168P64   1994   C843' .54   C94-941245-7
PS9573.A168P54   1994
PQ3919.2.L32P64   1994

À Michèle, pour toutes les fois
où on l'a appelée Marie,
et à Francine,
qui à elle seule, pendant des années,
m'a enseigné le plaisir de
tendre ce que j'écrivais
vers le lecteur.
À toutes deux, merci pour un
certain soir de décembre.

Un instant encore, et tout aura perdu son sens, et cette table et cette tasse et cette chaise à laquelle il se cramponne, tout le quotidien et le proche sera devenu inintelligible, étranger et lourd.

RAINER MARIA RILKE,
*Les Cahiers de Malte
Laurids Brigge*

Elle était morte. Sa mère était morte et elle n'en avait rien su. Pire, elle n'avait rien senti, rien deviné, pas la plus infime intuition. Alors qu'elle aurait été prête à jurer que, d'où que ce soit dans le monde, elle aurait pu sentir l'emprise se relâcher. Comme si la lune, d'un coup, desserrait son attraction sur la mer et que les eaux, soulagées, se relâchaient et inondaient le continent. Non, aucun soulagement, aucune altération. Elle aurait donc juré pour rien. («Moi vivante, tu n'as jamais été douée, pourquoi ça te prendrait à ma mort?») Elle entend d'ici sa mère ricaner. L'aurait-elle seulement dit? Elle se serait contentée de le penser, avec ce sourire inimitable.

Non, elle ne veut même pas se rappeler ses yeux. Elle ferme les siens très fort un instant, puis elle lève la tête: la cafétéria des employés choyés de la société Napa est bondée. Elle a l'impression étrange d'y être pour la première fois de sa vie, de ne rien reconnaître. Beaucoup de complets-veston sombres, des cravates sobres sur des chemises qu'on s'attend à voir craquer tellement elles sont impeccablement amidonnées. Jamais on ne pourrait imaginer le plus petit désordre pileux sous ces chemises finement rayées: juste un poitrail de marbre blanc, prêt pour l'embaumeur. Un poitrail qu'aucun respir, aucun soupir ne soulèvera plus jamais.

Non. Elle s'égare encore. Elle avait fixé le torse de sa mère pendant une éternité pour lui intimer l'ordre muet de rester là, immobile, pour lui interdire de se soulever et de tout recommencer. Elle hésitait seulement à déterminer si elle était demeurée là, terrifiée, ou si elle avait réussi à terrifier le corps de sa mère.

Elle sourit : il fallait qu'elle soit folle pour croire pareille aberration, rien ne terrifiait jamais Yseult Marchesseault. Rien. Et surtout pas sa fille, cette pauvre chose incapable d'exister par elle-même.

— Je peux m'asseoir ?

Qui est cet homme ? Ce sourire plein de dents, parfait, irréprochable. Il doit même avoir bonne haleine. La chemise est blanche, finement lignée de rose, la cravate...

— Diane ? Je peux m'asseoir ? Je te dérange ?

— Moi ? Non. Pas de problème.

Elle le fixe, hagarde : il sait son nom, il lui dit «tu», qu'est-ce qu'elle lui dit, elle, d'habitude ? Son cœur bat, elle panique. («Respire, respire, tu peux encore respirer, toi.») Elle obéit, respire à fond, sourit, mais ses yeux cherchent frénétiquement.

— Ça va ?

Bon, il lui a volé sa phrase ! Sa belle platitude qui lui aurait permis de gagner le temps nécessaire à le situer. Sa voix est presque inaudible pour lui répondre :

— So, so.

— T'as l'air, oui. C'est Gagnon?

— Gagnon?

Oh mon dieu! il y a un Gagnon? Si cet homme est pour lui sortir tout son passé, il faudrait qu'elle fuie.

— Ben oui, le mémo de Gagnon ce matin, tu l'as pas lu? Sa menace de couper les effectifs de moitié. Tout le service est aux abois.

— Pas encore, non. (Sourire, elle se dit qu'il faut sourire, sembler intéressée. Pas trop, là tu as l'air conquise, ramène, ramène les coins de ta bouche. Les yeux maintenant, regarde-le bien en face, dans les yeux. Tiens... il a les yeux bleu-gris, tachetés foncés. Ça doit être rare. C'est peut-être beau.)

— Qu'est-ce qui se passe, Diane?

Elle fixe ces yeux qui la regardent pour vrai. Ça fait chaud dans sa poitrine. Comme si elle buvait un liquide brûlant.

— Diane?

— Ma mère est morte.

Dès qu'elle le dit, comme une photo s'imprime toute la réalité surgit: les contours de la cafétéria, les yeux bleu-gris de Georges Simpson, son air ahuri comme si elle venait de le frapper, même le mémo de Gagnon lui revient en mémoire. Elle rit, follement soulagée: «Ben non, Georges, fais pas cet air-là, c'est pas vrai!»

Georges est court-circuité: il allait revenir de sa surprise et s'apitoyer. Mentalement, il tripatouillait déjà sa phrase de condoléances. Il n'a jamais su qu'elle avait une mère. Mais tout le monde a une mère, non?

— Pas vrai ? Comment ça, pas vrai ?

Elle se lève, vive et rieuse, une autre femme tout à coup, sûre d'elle, de sa séduction :

— Je voulais te faire oublier Gagnon. La thérapie de choc que ça s'appelle.

— Ça marche.

Il est livide. Évidemment, il se sent ridicule avec ce reste de compassion qui l'embrouille encore :

— Tu m'as eu.

— Pas difficile, Georges, t'es mon meilleur public.

Elle ramasse son trousseau de clés sur la table, abandonne son café à peine entamé à côté de celui de Georges.

— Tu dînes où ?

Les yeux de Georges se plissent. Prudent, il reste dans l'expectative : il n'a pas envie de se ridiculiser deux fois le même jour.

— C'est un secret d'État ? Georges, je veux juste t'inviter à dîner.

— En quel honneur ? Ça fait partie de la thérapie ?

— En plein ça ! Midi et demi, en bas ?

— Pas de problème !

Il la regarde s'éloigner : ce petit coup de reins, unique, qui achève chaque pas, à peine appuyé, qui donne juste l'envie de poser sa main pour bien vérifier qu'en effet il y a eu ondulation. La chute de reins de Diane Marchesseault l'a toujours porté à l'indulgence.

E n sortant sa carte de crédit, elle prévient toute contestation :

— Tu te souviens que ma mère est morte! Laisse-moi faire ma *smart*.

— C'est un peu bizarre comme gag, tu trouves pas?

— Pas mal, oui. C'est ma manière de la remettre à sa place.

— Elle ou moi?

— Les deux!

Elle l'observe en silence : comme c'est facile de tromper les gens! Comme ils s'intéressent peu à ce qu'on dit! Les yeux de Georges s'attendrissent, la fixent assez longuement : « Si je t'invitais à souper chez moi un de ces soirs, je suppose que tu me dirais que tu vas aux funérailles de ta mère?»

Elle rit, saisit le bordereau que le serveur a déposé avec sa carte : «Exact!»

Sa main n'avance plus. Sa main n'est plus à elle. Un bloc de granit posé sur le bordereau. Un petit bloc lourd et dur, stoppé au milieu d'une signature. Elle se concentre, encore une fois affolée, encore une fois soufflée par l'ampleur des conséquences. Elle n'y arrive pas. Sa main reste là, coincée, pétrifiée. Elle est incapable de lui faire former une seule lettre. Rien. Une immobilité de statue. Comme si sa main était douée d'une volonté indépendante de la sienne. Une volonté glaçante. Sur la ligne, seul son prénom est inscrit : Diane.

(«Respire, respire à fond, tu peux, tu vas voir.») Elle soulève sa main, tout l'avant-bras suit, comme si le poignet refusait de plier, refusait son autonomie habituelle. Elle exécute une dizaine de cercles sur le napperon de papier, accusant par là un stylo faussement déficient. Retour au bordereau. Elle essaie de former le «M». Du plomb, sa main, si vive pour les cercles, devient du plomb. Impossible d'avancer, de reculer, impossible d'inscrire le nom de famille.

— Montrez-moi sa main. Je veux voir sa main.

L'homme avait murmuré : «Laquelle?»

Elle ne l'avait pas regardé, elle fixait toujours ce torse qui ne soulevait rien, cette masse, cette longue bosse sous le drap de plastique qui était un corps gelé. Elle ne regardait pas son visage. Elle ne l'avait pas regardé une seule fois encore même si, en principe, c'était pour le reconnaître qu'elle se trouvait là, dans ce sous-sol propre qui avait l'air d'un garage transformé en laboratoire.

L'homme à côté d'elle, cet homme jeune fait pour rire, ce châtain bouclé à la bouche trop rose, ce jeune homme déguisé en infirmier de salle d'opération avait murmuré une deuxième fois : « Laquelle?»

Elle fixait le torse, craignant de rater un mouvement si elle en détachait les yeux : «La gauche.»

Sans un mot, il était sorti, la laissant seule dans le petit cagibi gris. Avec cette vitre astiquée qui la séparait de la civière. Une civière sans coussin, sans drap. Une civière pudiquement recouverte de plastique rigide. Une civière aux montants gris fer portant cette forme recouverte. Une forme roide. Qui ne bronchait pas, qui ne se soulevait pas du tout, elle pouvait en témoigner, elle ne l'avait pas lâchée des yeux.

Le jeune homme en tunique verte, manches courtes sur des bras musclés, était entré de l'autre côté de la vitre.

Elle s'était demandé s'il y avait une odeur. Sûrement. Elle n'arrivait plus à se souvenir du parfum de sa mère. Ce parfum envoûtant qu'elle respirait avidement, jusque dans ses boucles d'oreilles. Cette odeur capiteuse qui la rendait fétichiste.

Le plastique bouge ! Mais c'est lui, c'est lui qui découvre la main gauche de sa mère.

Posée contre ce qui doit être une hanche rougeâtre (pas sa mère, pas ce rouge !), la main faussement relâchée, la main agrippée au néant, la main colorée dont les os émergeaient, étrangement saillants sous l'effort. Les os ou les tendons ? La main de sa mère, la main qui tenait la cigarette, qui balayait l'air pour signifier « aucune importance ! », la main gauche qui écrivait en caressant la page, en s'incurvant sur la ligne pour la masquer, aurait-elle dit, pour lui cacher les mots. La main qui savait toucher tout sauf elle. La main qui s'attardait sur le soyeux du tissu, sur l'âpreté du bois de la table, la main fine aux ongles

17

vernis, aux ongles parfaits comme des bonbons appétissants posés au bout des doigts, la main qu'elle suppliait muettement de la prendre, de se tendre vers elle, de la toucher. La main de sa mère, tant désirée et qu'un jour son chien avait mordue sauvagement. Un jour qui avait été le dernier jour de l'animal. Elle ne voyait plus la trace. Aucune blessure. Juste cette carcasse crispée recouverte de chair d'une étrange couleur. Une chair molle, presque plissée et qui devait pourtant être raidie. La peau formait un triste drapé, la main reposait dans une inconfortable position. Elle aurait voulu demander au jeune homme de la replacer plus harmonieusement comme il l'avait fait du plastique. Elle cogna contre la vitre. Mais elle négligea de le regarder. Elle vit le plastique recouvrir cette main supposée être celle de sa mère. Cette main dont trois doigts (le majeur, l'annulaire et l'auriculaire) dérivaient vers le bord de la civière, comme animés d'une volonté propre, se divisaient en creusant un vide insolite au centre de la main, cette main à jamais écartelée dont les deux autres doigts reposaient paisiblement, dissociés pour toujours du reste de la main. Cette étrange main reposerait donc infiniment dans cette pose inconfortable, irréconciliée. Volonté et abandon. C'était peut-être sa mère finalement.

Elle hocha la tête : elle ne verrait donc pas la vraie main de sa mère. Celle qui chantait avec ses bagues. Celle qui vous passait sous le nez et qui, d'un geste bref, vous ramenait à l'ordre.

Le torse avait bougé. Non, c'était lui qui

18

ramenait pudiquement le plastique sous son cou. Elle fixait encore cette poitrine, certaine de la voir remuer dans un moment d'inattention. Le jeune homme sortit, laissant la forme seule. Si c'est sa mère, elle va bouger. Elle ne supportera pas ça. Pas cette indifférence. Elle va se lever et l'appeler. Elle va se dresser, ridicule sous le plastique, et vociférer, l'insulter, le réduire à ce qu'il est: rien. («Je lui donne ce qu'il veut, ma chère: rien!»)

Et sa main gauche va se soulever et ramener ses cheveux lourds, ses cheveux doré foncé uniques, si précieux, sa main va les prendre, les tordre un peu pour les ramener contre son cou blanc et elle va rire doucement, dangereusement, avec son rire de gorge, son rire de tourterelle en rut. Et elle aura faim.

— Quelque chose qui cloche? C'est trop cher pour tes moyens?

Qu'est-ce qu'il veut lui encore? Pourquoi sa stupide main refuse-t-elle de signer? Qu'est-ce que c'est que ces histoires? Elle fonce, rageuse, pousse de toutes ses forces sur sa main droite. Elle n'exécute qu'un minuscule pâté. Elle déchire le bordereau en minces confettis: «Au contraire, c'est pas assez cher pour payer avec ma carte.»

Elle sort les billets, range sa carte, se lève. Elle a tellement chaud tout à coup qu'elle a peur d'être rouge, d'avoir l'air gênée: «Excuse-moi, j'ai un meeting.»

M archer, il faut marcher. Et respirer, respirer à fond, comme elle ne peut plus le faire. Elle, sa mère. Sa mère sous un plastique, nue, dans un réfrigérateur. Avec, au pied, accroché au gros orteil, le seul dont elle lime et peint l'ongle, une petite étiquette sur laquelle on vient d'ajouter son nom en plus de la date.

Sa mère est au frigo. Et elle est dans la rue. Elle, Diane. Dans l'automne clément qui ne charrie pas encore de neige. Dans novembre gris fer où les arbres nus, tendus, ont l'air de vouloir griffer le ciel, où la terre explose sous le gel cru, boursoufle, fend. La terre terne, séchée, grumeleuse. La terre qui réclame sa neige, sa protection molle.

Dans un mois, la terre sera-t-elle trop dure pour enterrer sa mère ? La fosse commune, est-ce que c'est toujours ouvert ? Comme une poubelle qui attend ses déchets. Quel son produira le corps raide de sa mère dans la boîte de bois bon marché contre la terre dure ? Et cette main gauche, mi-appel, mi-renoncement, si elle s'accrochait quelque part ? Et si elle se mettait à respirer tout à coup ?

Elle marche de plus en plus vite, de plus en plus affolée. Le cœur serré, oppressée, elle ne sait plus ni respirer, ni avancer, ni exorciser ce poids qui écrase ses seins, sa poitrine. Il faut rentrer. Il faut prendre un stylo et écrire cent fois son nom. L'écrire pour ne plus l'oublier. Marchesseault. Marchesseault. Chaque pas enfonce sa syllabe. Elle a beau le savoir, le dire, le marteler, sa main droite ignore tout. Sa main droite est en deuil. Sa main droite sait tout écrire sauf le nom de cette gauchère qui attend dans son purgatoire glacé qu'elle décide ce qui adviendra du corps. « Posez-le sur mon dos, attachez-le à ma poitrine. Ce ne sera pas plus lourd.» Elle aurait dû le dire à ce monsieur si aimable, si attentif, qui la scrutait sans se cacher. C'est son métier après tout : vérifier, observer, questionner. Identifier formellement. Faire signer le formulaire qui baptise l'acte de décès. Dûment rempli. Certifié par sa fille, son sang, oui, sur cette table, oui, sous ce plastique repose le corps de ma mère, Yseult Marchesseault. Ouvrez son ventre, vous allez trouver la trace de mes ongles quand elle voulait se débarrasser de moi, j'en suis sûre, la trace de mon petit corps incrusté, accroché. Ouvrez son ventre, c'est là qu'est mon sillage, ma marque. Nulle part ailleurs dans ce corps qui m'a toujours ignorée. Avoir pu, je l'aurais mordue du dedans pour qu'elle s'aperçoive de mon existence, comme le chien. Comme le chien que je suis.

Rue Saint-Paul, elle s'arrête. Le fleuve. C'est là qu'elle va, là que ses jambes serviles la mènent. Comme hier. Non. Elle fait volte-face et remonte, déterminée, vers la rue, vers le centre-ville. De petites choses. Il faut s'investir dans de petites choses, se fixer des objectifs, même futiles, agir, orienter son esprit, canaliser son énergie, dompter la débâcle. Et respirer. L'air dans la cage thoracique qui s'étire, gonfle. Puis expirer, le diaphragme qui... Diaphragme, sexe. La petite boîte intrigante dans la salle de bains. («La liberté, ma chère, c'est un petit rond de liberté.») . Non, pas par là. Quelque chose va casser. Elle a peur. Elle regarde les vitrines: les mannequins prennent la pose avec leurs yeux de catins mal faits. Durs, leurs yeux. Ils ne brillent pas, ils scintillent parce qu'un réflecteur bien placé les allume. Comme au cinéma. Elle le sait, elle a produit assez de spots publicitaires pour Napa. Faux, les yeux brillants des mannequins. Faux, les corps splendides sous les vêtements. Tout faux. Il n'y a que des cadavres glacés sous les plastiques. Un caillou, elle est un caillou qui refuse de rouler.

Plus de chair autour d'elle, rien de tendre, de mou, un petit noyau dur, fissuré, qui tient ses fissures serrées de peur de perdre le dernier centre mou. Elle n'est plus sûre du tout de pouvoir trouver un centre. Une cavité, oui. Une grotte vide avec un écho. Les noyaux de pêche qu'elle frappait, enfant, avec une roche sur le trottoir pour en extirper l'amande. Elle la mangeait (douce-amère) en flattant du bout du doigt l'intérieur presque ciré du noyau. Des heures durant à caresser le velouté d'un noyau ou du fragment de noyau qui avait échappé à la pierre. Toute son enfance dans ce geste qui quémandait un peu de douceur.

Un noyau dur, sans faille, sans velours. Un

noyau bien rond, bien sec, une boule rigide qu'on pourrait frapper comme une huître pour constater qu'elle est bien vide. Ou pleine de vase. «Elle a sans doute dérivé jusqu'à Sorel. C'est fréquent. Encore heureux que les glaces soient en retard cette année. On aurait pu ne la retrouver qu'au printemps. L'identification aurait alors été presque impossible. À l'autopsie on a évalué son séjour dans l'eau entre sept et dix jours. Plutôt précis grâce à la température de l'eau à cette période de l'année.»

Elle aurait apprécié, elle aime bien les gens précis. Même pleine de vase, elle apprécie la précision. Rien de plus exécrable que la mollesse de l'approximation. Yseult Marchesseault déteste l'à-peu-près.

Au milieu du noyau qui frappe le trottoir de ses talons hauts, le noyau nommé Diane la non-enchanteresse par sa triste mère Yseult, au milieu de cette poitrine dure et fermée, il y a toute la vase du fleuve amassée dans les poumons d'Yseult. Toute la vase du monde qui remonte à sa bouche à elle, comme un égout tiédi. Et elle ne sait que serrer les dents, fermer sa gorge, son nez, pour contraindre la vase à se pétrifier et à demeurer, comme un bloc solide, au cœur de sa poitrine desséchée.

Dès qu'elle entre au bureau, la vue de la réceptionniste l'emplit d'agressivité. Elle ne peut pas la sentir. Elle ne peut plus la voir. Contre toute logique, elle ne peut s'empêcher de la juger responsable de cette déroute. Sa faute à elle si Yseult a refait surface, pleine de vase, et si elle est venue se poser sur la poitrine de sa fille. La faute de ce stupide destin frisotté, à la bouche rose blanchâtre, «glossée» ras-les-dents, au parfum sucré et aux ongles rapportés. Sa faute si elle ne peut plus prendre ses messages sans fixer d'un œil froid, accusateur, cette tête de linotte parfaitement bilingue qui lit *Le Journal de Montréal* tous les matins.

Diane saisit l'amas de feuillets roses, murmure un « 'jour!» glacé qui peut passer pour soucieux et s'enfuit dans son bureau.

Elle ferme la porte, pose son sac et se demande combien de temps elle va fuir comme ça. Et haïr une pauvre fille qui a pour seul tort d'être allée se chercher un café alors qu'on l'attendait à son poste. «On» étant elle-même, bien sûr. Qui a fait de son mieux pour patienter en feuilletant distraitement un ancien numéro de cet immonde journal.

La photo n'était pas grande. Ni nette. Un petit

carré confus avec, en dessous, le rituel message :
« Le bureau du coroner et le service de la police
de la Communauté urbaine de Montréal tentent
d'identifier un corps non réclamé. Il s'agit d'une
femme d'environ 45 ans, pesant 55 kilos et
mesurant 1 mètre 69, de race blanche et cheveux
blonds.»

On ne pense jamais à ce que la conclusion
d'un tel avis peut contenir de menaces et de
crainte : « Toute information pouvant aider à
l'identification devra être transmise au bureau du
coroner.»

Mais ce serait mentir que de dire qu'elle
l'avait remarqué. Son regard avait glissé sur la
photo comme sur les titres. Elle trompait son
attente, elle ne lisait pas vraiment. C'est plus tard
dans l'après-midi que cela lui était revenu. En se
penchant pour ramasser son stylo (le sang dans la
tête?), elle revit l'encadré avec tant de précision
qu'elle chercha un instant où elle avait pu apercevoir ça. En allant vérifier sur le tableau d'af-
fichage, elle passa devant la réceptionniste.

Elle aurait dû retourner à son bureau, ne pas
fouiller. Elle aurait dû.

Diane désœuvrée, désemparée, s'assoit, saisit
une feuille et écrit son nom. Elle forme le prénom
très vite, très bien. Avant de se mesurer à son
impuissance, elle rejette le stylo, prend sa tête à
deux mains : il faut régler ça, il faut que ça cesse !

« En signant ce formulaire, vous nous
autorisez à disposer du corps.»

Elle n'avait pas pu, alors qu'elle était parvenue
à signer tous les autres, celui-là, elle n'avait pas pu.

Diane consentait mais pas la Marchesseault. Pas la part familiale de sa mère. Elle était restée figée, le stylo en l'air, éberluée de cette demi-signature, ce demi-consentement, ce demi-abandon. Le monsieur s'y était trompé, il l'avait crue émue. Il l'avait gentiment rassurée ; ça arrive plus souvent qu'on ne croit. On a beau avoir ses griefs, il reste que c'est un lien. Il en avait vu plusieurs revenir sur leur décision. Il lui offrait aimablement (tout en retirant lestement le formulaire, le faisant disparaître comme une proposition malhonnête dont on ne parlerait plus), il lui offrait d'attendre, de prendre son temps.

— La loi nous oblige à conserver le corps trente jours à partir de la date d'établissement de l'acte de décès. Si au bout de trente jours je n'ai pas de vos nouvelles, je disposerai du corps.

— Comment ?

C'était plus fort qu'elle, il fallait qu'elle sache où irait le cadavre. Dans le feu ou la terre ? Pourriture lente ou consumation frénétique ?

— Nous avons une entente avec une maison funéraire. Elle sera enterrée dans une fosse commune, à peu de frais.

Il avait pris un air onctueux pour murmurer : «Dans ce cas, les frais sont à la charge de l'État.»

Détail sordide du coût. («Les hommes savent compter, ma chère. Même les imbéciles.») Elle lui fut reconnaissante de ne pas avoir ajouté de «naturellement». Elle avait hoché la tête pour lui donner une sorte de réponse. Il en profita pour lui glisser sa carte : «Si vous avez des questions. Pour quoi que ce soit, n'hésitez pas. Si un détail vous chicote, on est là pour ça. Si vous prenez une décision, disons... avant le 26 décembre... ah mon dieu ! c'est bête, ça tombe sur le congé de Noël ! Alors, écoutez, si on disait le 31 décembre, mm ? Ça vous donne un peu plus qu'un mois pour réfléchir, prendre le temps. Vous m'appelez dès que vous savez ce qui vous arrange. » Discrétion assurée ! Il ne la jugerait pas, il ne la mépriserait pas, elle le sentait dans son intonation. Il accepterait sa décision point à la ligne. À elle de se brancher. Que dis-tu de ça, Yseult Marchesseault ? Que dis-tu de ça, enfouie dans ta vase, dans ton frigo ? Pourquoi es-tu venue t'échouer ici, dans mon bureau, dans mon travail ? C'était pas suffisant ? Tu voulais m'atteindre encore, me toucher, vérifier que tu avais bien dépecé le fruit, sucé, gratté, vidé ? Yseult Marchesseault, espèce de tare ontologique, tu vas me poursuivre jusqu'à ma mort, c'est ça ? Tu vas revenir avec chaque marée, me rouler dans ta fange, me vomir ta vie dans les bras ? Je ne t'ai pas assez portée encore ? Pas assez endurée, pas assez comprise ? J'ai toujours été insuffisante, qu'est-ce que tu veux ? Je ne serai pas une autre pour te faire plaisir, je ne sais même pas être moi. Je ne sais même pas être tout court. Ne viens pas me demander encore ce que je ne pourrai jamais te donner. Ne viens pas peser sur ma vie avec ta mort.

Mais Yseult Marchesseault va se taire en dessous de son plastique. Elle va juste attendre qu'elle se crève à essayer de la fuir, elle le jurerait. Yseult n'est pas du genre à laisser une chance à qui que ce soit. Surtout pas à sa fille. Yseult gagne toujours de toute façon. Même sans se battre.

Diane reprend son crayon, essaie de former le « M ». Problème. Quelqu'un en elle résiste, quelqu'un se braque, refuse. Elle ne sait même pas si c'est une partie d'elle vivante ou morte.

Le téléphone. La voix haïe susurre : « Quelqu'un pour vous sur la trois. Êtes-vous là ? »

D'un geste sec, sans rien dire, Diane appuie sur la trois, coupant le sifflet à la perfection faite réceptionniste.

À trois heures quarante-deux exactement, à l'horloge au-dessus de l'abreuvoir, Diane se dit qu'elle doit prendre congé. Sur son bureau, trois lettres attendent sa signature. D'autres suivront qui la mettront chaque jour davantage devant son impuissance. Il faut se défiler, le temps de réapprendre à écrire. De l'ordre! Il faut de l'ordre dans sa vie. Tout classer. Vider les vieux tiroirs, faire place nette. Elle est morte? Eh bien, on va voir qui va survivre! Yseult Marchesseault ne l'entraînera certainement pas.

Diane retourne à son bureau, met du rouge à lèvres, vérifie ses cheveux («J'ai toujours trouvé que la vie était plus difficile pour les noiraudes.») et se dirige bravement vers le bureau de Gagnon.

Bel homme, Gagnon. Genre sec, un peu noyau lui aussi. Elle l'imagine plutôt bref, expédiant sa sensualité de la même manière que son bol de céréales le matin : rapidement et proprement. Sans fantaisie. Sans s'empiffrer non plus. Il est de bonne humeur, comme elle s'y attendait, le mémo l'ayant soulagé de son agressivité. Son bureau est lisse et vide. Comme elle voudrait en être au même point!

— Des vacances? À ce temps-ci? Y a même pas

29

de neige... Attendez qu'il neige. Y a Noël qui s'en vient.

(Justement, pas question de traîner ça jusqu'à Noël!)

— On m'offre quelque chose d'assez exceptionnel... Y a pas d'urgence dans mon secteur, la campagne est lancée. J'aurais envie de partir, m'éventer un peu... (Sourire, ne pas oublier de sourire.)

Il la fixe, songeur.

— Vous éventer? Tiens! Vous n'irez quand même pas jusqu'à vous marier quand même?

(Ça le regarde, d'abord? Elle sourit, coulante.)

— Non ça, c'est déjà fait. Ou plutôt, ça a été fait. («Ma pauvre enfant, il va vraiment falloir que tu sois normale jusqu'au bout! C'est pour m'agacer que tu te maries ou t'as vraiment besoin de te prouver ta médiocrité?»)

— Une bonne chose de faite comme on dit! En autant qu'on le défait.

Il rit, se renverse un peu dans le fauteuil directorial. Elle n'est plus sûre du tout qu'il expédie sa sexualité sans goinfrerie.

— En tout cas, Diane, vous n'êtes pas banale. Vous serez de retour pour le party de bureau, le 17 décembre?

— Ah... je... je pensais prendre jusqu'à Noël.

— Arrangez-vous donc pour venir faire un saut. Vous savez comme je tiens à cette réunion, une sorte de cotisation annuelle à la bonne entente, à la cordialité entre les membres d'une équipe.

— Oui, bien sûr...

Il se lève, le regard foncé se pose sur elle, plutôt insistant, flatteur. Il semble presque prêt à lui offrir sa cotisation à la cordialité tout de suite.

— Eh bien, merci.

Elle veut partir, elle n'aime pas l'équivoque dans ses yeux, dans ses six pieds un qui s'avancent, la serrent de près.

— Vous me mettez ça par écrit avec les dates précises.

— Par écrit? Bien sûr.

— Et vous me promettez d'être de la fête le 17. Juste un saut. Prendre le verre de l'amitié. Ensuite, vous retournerez à votre offre « assez exceptionnelle ».

Il rit. Elle rit aussi pour lui faire croire qu'elle ne perçoit pas sa turpitude. Il s'approche, elle recule.

— Allez! Revenez-nous bronzée!

Sa main sur son épaule, faussement protectrice. Elle tend la sienne: « Merci. » Il la prend, la serre, plante ses yeux dans les siens. (L'art de convaincre, deuxième leçon: ne pas lâcher l'interlocuteur des yeux, ne pas lui permettre d'échapper au proposeur.)

— Ouep! Quelqu'un de pas banal, Diane. Au plaisir.

Elle fuit. Qu'est-ce qu'ils ont? La panique doit la rendre séduisante. («Avec ton air de chèvre battue, ma chère, ils vont tous être après toi! Très efficace la demande muette de protection, ça leur gonfle l'égo.»)

Elle passe en quatrième vitesse devant la frisottée au téléphone.

31

— Madame Marchesseault?

Elle s'arrête, fixe la bouche luisante, incapable de seulement articuler un oui poli.

— Est-ce que je peux vous déranger deux minutes?

Diane revient lentement vers la réception presque aussi terrorisée que la petite qui s'acharne:

—Je... est-ce que je vous ai fait quelque chose? Heu... vous êtes un peu bizarre avec moi ces derniers temps... je sais pas pourquoi. Y a quelque chose?

— Non. Y a rien.

Elle ne peut s'empêcher de la fixer, de la haïr sans contrainte, pleinement. La petite déglutit péniblement: «Finalement, avez-vous pu trouver le journal que j'avais jeté l'autre fois?»

Idiote! Quelle idiote elle est! Diane se sent devenir toute-puissante, capable de l'écraser comme un insecte nuisible. Une petite chose qui exalte un sentiment féroce d'autorité.

— Très facilement, ma chère.

Ce qui était faux. Le journal datant de plus d'une semaine, elle avait dû se rendre à la maison mère pour en obtenir une copie.

— Ah!

— Autre chose?

La voir se tasser, rétrécir sur place et rester d'une indifférence totale; la regarder s'écraser remplit Diane d'un insatiable appétit de pouvoir. Elle sourit, soudain détendue, et passe son chemin.

Dans son bureau, elle ouvre le tiroir «personnel», sort la page du *Journal de Montréal* qu'elle a effectivement été chercher en début de semaine. Elle fixe la photo longuement, comme pour en graver tous les détails, puis elle la déchire méticuleusement, en lamelles minces, méconnaissables.

«Désolée Yseult, désolée ma chère, mais il faut faire place nette. Et puis c'était pas ta meilleure photo.» Sur le coup, d'abord, elle l'avait prise pour sa sœur. Pour Mélisande. Tante Méli. («Mélodrame, tu veux dire. La pauvre, s'appeler Mélisande et être aussi quelconque, ça doit peser. Dis merci à ta mère de ne pas avoir eu l'humour de la sienne à ta naissance. Dis merci, le pou.») Et encore, vaguement. Elle n'avait plus revu sa tante depuis tant d'années. Ça pouvait être elle. Le visage aux yeux fermés en disait si peu. L'enflure, cette bouche presque boudeuse, la joue affalée d'un côté, tout rappelait vaguement Mélisande. Pas du tout Yseult.

Elle n'avait pas appelé le numéro inscrit sous la photo. Pas tout de suite. Elle n'était pas assez sûre. Elle s'était dit que, si elle la voyait, sa mère appellerait elle-même. Mais Yseult ne regardait pas ce genre de choses, elle ne lisait pas le journal, trop vulgaire. («Les mêmes nouvelles chaque jour avec des noms différents pour varier, aucun intérêt! Qui a besoin de vérifier quotidiennement que le monde est pourri?»)

Pas cette fois-là, maman, pas le 7 novembre. Le 7 novembre, une femme aux yeux fermés, au visage bouffi, à la bouche croche et enflée, au menton doublé par la position de la tête que quelqu'un a dû tenir contre la poitrine le temps de prendre le cliché, ce jour-là, Yseult, c'était intéressant.

Finalement, il y avait une sorte d'équité, la parenté d'Yseult et de Mélisande apparaissait sur le cadavre. Mort, le corps proclamait ses appartenances, se rangeait docilement dans sa lignée. Mélisande... si Yseult avait su que sa fille la prendrait pour sa sœur méprisée et que, durant des jours, elle se promènerait avec l'idée d'aller identifier celle-ci à la morgue, aurait-elle choisi une autre mort?

Avait-elle choisi sa mort? Comment croire autre chose d'Yseult? Qui aurait pu forcer cette femme? Personne à part elle-même.

Dans la lanière de journal qu'elle tient, elle voit le dessous de l'œil: creux puis enflure.

«Les fractures décelées à l'autopsie révèlent un choc du corps au contact de l'eau qui laisse supposer qu'elle a effectué un saut assez important. La vitesse du corps qui percute l'eau serait assez grande pour causer les fractures. C'est la raison pour laquelle le visage est affaissé d'un côté. L'embaumeur a fait de son mieux, mais c'est quelquefois difficile, vous comprendrez. Le pathologiste suppose que le pont Jacques-Cartier a pu être l'endroit d'où elle est tombée. Remarquez que ce serait le pont Victoria et ce ne serait pas plus mal. Non... mais le Jacques-Cartier expliquerait bien la dérive vers Sorel.» — Voilà ce que le coroner avait donné comme détails.

L'œil va s'ouvrir. Elle le sait. Elle le fixe sur la photo, presque hallucinée. L'œil va s'ouvrir, plein de souveraine indifférence, un peu désabusé, probablement irrité («Mon pauvre pou.») et il va se refermer. Pas de soupir. Juste ce jugement implacable dans la façon de refermer, ce «ce n'est que toi» qui pèse sur la paupière. Elle saisit son stylo et noircit l'œil complètement. Un trou noir. L'œil a disparu. Attaché, ficelé, il ne pourra plus s'ouvrir. Pas de surprise, fermé pour toujours. «L'œil était dans la tombe et regardait Caïn.» Qu'est-ce que c'est que cette phrase? Des voix maintenant, elle va se mettre à entendre des voix? L'œil de Dieu! qu'est-ce qu'il lui faut? Non, Hugo, Victor Hugo dans le grand livre de poésie complète. Ce poème où l'œil de Dieu, terreur certaine, jugement au fond de l'iris, poursuivait Caïn le meurtrier jusqu'au fond de sa tombe. L'horreur parfaite pour l'enfant qu'elle était, la punition exemplaire. L'œil de Dieu qui, quoique absent, est quand même là pour voir et juger. Des heures sans dormir, à scruter s'il est là, tapi dans le noir de sa chambre, à luire près de la fenêtre, près de la garde-robe. Cent fois se relever, allumer, constater que l'œil a disparu, puis se recoucher et trembler parce qu'il est là, elle le sent, elle le voit près de la poutre du plafond. L'œil de Dieu, le regard dur, justicier, celui qui sait, celui qui approuve, désapprouve, celui qui tranche et rejette. Jusqu'au bout. Jusque dans sa tombe. Sans fin. Pour Caïn ou pour tous, l'œil? Meurtrier ou pas, on y passait. («Caïn? Un jaloux qui n'a pas eu le génie de se pousser et qui a fini par tuer son frère supposément parfait. Demande-moi donc pourquoi je ne veux plus voir Mélodrame.»)

L'œil d'Yseult. Froid pour toujours, glacé.
Probablement révulsé. Enfin laid. Enfin haïssable.
L'œil qu'elle a barbouillé, sali.
« L'œil regardait Caïn. » Fini. C'est moi qui te
regarde, Yseult Marchesseault. C'est moi qui peux
t'envoyer au fond de la tombe avec l'œil de Dieu
accroché dedans à te fixer, à te faire tenir tranquille pour toujours. C'est moi maintenant la
vivante, celle qui décide, celle qui agit. Toi, tu te
tais. Toi, tu te pousses. Sinon... Sinon quoi? Je
barbouille l'autre œil? Ridicule... stupides moyens
de petite fille. Il faut appeler Mélisande, la sœur
haïe, la sœur rejetée. (« Pourquoi je l'aimerais?
C'est l'incarnation parfaite de ta grand-mère :
conformisme et martyre. La pitié est le seul
sentiment qu'elle connaît. Méfie-toi de la pitié, ça
fait engraisser. »)

La tante Méli de son enfance qui prenait pour
elle, la défendait piteusement contre la royale
Yseult. Exigeant en tremblant qu'on ne la laisse pas
seule. Pas avant l'âge de dix ans. Les querelles de
tante Méli avec sa mère, deux sons inoubliables : la
clameur offusquée et l'imploration murmurante.
Du fond de son lit d'enfant, elle n'entendait que
les mots d'Yseult, jamais ceux de Méli. (« Méli
s'excite, Mélo a prédit sa douzième fin du monde
pour demain. ») Comment aimer tante Méli
autrement qu'en cachette? Comment avouer que
son souci constant avait quelque chose qui
approchait la tendresse? Comment ne pas être
ronronnante quand les bras généreux la serraient
contre les gros seins mous? (« La pitié, ma chère,
c'est faire pitié que tu aimes. Va falloir l'éloigner,

elle va te rendre aussi molle que les caramels qu'elle engloutit.»)

Mélisande abandonnée par sa nièce, sa seule famille, sur ordre exprès de sa mère. («J'ai le dos large, le pou, tu peux y aller, tes crimes ne pèsent pas lourd. Je peux faire ça pour toi.») Merci maman. Merci infiniment d'avoir le cran d'être solide pour deux, lucide pour tous. Merci, les poux s'écrasent devant toi, te vénèrent et te remercient. Les poux ne deviendront pas plus poux mais seront toujours orgueilleux. Alors, n'ouvre pas cet œil.

Le téléphone maintenant. La tête frisée de la réception ne fait qu'annoncer un bref «La deux» sans même attendre de réponse. Vraiment, si on ne peut plus torturer les gens en paix! S'ils se mettent à se défendre. Elle prend la deux.

— Tu pars en vacances? T'aurais pu me le dire. L'aventure du siècle à ce qu'y paraît?

— Qu'est-ce qu'il y a, Georges?

— Rien, vraiment. C'est juste un peu choquant d'entendre Gagnon parler de toi comme si tu lui confiais tes histoires de lit.

— J'ai pas d'histoires de même.

— Pas pour moi, en tout cas.

— Pour personne. Gagnon hallucine.

— Bon, excuse. Je voulais te souhaiter de bonnes vacances.

— Merci.

— Diane...

— ...

— Je veux pas insister mais... ça va?

— Ton cœur de mère saigne, Georges?

— O.K., j'ai compris. Excuse-moi.

— Pas de quoi.

Elle raccroche avant qu'il ne propose un *happy hour* pour fêter son départ. Ça serait une idée d'ailleurs, célébrer la mort de sa mère. Pourquoi pas une brosse, une vraie? Quelque chose de chic, de solide, une brosse au scotch.

Elle jette les lambeaux de journal. Ne reste dans le tiroir que le numéro de Mélisande sur un bout de papier. Elle l'avait appelée finalement, juste pour s'assurer qu'elle n'était plus là, que c'était bien elle la morte de la photo. La même voix, comme surgie de son enfance. Un peu pitoyable, en effet, qui traîne la finale, faiblement: «Allôôô? Qui cé qui parle?»

(«Toujours aussi vive, Mélodrame, ça va chercher dans les vingt watts, gros maximum.») Diane avait finalement réagi d'un ton froid: «Madame Yseult Marchesseault?», ce qui avait profondément offusqué son interlocutrice:

— Ah ben non! Pas du tout! C'est Mélisande Anger, sa sœur. Qui cé qui parle?

— Une employée d'Hydro-Québec. (Ça, c'était la faute des vingt watts!) Vous savez où on peut joindre madame Marchesseault?

— Comment voulez-vous que je le sache? Ça fait vingt ans que je l'ai pas vue.

— Ah bon. Je vous remercie, excusez le dérangement.

— Attendez! Elle a une fille, par exemple. Diane. Elle doit le savoir, elle.

— Je vous remercie.

— Ben oui mais attendez, je vais vous donner son téléphone, je l'ai. Elle a pas dû changer.

Et Diane avait méticuleusement noté son propre numéro sous celui de sa tante. Non, elle n'avait pas changé. Depuis son divorce, elle n'avait pas changé d'adresse. À cette époque, elle avait écrit à sa tante Méli, probablement pour obtenir sa dose de commisération, sa portion de pitié. Tante Méli avait généreusement condamné tous les hommes de la terre, responsables par leur égoïsme forcené du malheur de toutes les femmes. Ainsi va le monde, pas besoin de creuser. Elle-même s'était vue abandonnée par Roger Anger, on sait dans quelles circonstances et on n'en parlera plus mais quand même... ça changeait pas. Comment va ta mère ? Tante Méli avait cousu à la main le bord de tous les rideaux du nouvel appartement, question de refaire un trousseau à la nouvelle divorcée.

C'était il y a dix ans. Elle n'avait jamais revu sa tante depuis. Trois ans plus tard, elle rompait avec sa mère, ce qui n'avait provoqué aucune réconciliation de celle-ci avec Méli. Il y avait donc sept ans qu'elle n'avait plus vu Yseult. Sauf une fois, par hasard cinq ans plus tôt. C'était dans un bar. Au centre-ville. Un bar supposément branché, genre bar-à-coke où les yeux sont fébriles, les sourires un peu figés et les dents serrées. Yseult trônait au bar. Encadrée par deux hommes. Divine. La main gauche tenait sa cigarette et illustrait son propos. Les ongles parfaits. Tout en noir, les jambes racées, croisées, qui frémissent un peu à l'approche d'une main. Les jambes qui parlent, choisissent un homme plutôt que l'autre. Un sourire esquissé. Et le roucoulement de tourterelle. La tête qui se renverse, offrant le cou, la ligne pure, carrée de la mâchoire. À la voir de loin, elle devinait son odeur, elle pouvait voir chaque bague qui portait le prénom d'un homme. Yseult avait aux joues le rose de la conquête, aux yeux le pétillement de la séduction. Yseult à son meilleur. Superbe animal attisant le désir, le portant à des sommets inégalés.

Diane la regardait, figée près de l'entrée, immobile de stupeur. Yseult l'avait sentie, s'était retournée, l'avait considérée avec amusement, comme la chatte considère la souris, évaluant tranquillement le temps qu'elle mettra à la neutraliser.

Diane avait dû sourire piteusement, mal à l'aise d'être là, en plein terrain de chasse de sa mère. D'un geste, Yseult avait congédié les deux hommes et, placide, en fumant légèrement, avait attendu qu'elle s'approche. Diane s'était avancée, peureusement. Deux ans sans nouvelles d'elle et sa mère avait l'air encore plus jeune, plus insouciante. Pourquoi l'âge n'avait-il pas de prise sur cette femme? Le décolleté parfait, sobre mais follement tentant, laissait deviner cette poitrine encore ferme, ces seins pas très gros dont elle avait hérité. («Des seins de femme, pas une laiterie pour des têteux, pas une tablette pour se reposer. Des seins pour le plaisir, tu verras.»)

Elle lui avait offert du champagne pour célébrer leurs retrouvailles. Impossible de savoir si sa mère se moquait ou non. Impossible de ne pas se sentir stupide et gauche devant sa grâce, son aisance à manœuvrer. Elle l'avait toisée, avait évalué sa fille avec toute la sévérité d'une mère sans concession. («Tu as l'air de bien aller. Ton col Claudine s'harmonise merveilleusement bien avec ton air d'enfant sage.»)

Puis, ayant épuisé ses ressources maternelles, elle avait poursuivi un jeu vieux de mille ans («Lequel tu prendrais, toi?») jusqu'à la faire rougir de honte. Finalement, écœurée, elle avait risqué un des deux, pratiquement au hasard. Yseult avait bien ri, elle avait appelé l'homme, le lui avait présenté avant de quitter le bar. L'homme avait courtoisement payé encore une bouteille de champagne avant de s'éclipser. Celui qu'elle devait rencontrer ne s'était pas présenté. En rentrant, elle avait trouvé ses excuses sur le répondeur, comme s'il n'y avait pas eu de téléphone au bar. Elle lui avait fait subir un sort «Yseult», l'avait carrément et royalement renvoyé. Depuis, il ne cessait de la désirer, apparemment inconsolable. C'était Georges. («Plus tu t'en fous, plus ils en veulent. Des fanatiques de l'équilibre. Ils ne supportent pas de tanguer. Ils perdent pied.»)

Voilà comment elle avait revu sa mère pour la dernière fois. Depuis cinq ans, silence total de part et d'autre. Silence familial total puisqu'elle n'avait pas cherché à revoir Méli. Même sa tante devait être tenue à l'écart. Comme si toute fréquentation d'ordre familial risquait de mettre en péril la décision concernant Yseult. Non, Méli n'avait pas été ressuscitée par la rupture avec Yseult. Méli perdait sur toute la ligne, la pauvre. («Elle adore perdre, elle en crèverait de gagner.») Sa mère ne savait même pas qu'elle avait maintenu le bannissement de Méli, qu'elle l'avait endossé. Et puis sa mère s'en foutait, elle l'aurait juré. Sa mère avait écarté Méli quand elle avait dix ans, le jour où elle n'eut plus besoin de gardienne pour sa fille bien assez grande. («Un peu d'injustice va la réconforter dans son rôle de martyre.») Ça, c'était la version officielle. L'officieuse, celle de la chambre, était le détournement du mari de Mélodrame. Le classique adultère avec la belle-sœur. Le prévisible coup de foudre du pauvre Roger Anger, comptable qui ne fut agréé que le temps de faire la différence entre le rêve — Yseult — et la réalité — Mélisande.

Devait-elle rappeler Méli pour lui annoncer la mort d'Yseult? Sa vraie mort. Pas celle de la rupture. Celle de la morgue, celle du cadavre empli d'eau trouvé dans les joncs glacés de Sorel par un pêcheur d'achigans. Celle de la femme qui a coulé, a dérivé, s'emplissant de vase avec une main cassée dont trois doigts râclaient désespérément les fonds filandreux du fleuve. Fallait-il soulager Méli de son drame personnel et offrir en prime à sa morne vieillesse d'épouse délaissée un vrai drame juteux, quelque chose d'horrible et de sordide, à la hauteur des promesses de la vie?

Elle avait répondu non. La veille, elle avait répondu non à la question du monsieur poli qui avait posé tant de questions. Non, pas de famille en dehors d'elle-même, aucun parent vivant. Non, pas de lien connu avec personne. Ou plutôt oui, mais elle n'en savait rien, ne la fréquentait plus, ne la voyait plus. C'était simple, direct, définitif: personne d'autre qu'elle ne pouvait réclamer ce corps, le reconnaître, se l'approprier. Tous ceux qui l'avaient possédé vivant le nieraient aujourd'hui. Tous ces hommes s'enfuiraient en hurlant devant la masse de vase qu'était devenue Yseult. Elle seule pouvait le dire, elle seule pouvait l'attester : elle reconnaissait bien cette vase qui avait suinté de son enfance, cette fracture vivante qu'était sa mère, elle pouvait certifier qu'elle la retrouvait tout entière dans sa main gauche.

Mélisande serait privée de son épilogue dramatique. Méli n'aurait pas son mélodrame. Elle n'avait qu'à lire *Le Journal de Montréal*. Elle ne l'aurait pas reconnue. Méli ne connaissait que la victoire chez sa sœur. Rien de bouffi, rien de tuméfié et surtout pas ces yeux fermés, ces yeux un peu bombés, les yeux de la grenouille qu'on a cousus pour ne pas qu'ils s'exorbitent. Tante Méli aurait dit : « Tiens, c'est moi dans dix ans. » C'est tout. Rien dans cette photo ne pouvait rappeler Yseult la magnifique, Yseult la voleuse de mari qui a laissé Roger la cueillir dans un champ de bleuets, en plein soleil, avec sa petite fille de dix ans à proximité. Sa petite fille qui en avait vu d'autres et qui en avait profité pour remplir consciencieusement son seau de bleuets.

Diane se rappelait que la manche de la chemise de son oncle était tachée. Une tache violet foncé, comme du sang séché sur le blanc éclatant. Il avait appuyé son coude sur un plant de bleuets, faisant preuve, pour la première fois de sa vie de comptable, d'une désinvolture époustouflante. Mélisande avait hurlé à cause de la tache avant de s'apitoyer sur les causes profondes qui l'avaient provoquée. Roger reconnaîtrait-il cette femme qui fut sa belle-sœur avant d'être sa maîtresse ? Non, pas lui plus qu'un autre. Pas de parenté connue.

Que moi, Diane, la fille décevante, celle dont tu ne veux pas et qui te poursuit quand même. Celle qui aurait dragué le fleuve à ta place si tu le lui avais demandé. Si tu avais toi-même su ce que tu y cherchais. Ta famille, ma mère, ta parenté obligée, ta petite honte remplie de honte, le pou dérisoire rempli d'orgueil et sans fierté. Ton indigne fille, fidèle à personne, bonne à personne et qui ne sait être que le négatif de sa mère.

Elle déchire le numéro de Mélisande. Il fait plus froid, une odeur de neige à venir pénètre dans le bureau par la minuscule fenêtre entrouverte. Hier, à la même heure, elle sortait de la morgue. Non, plus tôt : le soleil se couchait, vautré dans un rose fuchsia, violacé, de la couleur exacte de la tache sur la manche de la chemise d'oncle Roger. Pourquoi était-ce le ciel qui lui avait semblé obscène ?

D ès qu'elle avait pris conscience de sa position physique, les coudes légèrement appuyés contre le bar, le dos reposant sur le bord courbé de cuivre, tête renversée, offrant son cou au regard de l'homme qui la brûlait des yeux, dès cet instant fulgurant où elle s'était sentie «être» sa mère, une sorte de rage l'avait saisie.

Le scotch avait exalté sa furie. La pulsation du sang à ses tempes faisait corps avec les percussions de la musique. L'homme n'était pas avare et les verres ne se vidaient jamais. Ils avaient dansé, elle furieusement, lui en voyeur, croyant assister à une démonstration de son énergie sexuelle, la recevant comme une avance sur la nuit potentielle.

Déchaînée, elle riait, buvait sec et se précipitait sur la piste pour marteler le plancher de verre d'où la lumière transpirait.

Elle n'avait argumenté que sur l'endroit. Ça avait d'ailleurs été plutôt sec: «Chez toi ou rien.» Il avait obtempéré, trop soûl pour discuter et la trouvant trop soûle pour risquer de l'irriter. Chez lui, c'était une maison de la rive sud.

Elle avait roulé au fond du taxi, roulé sur le tapis du salon, roulé jusqu'au lit où la violence du désir qui la saisissait avait tout de la volonté déterminée de saccager, détruire. Elle le prenait, l'engouffrait en elle, s'abîmait en lui, posant ses mains sur ses yeux pour ne plus le voir, pour n'être qu'un corps avide de cogner, cogner, cogner contre un autre corps sans jamais y entrer vraiment. Et elle frappait ses seins contre sa poitrine dure et elle ouvrait sa bouche, mouillait son sexe, le forçait à dominer sa soûlerie, le tenant aspiré au fond de sa gorge, de son sexe, de son cul, pivotant sur cet homme consentant, le roulant, mordant son dos, se frottant frénétiquement contre ses fesses, tenant sa queue aussi fermement qu'il devait bien le faire quelquefois, ventre contre le drap, haletant, bouche humide enfoncée dans l'oreiller. Elle le fouillait de la langue, des doigts et se fouillait de son sexe, s'emplissant de lui, emplissant la chambre de ses grognements, de ses soupirs à lui, de son plaisir saccadé, hachuré qui ne devint long, guttural, profond qu'à la fin de la nuit, quand elle le chevauchait désespérément, pur-sang sauvage agrippé à son plaisir, le martelant, l'exaspérant, accrochée au montant cuivré du lit, la tête renversée sur son cri, les seins emprisonnés dans ses mains à lui, fébriles presque cruelles dans leur insistance brutale, galopant vers un ailleurs gorgé de sperme et de sueur, ouvrant la bouche pour laisser s'épuiser un feulement de bête achevée.

C'était sa première brosse au scotch.

Du haut de son vingt-sixième étage, appuyée contre l'immense vitre de son loft, elle regarde le soleil se lever. Même luxe au début qu'à la fin du jour, aucune surprise de ce côté, toujours du rose foncé, du fuchsia et toujours cette impression d'écœurement.

Elle est arrivée. Elle ne sait plus très bien d'où elle s'est enfuie, elle se souvient seulement de s'être habillée dans une pièce sombre, sans faire de bruit, parce qu'il ne fallait pas réveiller quelqu'un. Cette forme dans le lit qui n'a qu'un prénom pour elle : Pascal. Elle est sortie dans la nuit qui pâlissait. Dans la rue, elle avait «flyé» un taxi qui l'avait ramenée à elle et chez elle. Seul pépin : ce pont que le chauffeur avait voulu prendre et son ordre sec d'obliquer vers le tunnel. Elle ignorait comment elle avait abouti de ce côté du fleuve et ce qu'elle avait bien pu y faire. Elle se sent meurtrie sans raison, comme si on l'avait battue.

Il y a dix ans, habiter un loft faisait très chic, très moderne. Maintenant, c'est presque vulgaire, enfin, commun.

Elle fait le tour de son appartement comme si elle le visitait pour la première fois. Comme une étrangère. Rien ici pour la compromettre. Un loft, pour elle, c'est avant tout un espace vide. En dix ans, l'espace est resté vide. Rien sur les murs blancs, rien aux fenêtres, que ces stores minuscules et toujours relevés qui ont vite remplacé les rideaux cousus par Méli, rien sur les meubles de verre, sur le lit monacal, rien qui traîne, rien qui témoigne du moindre souvenir, rien qui révèle quoi que ce soit de la propriétaire si ce n'est un désir forcené d'anonymat. Marcher dans l'espace vide sur les tapis impeccables, fixer les murs blancs, regarder Montréal là, en bas, qui se réveille, l'apaise enfin. Depuis que le soleil est levé, elle évite soigneusement la fenêtre côté est, celle qui domine aussi le sud et d'où on peut voir le fleuve. Le fleuve immobile gagné par les glaces. Le fleuve gris qui ne bouge plus, gardé prisonnier du froid, obligé de tenir la ville dans son étau de glace.

La lumière du répondeur clignote : quel étrange souci d'être là même quand on n'y est pas. Elle comprend à peine cet achat. C'est Georges encore ou un autre qui veut ce qu'elle ne peut donner. Elle débranche l'appareil, le range minutieusement dans l'immense placard. Un sac de plastique roule sous son pied. Elle le prend, ferme la porte et le pose sur la table basse. Un sac transparent, épais, contenant de plus petits sacs aussi translucides, fermés hermétiquement comme des sacs de plastique pour aliments congelés. Elle sourit : tout est conçu pour le froid à la morgue, même les sacs d'« effets personnels ».

Voilà donc sa mère. Réunie dans un plastique, sa mère sous le plastique là-bas qui se décompose sous la brûlure de la congélation. Décomposition lente, sournoise: exposée à l'air libre, elle serait comme ces personnages de cinéma de son enfance qui, ayant conclu un pacte d'éternité avec le diable, se désintègrent devant le crucifix. En une seconde, les centaines d'années volées à la mort défilaient sur le visage du personnage, le défiguraient atrocement jusqu'à l'inévitable squelette. Non, on ne vole pas la mort. On paie comptant, pas un Faust pour nier cela. L'instant merveilleux et terrorisant où le visage devient une pomme ridée et se délabre au rythme de la musique tonitruante. Toi aussi Yseult, toi aussi ma mère si séduisante, gonflée sous le plastique, pourriture enclenchée même si le frigo la freine, la diffère. Toi aussi, tu vas y passer.

Où est la bague? Depuis combien de temps est-elle sortie de cette morgue, rue Parthenais? Un mois, un an? Elle sait que ça se calcule en jours, en heures mais elle n'arrive plus à fixer l'ordre des jours. Seuls des flashs la traversent, la ramènent à une émotion, une précipitation du cœur dans la poitrine. Où est la bague?

Avant de quitter les murs gris du sous-sol de la morgue, aussi glacée que si elle y avait séjourné elle-même, elle s'était aperçue qu'elle serrait violemment le sac de plastique qu'on lui avait remis avant d'aller identifier sa mère. Le sac contenant les maigres possessions d'Yseult. Sa mère n'était pas du genre à s'encombrer d'un fourbi. Pas de sac à main évidemment. Ou était-ce cela que la main désirait tant accrocher? Non, le sac a dû précéder sa mère, juste pour le plaisir sadique qu'elle a dû s'offrir, évaluant le «ploc». Pas de vêtement non

plus. Morte et nue. Que sa peau rouge, étrangement brûlée. Comment ont-ils retiré la bague de
ses doigts enflés? Où est la bague?
Elle l'avait extirpée du sac. C'est la première
chose qu'elle a aperçue dans les plis blanchis
des sacs. Le saphir entouré de diamants minuscules. («Ma pauvre, ce seraient des zircons, ça
ne m'étonnerait pas!») Le saphir si petit.
(«Faut-tu être innocent!»)
Elle avait demandé les toilettes avant de sortir,
avec l'impression bête que ce devait être classique
comme requête. Habitué au parcours, l'assistant en
vert lui avait indiqué le chemin. Les toilettes
semblaient être un arrêt obligatoire à la morgue.
Elle avait presque arraché l'ouverture du sac pour
saisir le saphir. Puis elle s'était précipitée dehors
dans le coucher de soleil dégoûtant de rose. Elle
avait levé les yeux: le pont Jacques-Cartier la sur-
plombait, bloqué par le trafic de l'heure de pointe.
C'était bien Yseult d'aller se jeter littéralement à
la porte de la morgue. On ne pourrait jamais la
taxer de romantisme.
Les taxis à l'entrée de la morgue devaient
également faire partie du plan d'évacuation prévu:
identification-signature-toilettes-taxi. Propre et net.
Presque plastifié. Encore une chance que la
banquette arrière ne soit pas recouverte de
l'inévitable pellicule protectrice!
En entrant chez elle, en cherchant sa clé en
bas, à la première porte verrouillée de son très
sécuritaire immeuble (n'entrait pas là qui
voulait!), elle avait été embarrassée par quelque
chose: la bague incrustée dans les chairs de sa

main, tenue tellement serrée qu'elle collait à sa peau, s'enfonçait profondément, marquant chaque griffe et chaque pierre précisément. C'est dans cette empreinte qu'elle avait mesuré l'ampleur du choc qu'elle arrivait à constater sans le sentir. Elle était restée là, dans le hall, à considérer sa main, à attendre que le sang, la peau effacent la marque. Que sa mère daigne la lâcher. Diane regarde sa main : rien, disparues la bague et sa trace. Où est-elle ? Qu'en a-t-elle fait ?

Elle pose sa main sur sa bouche pour réfléchir, une forte odeur de sexe l'étreint, une odeur puissante, contraignante qui lui lève le cœur. Un marais, elle étouffe au fond d'un marais, l'odeur chaude, obsédante, musquée de sa mère. Les draps de sa mère remplis d'odeurs contradictoires, suavité et âcreté mêlées, parfums rebutants, fétides d'où émerge quand même l'unique, charnelle senteur de sa mère.

La nausée, elle va vomir. Comment ces sacs peuvent-ils tant contenir d'odeurs de son enfance ? Cette odeur qu'elle avait reconnue et sauvagement repoussée la première fois qu'un homme avait voulu la prendre. L'horrible, répugnante odeur du sexe. Cette odeur qu'elle associait toujours à des barreaux : ceux du petit lit où sa mère venait la chercher, s'inclinant vers elle, distribuant généreusement ses effluves par l'entrebâillement de la robe de chambre. Le désir fou d'enfouir sa tête dans cette ouverture et l'effet glacial d'y trouver une autre odeur animale, âcre et amère celle-là, enivrante et détestable. L'odeur de l'homme. L'âpre émanation de l'homme, suffocante. Elle

51

recule, à genoux sur le tapis, cherchant d'où peut venir pareille odeur. Sa mère? Le cadavre qui aurait marqué le contenu des sacs? Comme une bête alarmée, elle renifle à petits coups, cherchant même dans le tapis la source marécageuse. Elle! C'est elle qui dégage cette odeur! Elle qui trimballe ce parfum haï. Elle se précipite, fait couler un bain. Ses vêtements puent aussi : poubelle.

Après le bain, la douche, le shampoing, la soie dentaire même, elle s'étrille, s'astique et sort de la salle de bains rouge, essoufflée, le cœur au bord des lèvres. Il faut manger. Ne pas penser et manger. Le café, les œufs. Méthodiquement, posément, elle prépare le déjeuner, l'avale, range tout.

Il faut se méfier d'Yseult, il faut se méfier de cette femme capable de venir la chercher dans son vingt-sixième étage. Capable de la traîner, de l'entraîner vers le sous-sol de la rue Parthenais, vers les fonds marécageux du fleuve, vers la vase rebutante pleine de sperme. Il faut la tenir à distance, l'empêcher de survivre, de la poursuivre, de l'implorer pour quelque chose qu'elle ne peut pas donner. Il ne faut pas laisser faire cette femme. Elle peut la tuer. Elle peut la briser en la regardant avec ses yeux dorés, ses yeux tristes du petit matin, désillusionnés, ses yeux sans amertume, nostalgiques, couverts d'un voile d'eau qui tremble dans les coins, les yeux implorants de sa mère bataillant à l'aube contre la terrible, l'effroyable tristesse. Les yeux brisés, vidés de leur éclat vaniteux qui considéraient le néant de l'intérieur. Son chant des sirènes à elle. Cette solitaire certitude de la mort à venir, du vide empli de vide de certaines aurores et de tous les soirs, inscrite dans ses yeux.

Ces yeux trop grands pour sa petite main, trop loin pour la longueur de ses bras d'enfant, ce chagrin trop lourd pour ses épaules. La terrible paix de ces matins désarmants où Yseult contemplait sa mort en jouant distraitement avec la bottine de sa fille qui attendait patiemment, pieds nus, la fin de la pause, le passage du nuage, la conclusion inévitable l'inondant du bonheur d'aller en ville avec elle («Viens, on va bouger, on va casser le spleen.»), merveilleuse tristesse qui contenait une telle promesse.

Il est huit heures dix au cadran électronique. Sa première journée de vacances. Un goût exécrable dans la bouche, amer. Les sacs qui traînent encore sur la table basse. Que cherchait-elle tout à l'heure? Sa mémoire est continuellement court-circuitée depuis la morgue. Depuis ma mère ou depuis la morgue? Depuis tous ces «M», de toute façon.

Elle l'avait observé remplir le formulaire et avait dû corriger: «Non, e-a-u-l-t pour Marchesseault et Yseult s'écrit avec un Y et l-t à la fin.» Non, ce n'était pas courant, il avait raison. Oui, c'était un nom mélodieux. Le nom du père?

Horrifiée, scandalisée, elle l'avait fixé. Pas ça! Elle avait murmuré: «Lequel?» dans l'espoir de se donner du temps.

— Le vôtre.

Elle était tétanisée, raide, incrédule:

— Le mien?

53

— Le nom de votre père.

Il répétait très bien, avec une douce et ferme patience. Ah oui, bien sûr, qui dit mère dit père. Qui dit formulaire dit humiliation nécessaire, obligatoire. Comme elle regrettait! Comme elle aurait dû envoyer Mélisande. Comme elle se serait plu, elle, à décliner ses racines, l'arbre généalogique au complet, le registre de sa respectabilité. Méli était née, baptisée, confirmée, mariée, divorcée. Pedigree parfait.

— Pourquoi?

L'attaque avait toujours constitué sa seule défense sur ce terrain. L'attaque pure et simple. Le ton le plus sec possible, l'air d'être au-dessus de tout ça. Peu importe qu'on soit dupe ou non. Il s'était révélé remarquable de délicatesse, elle ne pouvait vraiment pas le prendre en défaut. La nécessité de prouver la valeur de l'identification, l'attestation de l'intégrité du témoin. On ne peut pas certifier le décès d'une personne sans preuves formelles, vous comprenez? Elle comprenait. Elle planta ses yeux dans les siens et articula nettement : «Inconnu.»

Ce fut inscrit méthodiquement, comme le reste.

Il fallait bien passer par là. La disparition de l'une rappelant l'inexistence de l'autre. Un père. («Veux-tu me dire ce que t'aurais à faire d'un père?») Ça lui avait pourtant coûté assez cher de thérapeute lors de son divorce pour ne plus avoir à y revenir. Classé. Beau malheur inévitable dont elle n'était pas responsable. Aucune culpabilité. Garanti. Vivre avec, faire son deuil, accepter avec sérénité toute cette *bullshit* du décodage patenté qui calme les irrégularités du cœur à coups de chèques. Elle l'avait bien payé, son orphelinat! Un an de séances de larmes, de rage, d'impuissance, d'assurance. Un an à radoter les manques, les griefs, les silences. Elle pouvait décrire toutes les paires de souliers de la thérapeute: elle les avait fixés un an durant. Cette jambe mollement croisée sur l'autre, ce pied qui n'oscillait jamais, sa main sur sa cuisse, posée sagement. La position d'«ouverture» sans doute. Pour lui permettre de parler, d'avouer, de cracher son venin de petite fille abandonnée par son père, alors qu'elle savait que c'était faux, qu'elle s'en foutait.

Fallait-il qu'elle soit incompétente cette nouille diplômée pour se contenter de discours sur la «figure du père» et ne rien deviner de l'abîme de la mère! Ce père absent lui avait rendu bien service. Elle avait pu lui faire endosser toutes ses impuissances, toutes ses haines, tous ses regrets, y compris celui d'être une épouse dénuée de désir sexuel, sans jamais avoir à se regarder en face. Merci papa. Toi présent, j'aurais eu des difficultés immenses dans l'existence. Et laisse-moi te dire que tu en aurais arraché avec ma mère! Toi présent, je t'aurais sûrement détesté pour vrai.

Diane marche dans l'appartement, mal à l'aise. Pourquoi cette pièce aussi anonyme qu'une chambre d'hôtel de luxe ne l'apaise-t-elle pas? Pourquoi l'angoisse? La fatigue peut-être, elle ne se souvient pas d'avoir dormi. Elle ne se souvient de rien d'ailleurs. Elle s'est soûlée dans un bar du centre-ville qui n'était pas celui où elle avait revu sa mère. Ça, elle en était sûre. Elle pouvait le certifier. Elle avait fait très attention. Elle ne voulait pas faire exprès et se prouver quoi que ce soit. Elle n'était pas allée à la recherche des traces de sa mère. Pourquoi l'aurait-elle fait? Ça ne l'avait jamais intéressée. La vie de sa mère ne l'intéressait pas. Ses mille déménagements, ses sorties, ses coups de foudre, non merci. Ses voyages sans photo, sans cadeau, à croire sur parole, non merci. Ses ruptures signées de bagues de plus en plus coûteuses, non merci. — «Il y a là-dedans quelques bijoux de grande valeur, je tiens à vous le dire.» — Oui, monsieur l'aimable poli, ma mère se frottait à de grandes et belles valeurs. Des valeurs brillantes qu'elle enfilait à ses doigts de pianiste ou qu'elle portait à ses oreilles. Rien de semi-précieux. Toujours des pierres pures et précieuses. Ma mère était une sorte de putain de luxe. Elle a beaucoup ri le jour où je le lui ai dit. Beaucoup. Ça a dû la réjouir pour la semaine! Elle a vraiment eu beaucoup de plaisir avec moi, sa seule fille, son pou. («Marie-toi, ma chère, va parasiter un pauvre épais qui ne demande pas mieux. Va faire ton pou dans la dignité et invite Mélodrame aux noces. Vous allez pouvoir pleurer mon absence.») Elle habitait rue Querbes la dernière fois. Comment faisait-elle? Où prenait-elle son argent? («Laisse les questions vulgaires à tante Méli.») Un salon moelleux, crémeux, beige et blanc, sobrement luxueux, baigné de soleil. Et elle, dorée dans le sofa, splendide chatte pelotonnée dans son plaid de mohair rosé qui l'avait toujours suivie. Elle, souveraine, qui riait en renversant la tête quand sa fille la traitait de putain.

Sa réaction l'avait rendue folle de rage. Toujours cette exaspérante supériorité, toujours cette façon de vous rabaisser, vous éteindre. Diane avait vu rouge et lui avait débité toutes les insultes qu'elle avait pu trouver. Aucune prise sur l'ange démoniaque. Son regard s'était à peine arrêté sur sa fille qui, raide comme la justice, l'inondait de sa haine. Elle avait fait cette chose inouïe : elle avait mis en marche le magnétophone qui était près d'elle, apparemment par hasard, comme quelqu'un qui se cherche quelque chose à faire, presque par inadvertance, quoi !

Quand Diane, livide, vidée, avait conclu sa prestation, Yseult avait retiré la cassette et la lui avait tendue. («Écoute-toi. Ça vaut pas mal de séances chez ton psy.») Diane avait saisi la cassette, l'avait lancée à bout de bras et avait claqué la porte en hurlant qu'elle ne voulait plus jamais la revoir. Ce qu'elle avait effectivement fait. La cassette était arrivée par la poste, la semaine suivante, avec une inscription : «MA MODESTE PARTICIPATION À L'ÉLUCIDATION DU DRAME DE TA VIE. Y.» Sa mère signait toujours Y. Elle détestait son nom. «Pourquoi tu t'appelles de même ?» («Parce que.»)

Toute petite, elle jouait dans les cheveux de sa mère, les brossait, les humait (oh dieu, l'odeur douce et capiteuse de ces cheveux !), s'enfouissait le visage dedans comme dans une fourrure, les tressait gauchement, les tirait quelquefois («Attention, le pou, ça tire !»), les roulait voluptueusement, en frottait son cou, ses bras, et quelquefois (sommet du plaisir) elle prenait un miroir et, tenant sa face appuyée contre celle de sa mère, elle se coiffait de sa blondeur, faisait descendre les longues mèches souples contre sa joue, son front: «Regarde maman, je suis blonde, c'est moi la fée!» Et sa mère jouait le jeu, faisait une grimace horrifiée, affreuse. («Il y a un pou dans mes cheveux. Yark! Un petit pou noir foncé. En plein dans mes cheveux! Attends, attends que je le pogne!»)

Elle, morte de rire, s'affalait dans son cou, secouée d'éclats de rire et de peur mêlés, bavant, hoquetant: «Non! Non! C'est Di! C'est Di!» Yseult la renversait sur ses genoux, faisait l'étonnée, vérifiait (la bedaine, le cou, les joues, les yeux, dans l'ordre), oui, c'était bien sa fille, on l'avait échappé belle. Et Diane restait là un instant, renversée sur les genoux de sa mère, à contempler son visage penché vers elle, cette bouche rouge vif, mordeuse, pulpeuse, l'opulente blondeur qui coulait et chatouillait ses genoux égratignés d'enfant. Elle la regardait, émerveillée que tant de lumière émane de cette mère et elle se taisait de peur de la lasser, de peur qu'elle ne la repousse, excédée par son adoration. Tant que le sourire demeurait, elle pouvait profiter de sa vision. Puis les yeux brillants la quittaient, erraient quelque part en dedans d'elle ou au dehors mais pas dans cette maison, pas avec sa fille. Et Diane savait alors que c'était terminé. Et pour se donner de l'importance, pour arriver à croire qu'elle avait le pouvoir de choquer Yseult, elle répétait: «Pourquoi tu t'appelles de même?» Et le «parce que» de sa mère tombait en même temps qu'elle se retrouvait soulevée et déposée sur le sol.

La première fois qu'à l'école on lui avait parlé de la Vierge Marie, la plus belle, la plus divine blonde au voile bleu, elle avait levé la main pour déclarer que c'était sa mère. Tout le monde avait bien ri.

Pourquoi pense-t-elle à ça? Parce qu'elle est morte? Elle s'en fout! Ça fait des années qu'elle a renoncé à sa vision, des années qu'elle sait la valeur de cette femme séductrice qui essayait sur sa fille ce qui fonctionnait si bien avec tous les fournisseurs de pierres précieuses. Elle s'en fout d'Yseult, de ses bagues, de son cadavre, de son suicide ou même de son meurtre! Pourquoi pas? Pourquoi n'y aurait-il pas un homme qui l'aurait fait? Pourquoi est-ce impossible? Regarder le clair de lune sur le pont, ça devait être assez pété pour elle, ça. L'emmener là, la faire rire, la renverser contre le rebord, la faire basculer le temps que le regard change, vire et la regarder frapper l'eau brutalement — «Multiples fractures dues au choc du corps contre l'eau, amplifié par la vitesse de la chute» — pourquoi non? Il doit bien y avoir un homme véritable parmi tous ces mâles qui l'ont baisée. Non? Un qui solde leur relation par un meurtre plutôt que par une pierre. Qui la précipite dans l'eau glacée d'octobre plutôt que d'accepter son verdict et le prix à payer. Sont-ils donc tous des minables, des comptables, des petits consommateurs mesquins qui règlent leurs factures sans rouspéter? Race d'impuissants! Race de peu d'envergure qui se laisse congédier sans rien dire. Il doit bien y en avoir un qui s'est révolté? Un qui a dit non, qui a frappé, qui s'est débattu. Un pour avoir le courage de l'envoyer par-dessus le pont, pour la précipiter dans le vide. A-t-elle crié? A-t-elle hurlé tout le temps de la descente? A-t-elle appelé quelqu'un, elle qui n'a jamais demandé d'aide de sa vie? A-t-elle crié une injure à l'assassin?

Il n'y a pas d'assassin, Diane le sait. Il y a eu le silence, elle en est certaine. Le silence lourd et le bruit sourd du corps qui percute l'eau glacée. Du corps abandonné qui fend l'eau et s'y enfonce, qui écarte les bras pour saisir encore quelque chose de la vie maudite et qui coule à pic, main tendue, croc impatient de saisir la vase, de se l'enfoncer dans la bouche ouverte, de s'y décomposer. Yseult est montée seule au pont. Diane sait exactement la qualité du regard qu'elle avait en marchant vers le bord, en fixant l'eau en bas, sans la voir. Elle sait que cette femme blonde n'a pas eu peur, ou froid ou mal. Sa mère est allée au-devant de la mort avec froideur, ne tenant absolument pas compte de la frayeur ou de la souffrance. Et sa bouche devait être rouge. Et ses ongles faits. Et ses cheveux...

Debout au milieu de son salon, Diane porte les mains à son ventre, pliée de douleur, crampée. Un spasme épouvantable, une déchirure dans le bas-ventre, comme un coup de poing. Elle s'agenouille sur le tapis, front contre sol, haletante, qu'est-ce que ça peut bien faire, ses cheveux? Elle s'en fout! Les cheveux blonds de sa mère ne lui font rien. Elle refuse la douleur, elle refuse obstinément de céder, les dents serrées, vacillante sous l'emprise de la crampe, elle frappe son front contre le tapis, à coups répétés, violents, sauvages. Elle frappe et gémit son « va-t'en ! » jusqu'à ce que, épuisée, elle s'effondre, les yeux secs, tendue, soulagée de rien. Essoufflée, elle s'étend sur le dos, sa tête roule sous la table basse. À travers le verre, elle voit encore le plastique contenant les bagues et d'un geste rageur, elle repousse la plaque de verre qui se soulève et la rejette plus loin, au bout de ses bras. Un bruit mat sur le tapis, le verre n'a même pas cédé, à peine si un coin s'est ébréché.

Avant de devenir complètement folle, Diane prend son manteau, ses clés et elle sort, abandonnant son appartement sans le ranger, pour la première fois de sa vie.

À peine dehors, elle sait qu'elle va descendre vers le fleuve. Alors, très bien, allons-y! Poings serrés, elle se dirige vers le sud. La matinée est magnifique, l'air sec et froid brûle ses poumons, elle ne sent aucune fatigue et marche énergiquement.

Une fois arrivée au port, elle avance jusqu'à l'eau, masse foncée qui clapote à peine contre le quai, un sirop sombre et flasque, à mille lieues de l'océan et de sa transparence verte. Elle se tient au bord du quai, raide, vindicative et elle attend sa réponse. Elle sait bien qu'elle n'a posé aucune question, cherché aucune solution, mais elle attend quand même, le cœur fou, les oreilles bourdonnantes de froid. Elle met ses doigts glacés dans ses poches, elle a même oublié ses gants, elle qui n'oublie jamais rien. Les doigts raidis se cherchent une place tout au fond des larges poches. Ils heurtent quelque chose, un objet accrochant.

Elle reconnaît la bague avant de la sortir de sa poche. Le petit saphir entouré de minuscules diamants — oui maman, peut-être même des zircons puisque c'étaient tes débuts et que tu n'étais pas encore très forte au jeu de la bague — , petit trait de lumière qui scintille au soleil, petit trait bleu et blanc monté sur un anneau argent, petit adieu timide de son père à Yseult. («Il ne t'a pas abandonnée, il l'a jamais su, fais pas l'idiote.») Son père résumé pour toujours en un saphir et des poussières de diamant montés sur argent. Son père qui pour elle aura toujours les yeux bleus. Son père qu'elle allait saluer en cachette dans les tiroirs poudreux de sa mère. Son père, cet anneau tant de fois essayé, tant de fois porté secrètement, le temps d'un film, d'une sortie.

C'était l'hiver, une tempête de neige les obligeait à demeurer à l'intérieur, le vent hurlait dehors. Yseult repassait un chemisier, bras arrondi, geste précis. La radio diffusait une musique nostalgique, entrecoupée de bulletins météo. Diane faisait les devoirs qu'on lui avait donnés le matin à l'école avant de la renvoyer à la maison puisque les chemins seraient bientôt bloqués par la neige. Sa composition française était presque finie : toute une page appliquée, pleine de mots compliqués qu'elle avait cherchés dans le Larousse. Une belle page sans rature, sans bavure. Elle observait sa mère, se décidait à oser. Jamais avant elle n'avait posé cette question.

— C'est qui mon père?

Yseult avait replacé la manche, levé les yeux, haussé les épaules («Sans intérêt.»)

— C'est qui?

Elle se souvient encore qu'elle était tellement tendue qu'elle avait l'impression de ne pas toucher à sa chaise. S'opposer à Yseult lui demandait un certain courage. («Ça ne te regarde pas.»)

Et pour la troisième fois, les yeux durs, mains

posées sur la composition comme si elle contenait une preuve irréfutable, elle avait répété : «C'est qui, mon père?»

Alors Yseult avait soupiré, abandonné son repassage, était allée dans sa chambre pour revenir à la table et déposer sèchement la bague devant elle. («C'est lui, c'est ça ton père.») L'éblouissement, le rêve de toucher cette bague, promesse de fiancé. Elle l'avait glissée à son plus gros doigt, l'avait fait miroiter. Son père... son père devait être très riche pour offrir une telle splendeur. Il devait être très beau aussi. Un tel trésor ne pouvait qu'être un aveu d'amour passionné, un gage de retour. Elle la faisait glisser contre son doigt, l'inclinant sous la lumière. Elle leva les yeux vers sa mère et n'oublia jamais ce qu'elle vit : pour la première fois, sa mère la regardait. Elle. Sans distance, sans cette étincelle d'humour dans l'œil, elle la regardait gravement, sévèrement. Diane avait souri, avait voulu la remercier, Yseult lui avait coupé le sifflet : «Écoute-moi. Écoute-moi bien. Il ne reviendra pas. Jamais. Il ne sait même pas que tu existes, que tu es sa fille. Il ne t'a pas abandonnée, il l'a jamais su. La bague, c'était pour rien, pas pour un mariage. On n'est pas des princesses abandonnées. On n'attend personne pour nous sauver. Ton père, c'est ça et rien d'autre. Pas plus, pas moins. On est toutes les deux et il ne reviendra pas nous rejoindre un jour, t'as compris?»

Diane avait retiré la bague de son doigt, l'avait posée sur la table, sous la lampe. Misérable, elle fixait les petits brillants qui ne promettaient plus aucun trésor, aucune merveille. Comment sa mère savait-elle pour les princesses? Comment avait-elle deviné? Ce jour-là, elle avait compris qu'il fallait être très prudente avec Yseult, parce qu'elle devinait les pensées les plus secrètes.

Elle croisa ses mains sur sa copie, yeux au loin pour montrer qu'elle avait compris et qu'on pouvait cesser d'expliquer. Immobile, faussement sage avec son ruban rouge défait dans ses cheveux sombres, elle était l'image même de la résignation obéissante.

Yseult avait repris la bague, l'avait glissée à son doigt et était retournée à son repassage.

Son chemisier terminé, elle avait tout rangé et était revenue s'asseoir devant sa fille immobile: «Tu veux brosser mes cheveux?»

Oh la terrible, oh la dangereuse qui fléchit toutes les volontés, casse toutes les défenses des petites filles! Diane avait fait non, toujours immobile. Yseult avait souri, comme si elle comprenait quelque chose là-dedans. («Aujourd'hui, tu me ressembles. J'avais exactement cette face-là quand j'ai su que j'étais enceinte. J'espère que tu la garderas pas neuf mois!»)

Et elle avait ri, insouciante. Pour la consoler, parce qu'elle les adorait, sa mère avait fait des crêpes pour le souper.

Diane n'avait pas attendu ce prince-là. Elle s'était fait raconter la version tragique de sa naissance par tante Méli. Ça avait été pas mal plus long, pas mal plus héroïque et assez ennuyeux. Yseult devenait une intrépide courageuse défiant l'opinion publique pour soigner et aimer son enfant elle-même, refusant de la mettre en adoption. Diane n'arrivait pas à se voir dans ce rejeton protégé et adoré.

Son père demeurait pour elle un inconnu aux yeux bleus, mais sans sourire. En voyant des films de guerre plus tard, elle se dit que s'il avait été là, il aurait sûrement été fait prisonnier et serait mort en héros. De toute façon, c'était probablement ce qui était arrivé à cet homme.

Maintenant qu'elle a trente ans, qu'elle est orpheline de père et de mère, divorcée et en vacances, Diane se demande ce qu'elle a fait de cette enfant qui rêvait d'aventures sans fin pour son père. Elle sourit en fixant le bleu du saphir : si ma mère avait pu te rêver comme moi, elle ne serait pas dans un frigo à l'heure qu'il est.

Elle passe l'anneau à son annulaire : sa jointure trop large bloque le passage, elle le glisse au petit doigt : l'anneau flotte cette fois — tu vois, d'une manière ou d'une autre, tu n'étais pas pour moi.

Elle regarde l'eau : quoi faire ? Rendre l'anneau au fond de l'eau ? Qui était-ce ? Mélisande ? Qui était ce personnage qui perd l'anneau au fond d'une fontaine en aimant un autre que son mari ? Oui, c'était Mélisande. («Ta pauvre tante a un nom lourd de conséquences. Je pense qu'elle ne s'en est jamais remise.»)

Elle met l'anneau dans sa poche. Elle a froid. Elle est fatiguée. Elle voudrait bien savoir ce qui l'habite, ce qu'elle fuit, ce qu'elle veut. Pas un père, non. Elle s'y est faite, finalement. Une mère ? Elle en a une, ça suffit. Et elle ne s'y est jamais faite. Elle tourne en rond, gelée, sans goût, sans désir, perdue au bord d'un quai en pleine ville.

Elle voudrait s'asseoir par terre et s'incruster là jusqu'à ce que la nuit tombe et que plus rien n'arrive, ni lever, ni coucher de soleil, juste l'immobilité de la nuit noire. Juste ce temps qui file en ayant l'air de rester sur place. Elle voudrait ouvrir sa poitrine pour soulager l'oppression. Juste ouvrir son ventre et le vider de son mal. Sans violence. Comme ça, pour faire de l'ordre, comme on vide un tiroir.

Va-t-elle rester plantée au bord de l'eau toute la durée de ses vacances parce sa mère s'est noyée ? Va-t-elle contempler ce cercueil bien longtemps ? Ce n'est quand même pas si complexe : sa mère est morte, elle est à la morgue, au frigo et attend que sa fille décide si elle va ou non la faire enterrer. Désistement. C'est comme ça qu'il a dit : désistement. Jurer qu'on ne reviendra pas réclamer le corps dont l'État a disposé. Jurer qu'on ne la veut pas, cette morte. Qu'on la leur laisse, qu'ils en fassent ce qu'ils veulent. Signer qu'on ne veut rien savoir d'elle, même morte, même putride, même les doigts cassés. Attester qu'on s'en fout, qu'elle peut bien être dans un trou avec n'importe qui, sans rien pour témoigner de son passage sur terre à part une poignée de bagues précieuses. Pas si compliqué. Elle a bien enterré un père dans la fosse commune, en plein champ de bataille, pourquoi pas elle ? Elle a bien renié le premier, pourquoi pas l'autre ? Moi, Diane Marchesseault... quel nom ! Pourquoi ne pas avoir adopté le nom de son mari aussi ? Fournier, c'est mieux, non ?

Pour elle, toujours pour elle, pour essayer de gagner son respect à défaut de son amour.

Elle est revenue au centre-ville. Perdue, elle entre dans un restaurant, prend un café. Une télévision allumée que personne n'écoute assomme toute pensée. Trois femmes discutent ferme sur la banquette du fond: une histoire de chien mal rasé ou d'abus de confiance en anesthésiant l'animal pour le raser. Diane voudrait bien qu'on l'anesthésie, qu'on la soulage de ses pensées, de ses errances. Elle voudrait dormir ici, la tête sur la table, engourdie de café, entourée d'inconnus réconfortants. Endormez-moi! Endormez mon mal. Ma mère est morte et j'ai mal à moi, à ma mort. («Tous des *selfish*!») Elle avait bien raison. Je ne veux pas la pleurer, je ne veux pas la regretter, je veux me trouver. Arrêter d'être un trou déguisé en personne qui se promène en masquant les fissures. Je ne suis pas mieux que les autres, je ne veux rien savoir d'elle, rien de ses malheurs, de ses tristesses, je veux moi, je veux la paix, je veux le mur blanc et mou, les limbes, l'absence. Installez-moi sur la ligne d'horizon, là où ça disparaît, où tout se confond, tout fond. Il doit y avoir une raison. Il faut que ce soit pour quelque chose qu'on se lève tous les matins, qu'on fait sa journée et qu'on se recouche, non? Ça doit soulager quelqu'un, aider? Pour qui, pour quoi je me relèverais d'ici? Juste pour ne pas avoir l'air folle? Juste pour ne pas passer pour l'errante que je suis depuis que je suis née? Va bien falloir l'avouer un jour ou l'autre, non? À qui on avoue? À qui on parle quand on n'a plus rien, plus

personne ? Au chien ? Au chien mort qui ne mord
plus ? À l'enfance qu'on n'a pas eue et qu'on
cherche dans une bague bleue, dans un dessus de
lit crocheté par une grand-mère qu'on n'a jamais
vue, dans des pantoufles en forme de lapins roses ?
On va où quand on ne sait pas pourquoi on est
équipé pour aller quelque part ? On poursuit quoi,
qui, dans ce jeu de colin-maillard qui n'en finit
plus de cruauté ? On touche des formes, on crie
un nom, ce n'est pas le bon mais on continue à
l'appeler parce qu'on en a besoin et c'est tout. On
touche des fantômes sans nom et on leur donne
les noms de nos fantômes à nous, de nos désirs
fous, cachés, écrasés au fond de nos poumons. Des
fous. Des fous déchirés qui courent en hurlant,
bras tendus pour saisir une forme molle et la
serrer frénétiquement dans leurs bras. Pauvres
poules au cou tranché qui se précipitent contre le
bourreau, croyant toucher leur sauveteur. Des fous
décapités. Tiens-moi, tiens-moi, serre-moi même si
tu es ma mort, même si tu finis par me tuer, me
trahir, m'abandonner. Serre-moi si tu as des bras,
je m'arrangerai pour le nom, je m'arrangerai pour
le fond. Serre-moi, c'est tout. N'arrête pas de
m'étreindre. Tiens-moi si fort que j'aie l'impression d'exister. Un fantôme flou. Une forme
chaude qu'on tient les yeux fermés, qu'on presse
contre son corps affolé de tant de chaleur, de tant
de présence d'un seul coup. Être inondée de
chaleur et savoir enfin, un instant, pourquoi on est
là, pauvre migrateur qui a perdu le sud, pauvre
idiot qui a cru avoir un but. Pauvre, pauvre enfant
qui ferme les yeux à chaque fois qu'il arrive devant

le néant. Savoir qu'on est là pour rien et qu'enfin ça ne nous fasse rien : ni révolte ni fuite éperdue vers l'inconnu, juste le sentiment profond de son impuissance totale à devenir davantage. Le temps compris entre le bord du pont et la claque finale de l'eau sur le corps, ce petit temps est-il enfin rempli du sentiment exact de la valeur de l'existence ? Le sentiment d'être enfin à sa place ? Enfin dans le bon espace, précipité dans le vide intégral, vers le néant le plus sûr ? Le temps de la chute, maman, le temps de la descente, est-ce toute la vie qui précède le saut ? Est-ce que je vais arriver bientôt au fond du miroir sombre de l'eau que mon corps inutile va briser ? C'est long maman avant que l'eau nous engloutisse, c'est long n'est-ce pas ? C'est ce temps qui fait mal, pas l'eau, n'est-ce pas ? Réponds ! Si la reine que tu es ne sait pas pourquoi elle règne, comment veux-tu que l'esclave que je suis le sache ? Comment veux-tu que je comprenne le néant ? Je suis le néant. J'étais le tien, je ne peux plus l'offrir à personne d'autre qu'à moi. Pourquoi serait-on fidèle au néant, maman ? Juste parce qu'il est réel ? Tu sais ce que j'en fais de la réalité : je l'arrange, je l'organise. Qu'est-ce que tu veux que je voie, que je comprenne cette fois ? Tu n'avais qu'à le dire, moi je veux dormir, m'effacer, disparaître, ne plus penser, ne plus comprendre. Je ne veux plus que tu me parles, que tu me bouscules, que tu me brutalises. («Bon, les grands mots de Mélodrame ! Comment pouvez-vous vous donner tant d'importance avec si peu ?»)

Parce qu'on est peu, maman, et que ça ne nous suffit pas. Laisse-moi tranquille, va-t'en !

70

Diane frappe du poing sur la table, régulièrement, yeux fermés, tête contre la banquette de cuirette. À chaque coup, la tasse tressaute, fait tinter la cuillère contre la porcelaine grossière. La serveuse accourt, saisit le bras de Diane : « Madame ! Madame ! Qu'est-ce qu'il y a ? Vous voulez autre chose ? »

Égarée, Diane la fixe, incapable de comprendre de quoi elle parle. Elle hoche la tête doucement, tente un sourire qui fait une drôle de grimace et murmure un son que la serveuse attribue à une demande d'addition. Ce qu'elle fournit sur-le-champ.

Revenue chez elle, Diane s'effondre sur le lit et tombe dans un sommeil lourd.

E lle se réveille au crépuscule, toujours glacée, pâteuse, engourdie. Pas de coucher de soleil cette fois: il neige depuis un moment. La ville en bas est toute blanche.

Sans réfléchir, Diane se change et sort. Elle prend ses trois premiers scotchs résolument, yeux fixes, décidée à atteindre une certaine dose d'inconscience. C'est d'ailleurs sa seule conscience, savoir qu'elle cherche le flou, l'approximatif. Que les contours s'effacent, que les faces s'anonyment, que les yeux deviennent tous sombres, les corps vagues, les noms enfuis. Qu'il fasse chaud en dedans et qu'on retire de son CV le saut de l'ange de sa mère.

— Êtes-vous déterminée à boire seule?

— À boire seulement.

— C'est pas exclu d'être deux?

— Ni trois.

Ah les yeux brillants de cet homme, oh cette lèvre qui se gonfle, se pourlèche de plaisir anticipé! Il a les cheveux poivre et sel mais une structure athlétique. Pas du tout le genre d'Yseult. Il rit, stupidement excité. T'en veux, mon beau? Jean-Pierre, tu dis? Pas de problème, Jean-Pierre, fournis le scotch, je fais le reste.

Il a voulu manger, elle a voulu danser.

LE POIDS DES OMBRES

C'est la dernière chose dont elle se souvienne, debout dans le petit matin, les bottes mouillées à regarder valser les voitures sur la route enneigée et à espérer en grelottant qu'un taxi vide passe enfin. Elle a son sac à main, il y a de l'argent dedans, elle se souvient de son adresse, même si elle ne reconnaît pas du tout le quartier où elle est. Le principal, quoi. Combien de temps a-t-elle marché avant d'attraper un taxi ? Assez pour dessoûler et se demander si elle n'a pas fait des choses effrayantes, dégradantes, si elle n'a pas dit des énormités, assez pour s'inquiéter de ses étranges réactions au scotch. Mais en arrivant chez elle, l'épuisement l'emporte. Elle pensera plus tard, elle veut un bain, un café, un lit. Elle a tout ça, le prend et s'endort.

— Tu sais que je suis revenu ici tous les soirs en
espérant te revoir?
Qu'est-ce qu'il veut, lui? Connais pas! Il a l'air
troublé, presque gêné.
— Tu m'as pas déjà oublié, Diane?
Jamais vu, pas eu besoin de t'oublier!
— Est-ce que je peux t'offrir un scotch?
Ah! Ça oui, certainement. Elle le considère,
sourit:
— On se racontera pas notre enfance ce soir,
je pense.
— Non, mais j'ai quand même cherché.
Il a l'air très fier de son coup, un premier de
classe pas trop déluré mais plein de bonne volonté.
Où que ce soit, ça doit être quelqu'un qu'elle a
intéressé par la conversation. Elle fait un effort.
— T'as l'air d'avoir trouvé.
— En tout cas, j'avais raison sur un point:
Mélisande est un personnage de femme mariée
amoureuse d'un autre et Iseult est un prototype
de femme fidèle. En tout cas Iseult-aux-blanches-
mains, celle qui a été l'épouse.
— Ah oui? Danses-tu?
— L'opéra, c'était Debussy, comme je pensais.
Mais le problème avec Iseult, c'est qu'y en a deux.
Tristan avait...

— On s'en sacre pas mal!

Il la regarde, interdit. Elle rit, caresse sa joue :
«Parle-moi pas de Tristan et Iseult, je connais ça
par cœur.» Elle dépose son verre en le claquant
sur le comptoir pour le faire remplir. Il l'observe,
dérouté :

— Je te dérange peut-être...

— Pas du tout, j'ai jusse pas envie de parler.
Ça se peut-tu, ça, pour toi?

— Certainement.

— Bon! Ben viens danser! Tu t'appelles
comment toi?

— Ben... Gilbert.

Elle avale son scotch d'un trait, saute en bas
de son tabouret, le prend par la taille fermement :
«Viens Gilbert, viens! On va s'éclater un peu.»

Mais elle a beau y mettre du sien, ça ne lève
pas fort. Pas d'ambiance, comme si son corps
s'alourdissait, refusait d'obéir, de s'abandonner à
la musique. Elle reprend un scotch ou deux, mais
l'effet est assez surprenant, comme si, au lieu de
l'engourdir, l'alcool la dessoûlait. Gilbert boit peu.
Peut-être qu'il est trop jeune. Il a des joues de
bébé, une bouche charnue, des dents éblouis-
santes.

— Quel âge t'as?

— Vingt-huit ans. Tu me l'as déjà demandé.

— Ah oui? Je dois être mêlée. C'était quand,
donc, la fois qu'on s'est vu?

— Y a cinq jours.

Déjà? Ça fait donc déjà cinq jours qu'elle sort
le soir? Ou plus peut-être? Elle ne se souvient d'à
peu près rien.

— Quelle date on est? Ça, je te l'ai pas encore demandé, j'espère?

Il rit, la trouve drôle et directe. Il se souvient de sa bouche sur son sexe, du temps infini qu'elle l'a sucé. Comme si ça la satisfaisait entièrement. La seule fille qu'il ait rencontrée qui aimait vraiment ça. Et qui le faisait si bien, avec des mains et une langue d'une habileté folle... et d'une endurance terrible. En y pensant, il a un petit vertige dans le bas-ventre, il a hâte de la ramener chez lui: «On est déjà demain. On bouge?»

Il est gêné de dire carrément: on y va? Elle le considère. Plutôt froid, le regard:

— Ça ne me dit pas la date qu'on est, ça.

— Ben... le 5.

— Décembre?

— Ben oui!

Jusqu'à quand elle a le droit de la laisser pourrir? Elle a oublié... après Noël, il a dit après Noël le monsieur-poli-qui-ne-jugera-pas. Ah le cœur s'affole, ça repart l'angoisse, la bouche sèche, le poids oppressant entre les seins. Le bruit est assourdissant ici. La lumière est sauvage. Elle tourne sur elle-même, perdue. Où est-elle? Qu'est-ce que c'est, cet endroit? Elle veut son sac, son manteau, elle veut rentrer, elle a froid.

— Diane? Qu'est-ce qu'il y a, Diane? Hey! Je suis là!

Qu'est-ce qu'il veut, lui? Pourquoi il la touche?

— Viens Diane, on va sortir d'ici.

Enfin! Quelqu'un qui comprend. Quelqu'un qui prend le contrôle! Parfait. Qu'il la sorte, qu'il la conduise où il faut, qu'on lui dise quoi faire et qu'on la remercie de le faire. Parfait. Elle se laisse emmener au vestiaire, trouve difficilement son ticket, il rit, trouve ça comique. Il frétille presque. Il doit être pas mal jeune.

— Quel âge t'as?

La gueule qu'il fait! Excusez, pardon, je voulais pas vous insulter, monsieur. Il sourit:

— T'es pas un peu soûle?

— Pas assez!

Là, il la trouve vraiment tordante. Elle s'habille, sort. Il a une voiture? Parfait. Il a un appartement aussi, on dirait. Il n'a pas l'air de douter de son envie d'y aller. C'est quand même un peu fort. Pourvu qu'il ait du scotch.

— As-tu du scotch?

— Pas dans l'auto, non. Mais chez moi, oui.

Et il a de l'humour! Excellent! On va s'amuser. Il a dit quelque chose tantôt, au début de la soirée... comme s'il me connaissait. J'ai oublié. Merveilleux, j'ai oublié. Oh, il a un parking souterrain, avec portes électroniques. On est où, là? J'ai pas regardé. Faudrait quand même que je sache où je suis, non? On va pas chez les gens comme ça, sans savoir. Pas moi en tout cas. On n'est pas de la crotte. Elle rit. Il lui laboure le genou de sa main libre. Il stationne, se penche, l'embrasse. Elle n'est pas sûre d'aimer ça. Il y a quelque chose qu'elle doit faire et qu'elle a oublié. Ça la distrait. Ça l'empêche d'apprécier le baiser. Plus il l'embrasse, plus elle cherche. Comme si sa langue fouillait ses souvenirs. Il faudrait qu'il cesse, elle doit penser à quelque chose, quelque chose d'important.

Bon, il arrête enfin. Il la regarde maintenant, caresse sa joue. Ému, il est ému! Elle ne comprend pas, elle ne veut pas l'émouvoir, elle veut ne pas le voir. Elle pose la main sur ses yeux. Il prend cela pour une caresse, une caresse un peu spéciale. «On monte?»

Dans l'ascenseur, il remet ça, il l'embrasse, la serre, la tripote. Étrange comme il est frénétique! Elle n'apprécie pas tellement cette bousculade sur elle. Il manque quelque chose. Une étincelle.

— Assieds-toi, j'apporte le scotch.

Ouf! Elle se laisse couler dans le sofa. Le reste suivra bien. Un scotch et elle va pouvoir essuyer sa mémoire, laver son cerveau des petits détails qui la tracassent. Un scotch et elle va même ôter ses petites culottes! Elle rit, se renverse sur les coussins: quel confort, quel anonymat! Merci mon dieu, d'avoir inventé les limbes pour les filles fatiguées de leurs soucis. Merci aussi d'avoir inventé le scotch et sa légèreté.

— Tiens, Iseult!

Elle se redresse, livide. Elle le regarde comme pour le tuer. Il rit un peu, mal à l'aise. Qu'est-ce qu'elle a? Pourquoi sa bouche se serre-t-elle autant? Qu'est-ce qu'il a fait?

— Ben voyons... voyons...

— Qu'est-ce que t'as dit?

Un fouet. Sa question claque comme un fouet. Précis, cinglant. Il tend le verre, comme un drapeau blanc.

— Excuse-moi... je pensais...

— Qu'est-ce que t'as dit?

Elle parle fort, maintenant, on dirait qu'elle

va hurler. Elle est immobile et le fixe sauvagement, prête à le battre. Il dépose le verre sur la table.
— Vas-tu le dire ?
— Iseult... j'ai dit Iseult. «Diane pour le jour, Iseult pour l'amour.»
— Es-tu malade, toi ? Es-tu fou ? T'es malade ! Elle se jette sur lui, le frappe furieusement à coups sourds sur les épaules, la poitrine, à coups de pied sur les jambes. Ils tombent sans que le déséquilibre l'arrête. Il essaie de la retenir sans la blesser, mais elle frappe tellement fort, elle lui fait tellement mal, il doit se débattre et finalement il se bat lui aussi, usant de toute sa force, de toute son énergie. Il finit par la maintenir au plancher, un bras coincé derrière le dos, le poids de son corps entravant le sien, l'autre main acharnée à tenir sa tête loin de lui, contre le sol. Elle se débat encore, se tord pour lui échapper, vocifère ses «va-t'en !» tout en essayant de le mordre.

À bout de souffle, il la tient, la laissant s'épuiser sans lui donner un millimètre de jeu. Peu à peu, elle se calme, on n'entend plus que son souffle saccadé, sorte de sifflement de l'air dans les poumons comprimés. Il ne la regarde pas, la tête toujours éloignée pour éviter les coups. Il sent son corps abandonner la lutte sous lui, cesser de résister.
— Écrase-moi.

Inquiet, il bouge la tête, la fixe. Cette voix éraillée, ces yeux ailleurs, ce calme soudain, tout l'inquiète. Elle répète doucement, les yeux au loin : «Écrase-moi.» Il se dégage légèrement pour bien lui montrer qu'il ne lui fera pas de mal, qu'il ne lui fera pas ça.

De son bras libre, elle le retient, l'attire contre elle, le serre : « Écrase ma poitrine, pèse, pèse fort, de tout ton poids, écrase-moi. »

Il ne comprend plus. Il voit bien que l'humeur a changé, qu'elle ne l'attaquera pas, mais il ne comprend pas et il a un peu peur. Il cherche à se dégager d'elle doucement, sans la rejeter. Elle s'agrippe, le force à poser son corps sur le sien, à le couvrir entièrement, le recouvrir. Elle tangue un peu sous lui, s'ajuste, oscille du bassin. « Fais-toi lourd. Fais-le ! »

Elle parle avec cette voix brisée, grave et il sait qu'il est fait, qu'il ne pourra pas résister, il bande déjà. Il obéit, se laisse aller sur elle, laisse tout son poids reposer sur son corps pourtant frêle. Il la couvre parfaitement, prend même sa tête dans ses mains. Elle gémit.

Il veut l'embrasser, elle fait non, place délicatement sa tête au creux de son cou et chuchote : « Écrase ma poitrine. Serre-moi à m'étouffer. Fais tout ce que tu veux, mais n'arrête pas de me serrer. Je veux sentir ton poids tout le temps. Laisse-moi pas m'échapper, laisse-moi pas m'en aller. »

Elle est creuse comme sa voix, profonde. Il la tient solidement, s'incruste contre elle, en elle, il glisse sa main pour atteindre son sexe sans la lâcher, sans cesser de peser. Il la tient et elle le tient, jambes ouvertes mais vrillées aux siennes. Lentement, profitant des respirations, elle ouvre son pantalon, le saisit, l'enfouit en elle. Une boule, un cercle parfait, fermé sur lui-même, les deux coquilles d'une huître close sur le centre mouillé qui palpite. Jamais il ne s'est si peu agité, à seulement ressentir un ventre battre contre le sien, aspirer son sexe, le serrer, le mener à la jouissance sans même bouger, par la seule force de l'étreinte. Rauque son cri, venu du fond des entrailles, libéré par ces poumons oppressés, volcans qui sifflent de la douleur en crachant du plaisir.

E lle s'est réveillée en sanglotant. Étouffée, la gorge tellement serrée que ses oreilles bourdonnent, veulent éclater. Des sanglots secs, sans larmes, saccadés, accompagnés d'un petit cri aussi étouffé que le reste. Elle se lève, marche, essaie de respirer calmement. Ça brûle au fond de ses poumons, quelqu'un a mis des larmes dans sa poitrine, ça coupe, ça arrache. Elle tente de ne pas respirer comme quand on a le hoquet. La brûlure s'intensifie, assèche la poitrine. Quel heure est-il ? Il faut qu'elle aille à l'hôpital, il faut que quelqu'un la soulage. Quatre heures du matin. Le ciel est noir, aucune étoile. Elle pose le front contre la vitre glacée : ça fait du bien, oui, encore de la glace, encore du froid. Elle roule son visage contre le noir de la nuit, contre l'hiver qui givre le verre. Elle souffle pour rendre le paysage encore plus opaque. Elle pose ses doigts sur la plaque blanche, les laisse s'incruster, fondre la neige du dedans.

Il faut faire ça sur ma poitrine, mettre une main chaude et attendre que ça fonde, attendre que la glace coule en eau. Maman... maman, j'ai mal ici, ça serre, ça serre fort.

Lentement, elle se recroqueville, s'assoit contre le mur, serre ses genoux contre sa poitrine. Elle se berce un peu. Le temps de se calmer, le temps de réapprendre à respirer. Elle a beau se répéter que sa mère n'est pas là, qu'elle a mal parce qu'elle n'est pas là, peu importe : l'appeler la calme, l'apaise.

Enfant, presque chaque nuit, elle était réveillée par sa mère qui la prenait dans ses bras, la ramenait dans son lit, quelquefois avec l'aide d'un homme. Elle passait souvent ses nuits à la porte de la chambre d'Yseult à l'attendre en luttant contre l'angoisse terrible qu'elle soit partie pour toujours. Quand elle avait le chien, c'était merveilleux : il se collait le museau contre sa face, elle pouvait le serrer contre elle, c'était chaud, un peu humide quand il lui léchait le menton, mais c'était tellement réconfortant. Finalement, elle entendait la porte, puis les souliers, puis les jambes, les longues jambes aux chevilles si fines que ses petites mains en faisaient le tour, les jambes de sa mère s'approchaient et elle se penchait vers elle, apparition dorée, parfumée, avec des yeux aussi scintillants que ses boucles d'oreilles. («Ahyaye yaye ! Encore là à jouer du Kafka ! »)

Diane pensait que c'était une sorte de café, qu'elle faisait penser à faire du café. Peu lui importait, les bras de la fée la prenaient («Petit pou accroché après une porte, vraiment ! »), la remettait dans son lit froid («Tu restes là, maintenant, je suis là, je suis à côté. ») et se penchait sur elle pour l'inonder de son odeur et déposer un baiser au hasard. («Poum ! En plein dans le front ! Dodo. »)

Le rituel du retour d'Yseult compensait la douleur de la voir partir, parée, parfumée, si belle et inaccessible. Si impossible à retenir dans ses bras d'enfant.

Elle était si petite. Elle ne pleurait pas, n'implorait jamais. («C'est quoi ce son? C'est quoi ce ton? On dirait Mélodrame. Articule, le pou, demande clairement ce que tu veux, c'est la seule façon de l'obtenir.»)

Un jour elle avait dit clairement: «Pars pas!» Yseult avait souri, s'était assise près d'elle et lui avait expliqué que le théâtre se jouait le soir. Que la nuit, elle faisait semblant d'être quelqu'un d'autre, qu'elle ne s'appelait plus Yseult, qu'elle s'habillait autrement, se coiffait autrement. Que les gens venaient la regarder. Ils s'assoyaient dans une salle et payaient pour la regarder. Ça, Diane comprenait. Oui, on pouvait payer pour regarder une aussi belle fée. Oui, elle aussi voulait s'asseoir dans la salle pour la regarder. Elle serait sage. Sa mère avait refusé en riant. Elle n'était pas moins triste de la voir partir, mais elle savait que c'était inévitable. Un jour, elle avait cassé son cochon tirelire et avait apporté tous ses sous à Yseult: «Est-ce qu'il y en a assez pour aller te voir, ce soir?»

(«Toi, c'est le jour que tu m'as, jamais la nuit. La nuit, c'est pour les autres.»)

Elle était jalouse. Jalouse des autres qui avaient même le droit d'entrer dans sa chambre la nuit, chose si interdite pour elle. Jalouse de ceux qui la regardaient le soir. Jalouse du rire que ces gens arrachaient à sa mère, jalouse de ces yeux lointains qu'elle avait au matin. Toutes ces choses dont elle était exclue.

Pourquoi n'avaient-elles jamais reparlé de

l'époque où sa mère était actrice ? Pourquoi n'avait-elle jamais posé toutes ces questions qui la taraudaient maintenant ? Parce qu'Yseult aurait haussé les épaules, balayé l'air de sa main gauche et conclu de son ton sans réplique : « Parce que le talent, ça ne s'achète pas » ?

Non... sa mère avait du talent. Elle avait choisi d'abandonner, c'est tout. Yseult choisissait toujours. Tout un temps, avant de devenir recherchiste, elle avait fait de la radio. Diane entendait sa voix, ravie. Mais malgré tout, la nuit appartenait encore aux autres. Peut-être jouait-elle encore sans le dire ? De toute façon, elle avait joué toute sa vie, comment savoir ce qui était vrai ou non ? Comment prouver ce qui s'était vraiment passé ? (« Ma pauvre, même en pleine face, tu douterais de la réalité ! Le nez dessus, tu la chercherais. Je ne sais pas comment tu vas y parvenir, mais tu vas passer à travers ta vie sans rien voir. Fantastique ! Comme un homme. ») Et ça, Diane savait que ce n'était pas un compliment.

Elle a froid. Elle ferait mieux de retourner au lit, sa mère ne viendra plus la ramasser pour la porter dans ses bras. Plus de baisers au hasard (« Poum ! En plein dans l'oreille ! Dodo. »), plus de nuits pour les autres. Les nuits étaient à elle, mais elle n'en voulait plus. Elle n'avait pas gagné, elle le savait. Elle ne possédait que cette maigre confirmation de sa supériorité sur les autres : il n'y avait eu qu'elle pour reconnaître sa mère, qu'elle pour attester qu'il s'agissait bien d'Yseult Marchesseault, quarante-neuf ans, domiciliée à... comme elle avait été gênée ! Dire : laisser blanc ?

Dire: inconnue? Adresse inconnue? Elle avait hésité, les yeux du monsieur poli étaient si indulgents, si patients. Elle avait répété la question («Tu répètes seulement pour gagner du temps. Viens pas me dire que tu es si idiote!») et avait demandé à consulter le bottin du téléphone. Elle avait cherché l'adresse dans l'annuaire, horriblement humiliée de devoir avouer par ce geste, publiquement, que sa mère avait eu au moins une bonne raison de se jeter à l'eau. Elle l'avait trouvée, bien sûr. («Qu'est-ce que tu crois? Que je suis une gitane? Je suis inscrite dans l'annuaire comme la personne quelconque que je suis. T'as juste à chercher, ma grande, tu vas me trouver.») Elle revoyait son visage dans le bar, cette façon de s'esquiver en lançant sa réplique. Une personne quelconque... certainement pas, Yseult Marchesseault! Les gens quelconques parlent à leurs enfants, ils les voient à Noël, leur téléphonent. Les gens quelconques ne se tirent pas en bas du pont Jacques-Cartier sans papier, sans identification. Ils écrivent avant de se tuer, ils appellent, ils font signe. Ils ne se contentent pas de dire à leur fille qu'ils sont dans le bottin si jamais elle veut leur parler. De quoi j'ai eu l'air, moi? À chercher ton adresse comme une dinde? À m'exciter parce que je l'avais trouvée? («De ce que t'es.»)

Tu pourras dire que tu m'as fait chier dans ta vie, Yseult Marchesseault. Tu pourras te vanter de m'avoir eue jusqu'au bout, jusqu'au trognon. J'avais à peine l'air d'être ta fille tellement y avait des blancs sur le formulaire! Je savais rien! Ni ton adresse, ni le nom de mon père, à peine ton

métier. («Troisième rôle. Pas plus, pas moins.»)
Rien! Il a suggéré «ménagère»! Là, t'aurais ri. Ça
t'aurait plu de finir ta vie comme ménagère? J'ai
bien pensé dire: putain, mais j'ai pas osé. C'était
ton dernier contrat après tout. («Ça va faire, la
pure, y a toujours un moment où on est la putain
de quelqu'un ou de quelque chose, toujours.») Toi
et tes petites vérités, toi et ton mépris pour ceux
qui essaient de s'en sortir, de s'inventer un peu de
beauté, de se faire une vie moins dure, moins
pénible. Toi et ta manie du scalpel, du cru, du dur,
du vulgaire. («T'aimes ça avec de la dentelle, toi,
le pou. De la dentelle et de la crème fouettée; faut
que ça bouillonne, que ça impressionne. Tu vas
trouver ça dur. Y a pas toujours des princes
charmants pour des princesses comme toi. Des fois
le crapaud reste un crapaud. Y a deux vrais luxes
dans la vie: le plaisir et la vérité. T'aimes ni l'un
ni l'autre.»)
  Regarde où ça t'a menée, Yseult, le plaisir et
la vérité, regarde! Tu veux que je finisse penchée
au-dessus d'un pont? Que je passe ma vie à cal-
culer qui a fait le plus de mal à l'autre? Qui en
doit le plus? Tu vas encore gagner, je le sens, tu
vas encore avoir raison quelque part. Tu vas
t'arranger pour me détruire, me saccager ma vie?
(«Illusion. Cherche "illusion" dans le dictionnaire, le pou.») Jamais! Tu entends? Jamais je ne
supporterai que tu viennes mettre ton cadavre
puant dans ma vie. Tu es morte à l'hôpital,
comme tout le monde. D'un cancer, comme tout
le monde. Morte dignement, pas comme un
reproche, pas comme une bête qu'on a battue,

t'es morte à ton heure, c'est tout. Et si tu voulais que je sache autre chose, t'avais rien qu'à le dire. Ça existe le téléphone. Et moi, j'ai la même adresse depuis dix ans !

Bon ! Elle parle encore toute seule. Elle s'agite, marche et se surprend de plus en plus à marmonner toute seule, à engueuler sa mère à voix basse. Le jour se lève encore, fade, gris, comme si le soleil ne voulait pas mettre la ville au focus. Une sorte de brume baigne Montréal. Elle est fatiguée, elle ne dort pas assez. Elle sort trop et quand elle s'oblige à demeurer chez elle, elle fixe la télévision sans la voir et finit par parler toute seule comme ces gens confus qui encombrent les villes, les enlaidissent avec leur air d'égarés à moitié soûls qui quémandent de l'argent et finissent toujours par la culpabiliser. Elle ne peut quand même pas les trouver beaux ! Elle a longtemps détourné les yeux à l'approche de ces gens, regardé ailleurs, effrayée à l'idée d'y reconnaître un jour sa mère. («De quoi t'as peur ? Que je te pèse un jour, que je te demande de l'argent ? Ne sois pas ridicule, ma chère, essaie au moins de m'accorder les qualités de mes défauts.»)

Diane soupire, exaspérée. Comme c'est difficile de dialoguer avec les bribes de phrases d'une morte. Avec ses meilleurs arguments, ceux qui sont restés gravés dans le temps. Comme c'est difficile d'enterrer sa mère et le passé qui va avec. Elle n'est plus sûre de rien.

Elle s'assoit sur son lit et regarde l'appartement: un désordre inouï. C'est sale, répugnant, on dirait le décor d'un mauvais film. Du linge traîne partout, il y a de la vaisselle sale même par terre sur le tapis, la salle de bains est dégoutante, des restes de nourriture pourrissent sur le comptoir, des sacs de vidange empilés depuis combien de temps? Quel jour sommes-nous? Quelle date? Depuis combien de temps vit-elle comme une somnambule, à tout détruire comme si elle se haïssait? Il faudrait peut-être appeler sa psy. Elle a des difficultés, elle est certaine de ne pas bien aller. De toute façon, sa mémoire lui joue des tours. Elle ne sait jamais quel jour on est. Elle allume la radio: on donne tout: la météo, le trafic, le sport, le dernier film à voir, mais on ne dit pas quel jour on est. Il a dit quoi, lui? Treize jours avant Noël? Treize? Ça fait quoi? Ça fait combien? Pourquoi y font pas le calcul pour nous? Elle fait la soustraction sur le bloc aimanté au frigo, elle s'applique. Ça y est. Le 12, on est le 12 décembre. Ah bon. C'est parfait. Pas de panique, on a le temps. Rien ne presse. Elle éteint la radio.

Elle retourne s'asseoir au salon, au milieu du désordre. Tout ce temps dont elle ne se rappelle rien... Il faut faire quelque chose, mais quoi? Elle ne se sent aucune énergie, elle est aussi brumeuse que la ville, aussi douloureuse que ce ciel pesant. Ses ongles sont noirs. S'est-elle lavée? Elle s'étend sur le sofa, se fait la plus petite possible, la plus petite boule du monde, les deux mains serrées entre ses cuisses, les genoux bien relevés. Il fait tellement froid, pourquoi se laver quand il fait si froid? Elle va se laver plus tard, quand le soleil aura nettoyé l'appartement. Elle est trop fatiguée.

Elle a trop froid. Et puis c'est trop dur, trop exigeant tout ça. Elle est crevée, vraiment crevée. Superwoman va se reposer. Elle va assouplir un peu les règlements. Elle sourit en s'endormant: c'est son ex qui serait content!

C'est la sonnette qui la réveille. Quelqu'un sonne. Ce bruit électronique, ce buzz comme un insecte qui vrille le mur. Elle sursaute, se demande encore où elle est, ce que c'est, ce qu'on lui veut. Elle fixe la petite boîte près de l'entrée avec terreur. Si elle répond, si elle parle à cette personne, elle va être entraînée dans une histoire sans fin. Il ne faut pas bouger, faire comme si elle n'était pas là. On sonne encore. On insiste. Non, elle n'attend personne, c'est une erreur. Elle est en vacances, partie, libérée, soulagée. Enfin, ça s'arrête, enfin, on renonce, on la laisse tranquille, on lui donne une chance, une dernière chance. Elle s'approche prudemment, pousse le bouton d'écoute : elle n'entend que le bruit puissant de la ventilation, l'aspiration féroce de l'air dans l'entrée. Bon, il est parti. Bon débarras ! On voulait la surprendre en plein désordre. On voulait épier, chercher à savoir, espionner, non merci. Pas question. Elle n'attend personne, elle est orpheline, ils sont tous morts. Bon débarras. Avoir su que c'était si libérateur, elle aurait appelé sa mère pour lui demander de se tuer avant.

Elle se rend à la salle de bains, s'aperçoit dans le miroir. C'est elle, ça ? C'est elle, Diane ? Elle s'apostrophe : « C'est toi, le pou ? Qu'est-ce que tu veux? Tu commences à avoir pas mal l'air d'un pou.»

Elle rit, saisit ses cheveux, dégage ses oreilles. Pas trop propres, les cheveux. Bruns, ça oui, et sales. Si elle s'essayait en blonde, juste pour la choquer, lui enlever ses attributs de fée irrésistible? «Qu'est-ce que t'en penses, la fée? Ta fameuse teinte dorée, ça s'achète, tu sais. Ça s'appelle vénitien. Blond vénitien.» Elle rit. Elle serait bien surprise, l'autre, de la voir arriver en blonde. Si elle ne détestait pas tant les blondes, elle le ferait. C'est un réflexe chez elle, c'est plus fort qu'elle: blonde égale futile. Point à la ligne. Elle n'est quand même pas futile! On ne peut pas dire ça d'elle!

Elle s'examine: le teint gris, les lèvres blanches, transparentes, les cernes mauves sous les yeux sombres (ils ont foncé, on dirait!), quelle gueule de déterrée! Elle est morte de rire, appuyée contre le lavabo: une gueule de déterrée! Elle est bien bonne, elle qui vient d'enterrer sa mère a une gueule de déterrée. Elle est pliée en deux tellement elle rit, ça fait longtemps qu'elle ne s'est plus tant amusée. Les yeux pleins d'eau, elle se tient le ventre à deux mains, rit encore. C'est la saleté du lavabo qui l'arrête. Répugnant. Un double cerne, des cheveux, de petites boules de pâte à dents séchées, des particules dans le savon, des débarbouillettes en paquets qui dégagent une forte odeur d'humidité. Elle ramasse toutes les serviettes, les empile dans la laveuse, regarde autour d'elle: impossible de ranger cela toute seule, elle va mourir d'épuisement. Elle fait

92

couler la douche très chaude et s'y enferme. Longtemps, longtemps l'eau coule sur son visage, chaude, constante, l'eau qui nettoie tout, l'eau qui berce. Elle murmure «merci» et reste là à tourner doucement sous la caresse de l'eau. Quand elle sort, la salle de bains est dense de buée et elle a encore froid.

Elle s'habille, s'emmitoufle, cherche son carnet d'adresses impatiemment, finit par le trouver dans la cuisine, sous un couvercle et compose le numéro.

— Madame Boisclair? C'est Diane, Diane Marchesseault... oui, j'ai été débordée. Justement, je me demandais si vous pourriez pas venir, j'ai laissé aller les choses un peu, ça a besoin d'un bon coup de brosse... Ah... oui, c'est sûr qu'avec les Fêtes... madame Boisclair, s'il vous plaît, ça serait vraiment important... non, non, c'est pas grave... ben oui, je comprends... c'est sûr que c'est un peu de ma faute... Peut-être que vous pourriez trouver un petit deux heures? Je payerais la demi-journée pareil... Non, c'était pour vous, je sais pas... pour... Excusez-moi d'insister, j'y arrive pas, madame Boisclair, il faut que quelqu'un m'aide, il faut qu'on m'aide parce que, voyez-vous j'ai peur... oui, j'ai... j'ai peur... Excusez-moi, excusez-moi, c'est ridicule, j'ai l'impression que vous pouvez venir, mais que vous préférez me laisser tomber, faites pas ça... Excusez-moi, est-ce que j'ai été impolie? Est-ce que je vous ai fait quelque chose? J'ai jamais voulu vous blesser, je... Pardon?... Non, non, ça va, c'est le désordre, c'est juste la saleté, c'est difficile à supporter, vous me connaissez... (Elle rit. Elle rit de façon pitoyable ; la panique, elle sent la panique monter comme un égout, le goût amer de la panique qui revient. Il faudrait retourner sous la douche.) J'ai toujours eu tellement d'ordre... bon d'accord... pas de problème, je comprends... après Noël sans faute... Ah mais non, madame Boisclair, après le 25 je ne serai plus là, y va être trop tard, pourquoi vous comprenez pas ? Pourquoi vous refusez de comprendre ? J'en demande pas tant, me semble ! J'exagère pas ! (Elle sanglote, incapable de continuer, incapable de contrôler sa voix qui dérape, qui se plaint, supplie.) Excusez-moi, excusez-moi, laissez faire, c'est pas grave. C'est pas grave...

Elle raccroche, prend le téléphone contre elle dans ses bras et pleure, sanglote à pleine voix, sans pudeur, sans contrainte, en marchant, le téléphone blotti contre elle. Que ça explose, qu'on en finisse, qu'elle sorte donc, la masse dure qui écrase ses seins ! Personne n'est jamais mort d'avoir pleuré. Les sanglots restent pris, s'accrochent dans sa gorge. Elle pleure par accès, comme on vomit. Mais même les larmes ne desserrent pas l'étau qui la tient. Les larmes la laissent sans force mais toujours enfermée dans l'angoisse qui serre son corps, l'étrangle. Le téléphone sonne contre elle, bourdonne contre ses seins. Elle répond, presque automatiquement, sans même avoir le réflexe de la crainte.

Madame Boisclair va venir, c'est un malentendu, elle s'est arrangée, faut pas se bouleverser comme ça, elle va lui faire un beau ménage, elle va lui laisser l'appartement « spic and span », elle lui en donnera des nouvelles.

Diane sanglote encore en balbutiant des mercis incohérents. Elle promet qu'elle est contente, qu'elle va mieux. Oui, elle va arrêter de s'en faire, elle est très soulagée, vraiment, merci. Non, un reste de fatigue. Elle va aller marcher, se distraire. Oui, c'est ça, elle va aller acheter des cadeaux de Noël, ça sera ça de fait. Elle raccroche. Elle pleure encore plus, secouée de hoquets, elle essaie d'arrêter et c'est pire, ça crie en sortant, ça appelle. Elle finit par se moucher, essoufflée, pousse un grand soupir qui se contracte en plein milieu comme si la peine ne voulait pas se calmer, comme si les larmes ne voulaient plus arrêter maintenant qu'elles ont trouvé le chemin. Elle se mouche encore, essuie ses yeux, ses joues. Bon, la crise est passée. Elle se calme. Elle fait un chèque pour madame Boisclair et s'immobilise en inscrivant le montant: inutile d'essayer, la matinée a été assez dure comme ça. Elle cherche des billets, ne trouve pas la somme exacte, en laisse plus, inscrit «Bon Noël» et signe d'un petit «Diane» minuscule.

En enfonçant son bonnet de laine jusqu'à ses yeux bouffis, rougis, elle murmure au miroir: «Viens, on va bouger. On va casser le spleen!» Et elle s'enfuit avant de se remettre à pleurer.

U ne petite neige folle tombe mollement. Comme dans les boules qu'on agitait, enfant, et dont les flocons tournoyaient avant de retomber au fond. Noël. Une neige de Noël, comme dans les films, comme il n'y en a jamais le 24 décembre. Elle marche lentement, profite du calme répit que lui ont apporté les larmes. Elle regarde la ville, essaie de s'intéresser à autre chose qu'à elle-même. («Arrête de te trouver pitoyable, tu vas le devenir. ») Salutaire mépris d'Yseult pour l'apitoiement!

Elle prend la rue Jeanne-Mance, décide de se rendre jusqu'au parc et d'aller ensuite rue Laurier, au café qu'elle aime tant. Elle arrive affamée à *La Petite Ardoise*. L'heure parfaite : l'endroit est presque désert. Les journaux en piles, le café, tout lui rappelle cette époque brève de son mariage quand elle habitait à deux pas, rue de l'Esplanade et qu'elle venait au café presque chaque jour. Philippe n'avait jamais compris son plaisir à aller travailler là, trimballant ses livres, ses cahiers. De toute façon, Philippe n'avait jamais compris grand-chose. La belle époque où, entretenue par son mari, elle étudiait, entreprenant un bac en communications. L'avait-elle épousé pour pouvoir étudier en paix, sans se soucier de sa survie? Ce serait bien effrayant. Et ce serait bien possible, s'avoue-t-elle maintenant qu'elle peut regarder tout cela avec un peu de distance. Un an. Une seule année de mariage et il avait payé ses trois années d'études en plus de sa thérapie. Par contre, il avait gardé la maison. Pas de partage des biens, une entente à l'amiable qui lui convenait parfaitement. C'est d'ailleurs là-dessus qu'elle avait commencé à attaquer sa mère. Yseult comprenait encore moins que Philippe. Yseult la jugeait, la méprisait d'accepter que cet homme à qui elle n'offrait rien lui paie ses études et une pension. Elle ne le disait pas comme ça, mais Diane savait reconnaître la pointe féroce sous l'injure humoristique. («J'espère au moins que tu t'es améliorée en cuisine. Sinon, c'est vraiment une mauvaise affaire pour lui.»)

Pire que tu penses, maman, pire encore. Et c'est bien pour ça que ses propos la blessaient, l'humiliaient. Sa mère n'avait d'illusion sur rien et surtout pas sur les compétences de sa fille. Quelquefois, elle avait une façon très dure de la regarder et de murmurer: «Tu te débats, petit pou, tu te débats pour ne rien savoir. Si tu pouvais mettre toute cette énergie ou rien que la moitié à vivre dans le réel.» Diane ne comprenait pas ce cynisme cruel et, même maintenant, elle ne l'admettait pas. Pourquoi une mère s'amuserait-elle méchamment à rabaisser sa fille, à l'humilier, la tourner en ridicule? Parce qu'elle ne l'aime pas était sa seule réponse. Parce qu'elle est un peu jalouse de sa petite fille, disait tante Méli. («Mélo arrange tout selon ses besoins. Fie-toi sur elle pour exagérer, dramatiser, faire un scandale de rien. Mais le scandale de ne pas vivre sa vie, ça, motus! Y a que sa séparation qu'elle n'a pas réussi à rendre plus dramatique.») Et elle riait, la perverse! Elle riait alors que c'était elle qui avait emmené le désordre, la rupture dans la vie de sa sœur. Elle qui avait séduit son beau-frère, outrageusement flirté avec lui. Elle qui s'était couchée dans le champ de bleuets et l'avait affolé avec son rire et ses cheveux dorés dans les foins rendus ternes par son voisinage. («Voyons, ma chère, pense un peu: un homme peut tromper sa femme sans la quitter, ça se voit tous les jours. Même avec sa belle-sœur. Ça l'arrangeait, le pauvre Roger. Il n'est pas aveugle, il s'est rendu compte de l'avenir qui l'attendait à côté de Mélo. La peur l'a pris, il a accroché la première femme qui lui tombait sous la main. Est-ce que je pouvais lui refuser un service que je comprenais si bien? Est-ce que je pouvais refuser à ma propre sœur un beau drame juteux qui lui permettrait de garder la face? D'être la victime parfaite? Je te trouve bien cruelle de me penser aussi sans cœur.»)

Diane ne se trouvait vraiment pas très cruelle. Un ange à côté du démon pervers qu'était sa mère. Et cette façon de tout tourner à son avantage. De passer pour généreuse! Quelle comédie! Ça l'amusait de séduire, de plaire. Il fallait qu'elle plaise, qu'elle allume ce petit quelque chose dans l'œil des hommes, des femmes, des enfants, de tout! Ça lui prenait la reddition totale ou rien. Sa dose quotidienne de conquêtes. Attention à ceux qui résistaient! Elle sortait l'artillerie lourde, le faux

détachement, la fausse distance. Ce besoin d'alié-
ner les autres et d'avoir l'air au-dessus de tout ça,
cette manie de les débaucher, d'exaspérer leurs
pires instincts, de les posséder en leur laissant
croire qu'ils la possédaient. Tous ces hommes qui
avaient défilé dans sa vie. («Quels hommes? À
t'entendre, j'ai un succès fou!») Non, personne n'était dupe de ses manigances. Sauf elle-même. C'est pour cela qu'elle ne
voulait pas venir au mariage. Parce qu'elle était
piégée: elle ne pouvait quand même pas se taper
le mari de sa fille! («Quoique, ma chère, il serait
plutôt de mon âge.») Elle aurait été obligée d'accepter qu'un homme passe devant elle sans la voir
et choisisse sa fille. Trop éprouvant pour la déesse.
Quand elle avait divorcé, Diane avait essayé de
revenir sur cette absence, d'en parler avec sa mère.
Yseult s'était bien sûr défilée en se servant de son
intégrité. Son sens personnel de l'honneur qui lui
interdisait de la bénir de faire une bêtise. La
«preuve»: au bout d'un an, elle était divorcée.
Avec cette logique tordue, Diane s'était retrouvée
devant l'absolue impossibilité de faire comprendre
quoi que ce soit à Yseult. Et sa rage impuissante
l'avait conduite à l'insulte, l'injure.

Rétrospectivement, elle ne se sentait pas très
fière, mais elle avait du moins eu le courage de
l'affronter. Elle n'arrivait pas à se rappeler le visage
de sa mère, son expression quand elle se livrait
comme ça à ses assauts d'agression verbale contre
elle. Un sourire en coin, probablement, son air
d'admettre avec élégance qu'elle était un monstre
pourri et que l'univers se passerait fort bien d'elle

et de ses talents. («Tout le monde se passe de nous et très bien en plus. Même de toi, ma chère. Il n'y a personne d'indispensable.»)

Ça avait été une période pénible pour Diane: Philippe qui comprenait tout mais rien, qui la rendait folle de culpabilité; Yseult qui la poussait, l'encourageait et qui, du coup, la faisait douter de ses actes, certaine de commettre une cruelle injustice, et la thérapeute qui lui faisait raconter toutes les fantaisies qu'elle avait brodées sur son père, avec l'inévitable conclusion que Philippe lui ressemblait et que ses yeux bleus la glaçaient quand arrivait le temps de l'acte conjugal. La thérapeute comprenait si bien que Diane ne veuille pas coucher avec son père! Diane trouvait tout cela vulgaire et déprimant.

D'ailleurs, le seul fait d'y repenser la met mal à l'aise. Finalement, il n'y avait eu que Danielle à l'époque pour l'aider vraiment, l'écouter, la soutenir. Sa grande amie Danielle qu'elle n'avait plus revue depuis, comme si elle lui était redevable d'un cadeau impossible à rembourser, comme si son besoin d'elle avait détruit toute idée d'égalité dans leur amitié. Qu'est-ce qu'elle va penser là? Elles se sont quittées après l'université comme tout le monde, prenant chacune son chemin. Pourquoi soupçonner une quelconque notion de dette morale qui lui aurait semblé intolérable? L'esprit d'Yseult encore!

Mal à l'aise, elle se secoue, décide de continuer sa marche. Un petit pèlerinage rue de l'Esplanade? («Vas-y, fais-toi souffrir un bon coup, ça va alléger ta mauvaise conscience.») Non, elle remonte la rue

Laurier, regarde les boutiques, tout Noël étalé, prêt à la consommation effrénée, tout Noël en luxe, rubans et lumières. Tout Noël qui la ramène à Yseult qui le détestait tant. («Le père Noël n'existe pas. Qui t'a raconté ça? Tante Méli?»)

Tante Méli qui ne pouvait supporter aucun accroc à la normalité, qui veillait à ce qu'elle entretienne les mêmes rêves que tous les enfants. Tante Méli la molle qui fondait devant Noël, devant un cantique. Qui venait décorer l'arbre avec elle. («Pas dans le salon: je ne veux pas voir cette horreur-là pendant deux semaines!») Non, dans sa chambre à elle, la magie. Dans sa chambre, à côté des poupées et des jouets, l'arbre avec les petites lumières qu'elle embrouillait en fermant légèrement les yeux. Sa mère ne jouait pas à Noël, sa mère n'admettait pas qu'on célèbre à dates fixes. («Tellement sûrs d'haïr à longueur d'année qu'ils ont instauré une date pour l'amour. Ils peuvent bien avoir pris la peine d'inventer un mercredi des Cendres pour ceux qui vivent en oubliant leur mort.»)

Quand Méli avait rompu avec la famille, quand elle s'était retirée dignement dans sa douleur («Marie Stuart à son exécution!»), il n'y avait plus eu de Noël. Plus d'arbre, plus de cantiques, plus de biscuits dégustés en fixant les lumières qui scintillent. («Si tu en veux un, tu le fais toute seule.») Merci beaucoup, maman, mais ça n'intéresse pas une petite fille de onze ans d'aller chercher un arbre et de le décorer toute seule. Quand elle avait rencontré Philippe, le premier Noël avait été un éblouissement.

Elle avait dix-sept ans et ne souhaitait qu'une chose: déménager encore une fois, mais la dernière, partir de chez Yseult. L'ambiance était devenue intenable: rien de ce qu'elle faisait ne semblait plaire à sa mère et rien de ce que faisait Yseult ne lui convenait non plus. L'enfer! Ou le silence pesant de la répression sourde ou alors les disputes où elle criait, s'emportait et où Yseult finissait par siffler entre ses dents, l'œil presque sombre de colère rentrée: «Ça suffit l'hystérie! Un peu de contrôle, ma chère, tu vas éclater.»

Avec Philippe au début, c'était comme se glisser dans un bain chaud: douceur, tendresse, un respect inouï d'elle, de ses désirs. Et les cadeaux! Luxueux. Même sa voiture était luxueuse, toujours chaude, confortable. Quand elle sortait de chez elle et s'assoyait dans la voiture de Philippe, elle avait l'impression qu'elle n'avait qu'à fermer les yeux pour être emmenée au bout du monde, là où c'est doux, là où tout ce qu'elle ferait serait parfait, où tout ce qu'elle dirait serait spirituel. Avec Philippe, elle était fêtée dans l'opulence.

Philippe avait une famille normale qui se réunissait aux Fêtes pour manger, discuter, rire et, bien sûr, s'engueuler mais sans drame, sans gravité. Ils élevaient la voix sans haine, pour le plaisir. Une famille où Noël était sacré et où on l'avait accueillie comme une reine. Bien sûr, elle était un peu jeune pour l'aîné, mais tellement «mature». Tout le monde l'avait appréciée, écoutée, avait ri de ses blagues. Même les enfants des sœurs de Philippe venaient lui donner des baisers sucrés et gommeux de tous les desserts qu'ils avaient avalés.

Et puis Philippe avait de l'argent. Ses cadeaux somptueux — la chaîne stéréo fantastique du premier Noël —, les restaurants chic où pas une fille de son âge n'avait mis les pieds (ni sa mère, elle en était sûre), les appels des États-Unis qui duraient une heure quand il devait partir travailler là-bas... tout lui donnait de l'importance, tout lui donnait raison d'avoir tant rêvé d'un autre avenir que celui prédit par sa mère.

C'était la seule époque où elle avait revu tante Méli. Une tante Méli vieillie, poudrée, engraissée qui lui faisait des clins d'œil appréciateurs que Philippe voyait parfaitement. Tante Méli qui se rengorgeait parce qu'au moins un membre de sa famille avait bien tourné. Tante Méli, seule représentante de cette triste famille à la modeste cérémonie. («Il n'a pas le choix, ma pauvre, au troisième mariage on est toujours intime.»)

Peu importe la modestie, le mariage était la fête dont elle serait la reine. Ils s'étaient mariés quelques jours après ses dix-neuf ans. Philippe tenait à ce qu'elle les ait. («Il sait compter, il n'est pas fou : il ne voulait pas avoir exactement le double de ton âge.»)

Jalouse. Elle était jalouse, Yseult la fielleuse, jalouse à essayer de ternir son bonheur, de le rabaisser à un fantasme d'enfant romantique ; jalouse à lui rappeler continuellement les aspects plus douteux, plus inquiétants du mariage. Et vulgaire à lui demander carrément s'ils avaient couché ensemble. Quel affront ! Quelle insulte ! Ce soir-là, Diane avait failli s'étrangler de rage, de dépit. Comment une mère, même mauvaise, même irresponsable, peut-elle pousser sa fille dans le lit d'un homme avant son mariage? Pourquoi faire ça si ce n'est pour la blesser, briser son bonheur? Elle lui avait même fait le coup de la douceur, prenant ses mains dans les siennes (cette main gauche où, splendide — Yseult l'avait reconnu —, brillait sa bague de fiançailles), parlant de sa voix basse, sa voix caressante, pour la mettre en garde contre les déceptions de «minuit» comme elle disait. («Peux-tu penser que cet homme-là va te déshabiller? Peux-tu aimer l'idée? Tu l'as embrassé, es-tu troublée de penser que sa bouche touche tout ton corps? Partout? En as-tu envie, Diane? Vraiment envie? Quand tu l'embrasses avant de le laisser, aimerais-tu le toucher, partout, même son sexe? Ne me réponds pas à moi, mais si c'est non dans ta tête, si c'est comme je te vois: traquée, écœurée à seulement en entendre parler, ne le fais pas. Tu ne te pardonneras pas facilement de t'être trompée, tu le sais ça?»)

Ses yeux, ses yeux de chatte qui réchauffent, qui la fixent obstinément, cherchant une réponse qu'elle aurait tant voulu hurler. La bouche de sa mère ce jour-là, pour la seule fois de sa vie, l'avait dégoûtée. Elle ne supportait pas de la voir lui parler aussi crûment. Elle ne voulait pas qu'elle la regarde comme ça, à la piéger, l'analyser, surprendre ses secrets. Elle ne la regardait jamais que pour traquer ses faiblesses. Comme pour son père, elle avait deviné, elle avait mis le doigt sur la part imaginaire. Comment hurler que, pour elle, c'était là un aspect dégradant et mineur du mariage? Froidement, elle lui avait lancé sa réponse, petite vengeance calculée depuis longtemps : « Tu as toujours tenu la porte de ta chambre fermée, fais pareil avec la mienne. Tout le monde n'est pas obligé d'être comme toi. » Et elle avait claqué la porte de sa chambre. Elle avait mis la musique très fort et s'était consolée en regardant son tailleur blanc, magnifiquement coupé, hors de prix, que Philippe lui avait offert pour ses noces. Tailleur qu'elle n'avait jamais remis.

Le matin de son mariage, avant son départ pour l'hôtel de ville, on avait livré deux bouquets de mariée : un de Philippe, piqué de roses rouges, magnifique, luxueux et un autre plus petit, tout blanc, mélange odorant et serré de gardénias et de freesias blancs traversés uniquement des légères griffures vertes du feuillage. Une merveille de délicatesse avec cette carte, comme un affront : « MA CANDIDE — SI TU AS PEUR, POUSSE TON JOLI NEZ LÀ-DEDANS : LA BEAUTÉ CONSOLE PARFOIS. ET NE DIS PAS QUE TA MÈRE A MANQUÉ À *TOUS* SES DEVOIRS. Y. »

Elle avait laissé le bouquet sur la table de l'entrée en haussant les épaules : sa mère ignorait même que le bouquet était toujours offert par le marié ! Un bouquet de vierge, de toute manière, non merci !

Maintenant, elle n'était plus sûre que sa mère avait ignoré le protocole du mariage, mais il était trop tard pour décoder un geste aussi mystérieux. Si Yseult voulait lui dire quelque chose, elle n'avait qu'à le faire franchement. Pas avec cet humour douteux qui était le sien.

Elle a marché sans rien voir, tournant en rond

et elle est maintenant rue Hutchison. Elle est devant le 5311. Ça, elle ne l'a pas oublié : l'adresse d'Yseult, trouvée dans l'annuaire à la morgue. Est-ce bien cela ? Elle qui n'a de mémoire pour aucun chiffre, aurait-elle celle-là ? Elle monte les marches peureusement, mal à l'aise. Là, sur la boîte aux lettres, le « Y. Marchesseault » qu'elle était certaine de trouver. C'est d'ici qu'elle est partie ? Elle regarde la rue enneigée, en bas, les escaliers partout, c'est cela qu'elle a vu pour la dernière fois ?

Diane est saisie d'une envie terrible de sonner, de vérifier que personne ne viendra ouvrir cette porte en riant : je t'ai eue, non ?

Elle regarde la sonnette, hésite. Non, elle a trop peur. Elle redescend et, du trottoir, se retourne pour observer les fenêtres : s'il n'y a plus personne, il faudrait qu'elle vide l'appartement. Méli va le faire. Elle repart, inquiète, en se retournant souvent, presque sûre que sa mère l'a vue et qu'elle va sortir sur le perron, presque sûre qu'elle la fait languir, c'est tout. Non, personne. Personne pour la rappeler, lui parler des vieilles histoires, des vieilles rancœurs, pour la laisser s'enrager et aller trop loin.

Revenue rue Laurier, elle s'arrête subitement : tante Méli ne sait pas ! Méli ne pourra pas vider l'appartement, elle ne lui a pas dit. A-t-elle le droit de garder la mort d'Yseult secrète ? A-t-elle le droit de se l'approprier comme ça ? Philippe saurait. Mais elle ne veut pas demander à Philippe. Un avocat ? Un notaire peut-être ? Ou le monsieur poli, celui qui a laissé sa carte « si elle avait des questions ou la moindre chose qui l'inquiète». Oui, elle a quelques inquiétudes... oh oui, elle en a! Elle retourne à *La Petite Ardoise*. En s'assoyant, elle constate qu'elle est congelée, comment fait-elle pour négliger le froid à ce point? Elle s'en rend compte seulement quand il est trop tard. Glacées, ses mains. Elle prend la tasse chaude, la pose contre sa joue. Et si elle appelait? Pour être sûre, certaine qu'il n'y a personne. Que sa mère n'était pas derrière la fenêtre à la guetter, la regarder s'en aller.

Le désir est terrible, elle sait que c'est illogique, stupide, dangereux même de jouer avec cela, mais c'est plus fort qu'elle: elle doit s'en assurer. Une fois, juste pour être certaine qu'il n'y a pas un homme qui est là et qui attend. Ce n'est même pas vrai. Ce n'est pas pour un hypothétique amant qu'elle devrait soulager de l'angoisse de l'attente. Ils peuvent bien attendre tous autant qu'ils sont! Elle ne les réconfortera certainement pas. Non, c'est pour elle. Pour vérifier, être certaine. Comme quand elle fixait son torse, guettant l'instant où il bougerait, s'emplirait d'air, guettant l'instant où le cadavre reprendrait vie sous ses yeux. Elle veut la confirmation qu'elle n'est pas retournée chez elle. Même si c'est fou. Même si c'est un peu malade.

Peut-être qu'elle n'a plus le téléphone? Peut-être l'a-t-elle fait couper avant? Serait-ce possible, tant de préméditation? Tout régler à ce point? Se vouloir si morte que personne n'ait rien à faire? Non, elle aurait retiré son nom sur la boîte aux lettres dans ce cas. Non, elle n'a pas fait couper le tétéphone, ce serait insensé. Elle délire, elle s'imagine n'importe quoi. Allez! Elle se lève, se rend au téléphone, reprend le bottin, cherche méthodiquement, trouve le renseignement.

Le cœur battant, stupidement excitée, elle glisse la monnaie et fait le numéro. Elle résiste à l'envie folle de raccrocher tout de suite, précipitamment. Ça sonne. Elle respire. Ça sonne. Pas de panique, tout est normal, une sonnerie au loin. Une sonnerie dans un appartement vide. Ça décroche! Bouche ouverte, souffle coupé, Diane entend la voix de sa mère. La voix belle, grave, la voix d'Yseult qui répond! Le répondeur. C'est un répondeur, le long bip résonne, ce n'est qu'un répondeur. Elle murmure, à peine audible: «Maman?... maman, c'est moi...» Et elle raccroche parce qu'elle va se mettre à pleurer. Elle se rassoit, pensive. Un répondeur! Sa mère avait un répondeur. Pourquoi pas? Ça devait être pour filtrer les appels, ne pas être dérangée par n'importe qui. Les importuns. Ceux qui vous harcèlent avec leurs demandes incessantes. Ou les hommes. Ceux qu'on attend. Non, Yseult n'a jamais attendu personne. Personne. («Sans fierté, on est perdu, n'oublie pas ça.»)

Son café est froid. Elle a envie de fumer. C'est fou comme depuis quelque temps elle a des envies saugrenues. Elle s'est mise au scotch (elle se souvient d'ailleurs fort peu de ce qu'elle fait alors et ça l'inquiète trop pour y penser), elle ne tient plus compte du temps, de ses obligations (lesquelles? tout est devenu tellement futile!) et elle mange quand ça adonne, dans le désordre, tout comme elle dort, c'est-à-dire peu et à des heures anormales.

Je ne vais pas bien, conclut-elle. Quelque chose l'inquiète, la tient dans une angoisse perpétuelle et ça ne peut pas être Yseult. Ça faisait sept ans qu'elles ne se voyaient pas, il ne faut pas exagérer. Cinq ans si elle tient compte de la rencontre surprise au bar. Alors? Elle hausse les épaules : ça viendra bien assez vite. Assez de torture pour l'instant. Elle est en vacances après tout.

Pourquoi ne pas partir? Prendre l'avion, s'évader quelque part. Elle a des économies, elle ne dépense jamais rien, n'a pas de caprices fastueux. Pourquoi pas Cuba où est allée Sylvie, sa collègue de bureau? Ou le Mexique, Cancun? Elle grimace : s'étendre sur une plage entre des corps étalés, huileux, boudinés, non merci! S'installer le lard au soleil, faire la millième tranche de bacon, très peu pour elle!

Elle va rester ici, aller voir sa mère peut-être. Non. Voyons... elle déraille maintenant. C'est parce qu'elle a entendu sa voix, ça lui a fait peur. Et l'appartement si proche, qui a l'air si habité. Si elle allait sonner? Une fois pour toutes. S'assurer que le corps glacé n'a pas quitté son réfrigérateur, ne s'est pas remis à respirer. Complètement folle! Elle se secoue, paye et sort. Non, pas vers la rue Hutchison. Elle se force à descendre Jeanne-Mance mais, rendue au boulevard Saint-Joseph, elle n'y tient plus et remonte vers Hutchison.

Le loyer! Comment n'y a-t-elle pas pensé? Qui a réglé le loyer de décembre? Et même celui de novembre si ce que lui a dit le monsieur poli de la morgue est vrai. Sa mère n'a jamais été propriétaire, il faut bien que quelqu'un paye son loyer ou alors vide l'appartement. Tout ce qui lui appartenait est-il pour elle? Comment faire pour savoir? Où est le propriétaire pour la clé, pour le loyer, pour tout? Plus elle s'approche de l'adresse, plus elle est bouleversée. Comment va-t-elle faire, comment tout régler? Cela lui semble une tâche énorme, impossible, au-delà de ses forces. Voilà, elle y est. Cinq mille trois cent onze. Ses pas dans l'escalier ont déjà été recouverts de neige. Elle remonte, sonne. Elle entend la sonnette résonner à l'intérieur. Des pas. Elle est sûre d'entendre des pas. Yseult va répondre, ses longues jambes s'approchent, elle va venir... Rien. Elle n'a pas entendu. Elle dort peut-être? Diane sonne encore, plus longtemps cette fois. Rien. Silence total.

Elle descend, découragée. Elle est épuisée. Elle va rentrer en taxi. Elle a beaucoup trop marché.

— Madame?

Saisie, elle se retourne: une vieille dame chinoise ou vietnamienne, les bras serrés sur sa veste de laine, se tient debout sous l'escalier qu'elle vient de quitter. Elle a l'air curieuse comme tout et elle lui indique l'escalier du doigt: «En haut?»

Diane s'approche: «Oui. Elle est pas là?»

La dame touche son chignon noir: «Golden?»

Diane répète, la gorge serrée: «Oui. Elle est pas là?»

Il manque des dents au sourire ravi de la vieille qui fait non joyeusement de la tête:

« Florida ! Bye neige ! *May, not before May.*» Et elle
hoche toujours la tête, vraiment contente. Elle
rentre et ferme soigneusement la porte. Diane la
voit soulever le rideau du salon, lui faire un bye-
bye ravi, comme une enfant.

Elle descend la rue. Impossible ! Jamais Yseult
n'aurait été en Floride, summum du mauvais goût
pour elle. («Mélo va finir en Floride, à faire de la
graisse dans son condo climatisé, à regarder la mer
par la fenêtre fermée et à écrire des cartes postales
entre ses parties de domino !») Jamais elle n'aurait
projeté un voyage pareil.

Assise dans le taxi, elle sait bien qu'Yseult a
tout organisé dans les moindres détails, jusqu'à
cette stupide histoire de Floride. Maintenant,
Diane est certaine que le loyer est payé jusqu'en
juin, et l'avis de déménagement envoyé. Elle a tout
réglé froidement, avec lucidité, sans panique. Le
coroner peut bien avoir inscrit sur son rapport :
«Mort violente de nature non déterminée quant à
l'intention», mais plutôt déterminée quant à la
manière, n'est-ce pas, Yseult ?

En entrant chez elle, elle respire une forte
odeur de produits ménagers : madame Boisclair est
passée, elle a tout rangé, tout lavé. Un appartement parfait. Sur la table de verre, un paquet
enveloppé de papier d'aluminium et un mot écrit
péniblement (madame Boisclair déteste écrire
parce qu'elle fait des fautes) : «JOYEUX NOËL ! UN
PEU DE MON GÂTEAU AU FRUIT POUR VOS FÊTES.
LE FLEURISTE A TÉLÉPHONER POUR LES FLEURS
D'À MATIN. LE Nº EST SUR LE FRIGO. APPELER LE. LE
SAC ÉTAIT EN DESSOUS DU DIVAN. LE DESSUS DE LA

PETITE TABLE EST UN PEU BRISER AU COIN. PAS GRAVE.
A BIENTÔT. »

Effectivement, le sac de plastique est là, rempli de ses autres sacs. Diane le touche. Les effets personnels de sa mère ! Elle avait oublié. Dans quel état est-elle donc ?

Maintenant que l'appartement a repris son air habituel, elle en fait le tour comme pour se réapproprier sa personnalité. Celle de la Diane d'avant, sobre, sage, efficace et compétente, très célibataire depuis son divorce, celle qui a une mère un peu sautée qu'elle ne voit plus. Elle touche tendrement la pile de serviettes et de débarbouillettes bien pliées sur la sécheuse. Elle range les petites culottes dans les tiroirs du placard. Quelle paix ici, quel soulagement d'être enfin revenue chez elle ! Elle se fait couler un bain, l'emplit de mousse. Elle se déshabille en se demandant ce qu'est cette histoire de fleurs. Elle appelle. Ils sont venus livrer ce matin, mais il n'y avait personne. Peuvent-ils revenir à la fin de l'après-midi ?

Qui lui envoie des fleurs ? Elle ne connaît personne qui peut faire ça. Pourquoi recevrait-elle des fleurs ? Elle sort de son bain, s'examine longuement dans le miroir. Oui, elle avait raison, j'ai ses seins. Elle sourit : mais pas son plaisir. Ni ses jambes. Ses jambes sont plus fortes, plus solides que celles de sa mère, mais les hanches, les reins sont les mêmes. (« T'as mon tronc, mais pas mes extrémités. Vas-tu avoir mon fond sans mes excès ? ») Comme elle riait Yseult, comme elle s'amusait à la provoquer, la narguer.

Tous ses flacons, ses pots de crème avaient été

rangés méticuleusement. Madame Boisclair a dû enrager en voyant l'état de l'appartement. Diane prend son temps, se maquille. Elle s'habille bien, très chic, très recherché. Pour elle-même, pour son plaisir. Elle se coiffe, essaie plusieurs styles, se décide pour le cerceau, met des boucles d'oreilles qu'elle hume avant, comme elle fait toujours. L'odeur de sa mère l'assaille comme si c'étaient ses boucles à elle qu'elle avait respirées.

Elle retourne au salon, ouvre le sac de plastique. Des bagues. Cinq bagues, chacune dans son petit sac individuel. Cinq dont trois ont l'anneau scié. — « Vous comprenez pour les retirer c'est quelquefois difficile après un si long temps. Mais c'est simple à réparer. » — Six bagues, si elle compte le saphir de son père. Une montre arrêtée — non, ne pas regarder l'heure, ne pas se livrer au jeu macabre —, elle la replace en tournant le cadran contre la table. Une clé. La clé de son appartement probablement. La clé du 5311 Hutchison, là, sur la table. Elle peut y aller, elle peut entrer sans avoir à contacter le propriétaire. Yseult avait vraiment tout prévu. Étonnant qu'elle n'ait pas reçu un avis recommandé l'informant que sa mère avait disparu et qu'elle pouvait la retrouver à la morgue si ça l'intéressait.

Diane ne se trouve pas drôle. Elle n'a jamais vraiment brillé au jeu compliqué du cynisme. Pas pour elle, l'humour noir. (« Aucun humour, le pou, aucun sens de l'humour. »)

Un petit sac plein de monnaie, quelques dollars, pliés. Un dernier sac contenant un anneau minuscule. Elle l'examine, le tourne dans sa main :

oui... oui, elle se rappelle vaguement. C'est très vieux, très ancien. De l'époque où elles habitaient Rosemont, la période plus pauvre. («Nos temps de misère.») Yseult y tenait, elle ne se souvient plus pourquoi. Le théâtre... c'est un souvenir de théâtre... pourquoi a-t-elle pris ça avant de partir, avant d'aller se jeter dans le fleuve d'octobre? Ça doit avoir un sens. Un anneau si léger, ni argent ni or, métal bon marché, martelé, un anneau indigne d'elle, des autres joyaux. Pourquoi avoir pris ce petit témoin du passé avec elle? Il doit y avoir un nom d'homme attaché à chaque bague. Celle de son père, elle soupçonne que c'était pour elle, pour faire plaisir à sa fille, pour lui montrer qu'elle y avait pensé. Et puis peut-être pas. Peut-être qu'Yseult n'avait pas pensé à sa fille ingrate ce soir-là.

Ingrate? Elle a pensé «ingrate»? Pourquoi? Elle n'est pas ingrate. Ce n'était pas à elle de faire signe, d'aller la relancer. Pourquoi aurait-ce été à elle? Elle se fâche encore, elle s'excite. Du calme, attends, essaie de comprendre sans te sentir toujours aussi attaquée. («Paranoïaque comme Mélo! Ça va bien!»)

La sonnette la fait sursauter. Mais elle se reprend, va à l'intercom sans peur. Elle est bien fière d'elle, elle a tout fait normalement, sans panique. Elle a répondu, ouvert la porte, reçu le livreur et fermé la porte sans histoire, sans battement de cœur déréglé. C'est idiot, mais c'est fou ce que ça la rassure.

Pourquoi des fleurs? Qui? Elle ouvre la boîte: roses rouges. Douze. Roses baccarat, couchées sur leur lit de verdure, la tige abreuvée individuellement. Pourquoi douze roses? Pour célébrer la mort de sa mère? Elle regarde la carte craintivement. Elle est sûre que c'est Yseult qui se manifeste de l'au-delà, qui a repris son souffle et veut lui livrer un dernier message. Yseult qui veut l'atteindre de son fond vaseux, l'agripper, l'entraîner. Elle referme la boîte, nerveuse. L'écriture sur l'enveloppe lui rappelle quelque chose. Elle la connaît. Ce n'est pas sa mère, mais elle la soupçonne de l'avoir fait écrire par quelqu'un d'autre pour la tromper, la rassurer le temps d'ouvrir l'enveloppe. Méli? C'est tante Méli? Non. Elle sait qu'elle connaît la personne, elle est à deux doigts de la nommer, mais ça lui échappe, ça fuit comme tant de choses ces temps-ci.

Elle marche en agitant l'enveloppe, soucieuse. Dehors, c'est l'heure bleue, la neige scintille en bas, comme sur les cartes de Noël de son enfance, les cartes envoyées par Méli. Même après la rupture, parce que pour Mélisande faire partie des «hommes de bonne volonté» qui savaient pardonner était indispensable, les cartes arrivaient ponctuellement, le 15 décembre, dûment autographiées sous le message de paix imprimé. Ce n'est pas tante Méli, ce n'est pas sa mère. Qui? Quelqu'un du bureau? Pourquoi le bureau lui enverrait-il des roses rouges? Stupide. Ça lui semble tellement évident et ça lui échappe.

Finalement, à bout, elle ouvre l'enveloppe. Philippe. C'est Philippe! L'écriture de Philippe, comment a-t-elle pu oublier? Comment n'était-ce pas évident? Elle rit, soulagée: c'est Philippe. C'est parfait. Philippe qui aime tant les roses rouges, qui lui en a toujours envoyé. Philippe qui aime le luxe, le somptueux, l'excessif. Comment a-t-elle pu ne pas deviner? Il faut vraiment qu'elle soit troublée. Elle arrange les fleurs dans un vase, le pose à terre dans un coin. Royales. Elles sont royales. Quelle bonne idée, des roses rouges. Comme elle a été folle de penser que sa mère pouvait l'atteindre encore, avoir manigancé une sorte de système de terreur pour l'inquiéter, menacer sa vie calme, la déstabiliser. Sa mère se fout bien de sa vie et de son équilibre. Elle a bien assez à faire avec le sien qui n'est pas fameux. C'est bien ce que Philippe pensait. Philippe, le seul homme qu'elle ait connu qui soit sauvagement resté imperméable au charme d'Yseult. Le seul qui l'ait jugée rapidement pour ce qu'elle était: une déséquilibrée qui a fait beaucoup de mal à sa fille, la privant d'une tendresse que la pauvre ne pouvait soupçonner exister quelque part dans le monde. «Un beau gâchis, ta mère», voilà sa conclusion. Et elle était pour toujours reconnaissante à cet homme d'avoir fait porter tout l'odieux du divorce, toute la disgrâce de leur mariage râté à l'éducation déficiente que sa mère lui avait donnée. Cher Philippe. Si compréhensif, si patient! Pauvre Philippe à qui elle n'a jamais rien donné. Elle regarde les roses, tout attendrie, toute réjouie de l'attention. Pourquoi fait-il cela? En quel honneur?

Elle s'aperçoit qu'elle n'a même pas lu la carte, trop contente de savoir qui était l'expé-

diteur. Elle la reprend : comme c'est long ! Leur
divorce. Ça fait dix ans ce mois-ci qu'ils ont
divorcé. Vraiment si longtemps ? Elle a du mal à
le croire. C'était hier, pourtant. Il se désole,
comme toujours, espère qu'elle est heureuse,
qu'elle a trouvé l'homme qu'il lui faut (en faut-il
un ? pas sûre...) et il comprend qu'elle ne tienne
pas à ressasser ces vieux souvenirs et que c'est pour
cela qu'elle ne retourne pas ses appels. (Quels
appels ? Il est fou ou quoi ?) Il l'assure de sa
compréhension tendre (c'est bien de lui, ça !) et
réitère son offre, ne serait-ce que pour lui, son
plaisir, son besoin de la revoir.
Diane est assez intriguée : quelle offre ? quels
appels ? Elle n'a pas toujours répondu au téléphone, c'est vrai, elle a eu des problèmes ces
derniers temps, mais enfin... Le répondeur ! Elle
n'a pas écouté son répondeur depuis la morgue,
depuis le plastique sur le corps de sa mère. C'est
sûr qu'il a appelé. Elle va au placard, sort le
répondeur. À quoi bon ? Elle sait d'avance. Elle
entend déjà le ton, la voix contrôlée même quand
il brûle de rage, poli à vous glacer sur place.
Philippe et son regard lourd de désir, cette longue
main pesante sur sa cuisse, la tension, palpable,
dès qu'il y avait un silence entre eux. Elle frissonne, écœurée. Le revoir pourquoi ? Pour savoir
que c'est impossible, que jamais elle n'aimera
d'amour physique, que ce soit lui ou un autre ?
Que tout ça la dégoûte et que, oui, elle est
anormale, marquée à vie par sa mère, marquée
à froid à vie ? Quel intérêt ? Philippe ne peut
quand même pas vouloir apprendre qu'elle a

trouvé mieux que lui? Alors? Tout ça pour l'accabler, lui faire sentir le poids de son indignité de femme. Jamais elle n'a eu envie d'aucun homme. Jamais elle n'a apprécié les baisers, les étreintes, les attouchements. Pire : elle n'arrive même pas à se donner du plaisir toute seule. Une impression de saleté, d'obscénité, une odeur insupportable.

Il faut lui répondre, lui dire non, qu'il cesse d'espérer un miracle qui ne se produira pas. Elle ne sera jamais plus sa femme, c'était une erreur et c'est tout. « Célébrer les dix ans d'un triste souvenir »! Vraiment! Sa mère rirait bien d'entendre ça! Elle entend d'ici le rire narquois, elle voit ses yeux qui brillent de plaisir, les coins de la belle bouche rouge qui creusent leurs fossettes : oui, elle s'amuserait bien, Yseult.

Elle a envie de l'appeler, de lui raconter ça, de la faire rire. Elle a envie d'entendre sa voix, de se bercer contre cette bouche pleine de rire. Elle compose le numéro qu'elle sait déjà par cœur. Elle attend, le cœur fou : encore un peu, encore un et... voilà! Voilà, c'est elle. Elle écoute encore et encore le message, elle sait tous les mots, toutes les pauses, toutes les modulations. Comme c'est rassurant! Comme c'est doux!

Cette nuit-là, quand elle se réveille terrassée d'angoisse, elle n'a qu'à faire le numéro et écouter. Et sa mère est là, vivante, apaisante et elle se fait remettre au lit comme dans sa lointaine enfance («Poum! En plein sur le nez! Dodo.») et elle se rendort calmement. Oui, elle voudrait mourir dans son lit avec le téléphone près d'elle, comme Marilyn. Pourquoi avaient-ils trouvé cela horrible à l'époque ?

E lle a appelé pour remercier Philippe à une heure où elle était certaine de ne pas le trouver au bureau. Elle avait compté sans la compétence de sa secrétaire (la même depuis plus de quinze ans, ça c'était un mariage réussi!) qui s'est empressée de le joindre sur le cellulaire. C'est donc en plein bouchon, alors qu'il fait route vers Dorval, qu'elle lui parle en grappillant, morceau par morceau, le gâteau aux fruits de madame Boisclair.

— Merci pour tes roses, Philippe. Elles sont splendides.

— C'est un peu incongru, je sais, mais j'avais besoin de te parler. Comme tu ne me rendais pas mes appels...

(Tu t'es dit: je vais lui faire un cadeau, c'est sûr que le bon chien va rappeler poliment!)

— Je vais faire réparer mon répondeur, il a des ratés.

— Avec moi particulièrement, peut-être?

— Voyons, Philippe...

— J'ai pensé que tu étais peut-être en voyage, j'ai essayé de te joindre au bureau, ils ont dit que tu étais en vacances.

— C'est vrai. (A-t-il enquêté sur toutes ses activités? Il commence déjà à l'énerver.)

— Tu pars ou tu reviens?

— Ni l'un ni l'autre.

— Ah bon!

Un silence. Un de ces silences épais qui semblent être la marque officielle de leurs relations. Elle fait un effort.

— Qu'est-ce que tu fais dans un bouchon en direction de Dorval?

— Effectivement, le bouchon n'est pas du bon côté: il y a eu un accident plus haut, une femme blessée qu'ils ont mis une demi-heure à dégager de sa voiture.

(Il va lui donner des détails, elle en est sûre, elle s'empresse de changer de sujet.)

— Tu vas où?

— Toronto. Comme d'habitude, le meeting bimensuel. Je reviens en fin de journée. On peut se voir?

Silence. Comme elle s'attendait à laisser un message, elle n'a prévu aucun repli. Ce petit ton léger, sans conséquence, laisse présager une volonté farouche de la voir.

— Diane?

— Je suis là. Non, Philippe. (Puis, incapable de lui faire ça:) Pas ce soir.

— Demain si tu préfères?

— Philippe... j'aimerais mieux pas.

Il rit, blessé. Pourquoi rit-il quand on le blesse?

— Ça, je m'en doute.

Encore ce silence. Elle voit d'ici ce que serait la soirée: morne, pleine de réticences, à se passer des messages codés sur leur impuissance respective.

121

— Diane, je t'en prie, je sais que tu n'en as pas envie, mais j'ai besoin de te revoir. Fais-le pour moi.

— Philippe... qu'est-ce que ça donne? On a déjà...

— Non, non: j'ai changé. Ma vie a changé. Je veux juste mettre un point final. Faire une sorte de post-mortem.

Il l'a, l'expression, lui! Elle sourit: elle est en plein post-mortem, elle-même! Ça va être beau!

— Il y a quelqu'un? Tu préfères luncher?

Cette façon de s'informer! Si elle dit oui au lunch qui serait plus court, il va la questionner jusqu'à ce qu'elle invente un homme. Elle le sait, il l'a déjà fait. Elle pense vite.

— Non, ce soir.

Au moins, il sera plus fatigué par son aller-retour Toronto. Ça risque de durer moins longtemps.

— Merci Diane, vraiment. Je passe te prendre à huit heures, ça te convient?

Non, rien ne lui convient, mais elle est piégée.

— D'ac. Bon voyage.

— Si je ne manque pas mon avion avec ce trafic. À tantôt!

Elle raccroche, enragée. À tantôt! Il veut vraiment lui scier sa journée. Il n'est que huit heures trente et il se voit déjà en train de souper. Et si elle se sauvait? Si elle n'était pas là, tout simplement? Il l'attendrait. Ça, elle en est certaine. Il l'attendrait dans sa voiture, à la porte, en écoutant sa musique sur son système ultra-perfectionné. Il l'attendrait jusqu'aux petites heures du matin et il serait gris pâle en la voyant, fou d'inquiétude, comme si personne ne lui avait appris à traverser la rue toute seule.

Elle s'en souvient comme si c'était hier : l'université avait organisé les fêtes de l'initiation, ridicule mascarade, mais elle avait beaucoup ri. Elle était rentrée (parce qu'il le fallait) à quatre heures du matin, soûle, hilare, molle, ravie. Lui l'attendait au salon en compagnie de Bartok, sévère comme la justice, le pli amer à la bouche : « Tu étais où ? »

Elle lui avait tout annoncé le matin même, tout expliqué, elle avait prévenu, avait même appelé à minuit, qu'est-ce qu'il lui fallait d'autre ? Elle n'était pas en danger, elle s'amusait. (« Justement ! La pire insulte que tu peux faire à un homme, c'est d'avoir du plaisir avec un autre. Ils préfèrent l'exclusivité, même quand ils sont incapables de l'honorer. ») Non. Pas Philippe. Philippe lui avait expliqué qu'il s'inquiétait, mais qu'il pouvait le supporter si elle s'amusait vraiment, si c'était son vrai bonheur à elle. Comment ne pas se sentir follement coupable de frivolité devant tant de générosité ? Elle finissait par jurer qu'elle ne s'était pas vraiment amusée, qu'elle n'avait aucun besoin de ces distractions vulgaires et qu'elle aurait mille fois préféré rentrer et surtout, surtout ne pas l'inquiéter. Il souriait, hochait la tête, prenait ostensiblement sur lui pour camoufler son épuisement et la tenait par les épaules pour l'emmener au lit. Pas si épuisé, assurait-il. Non, en effet, elle avait eu droit à la démonstration complète de ses ressources vitales.

Comme s'il avait occupé ce temps d'attente à élaborer des fantasmes qu'il se hâtait de mettre en application. C'était le genre de nuit qu'elle avait en horreur, avec toutes les pirouettes, tous les jeux sexuels qu'il avait appris depuis ses débuts, toutes les caresses qui la laissaient de glace, mais qu'elle devait apprécier par des murmures sonores sous peine de les voir perdurer indéfiniment. Ça avait fini par un coup d'œil sur le réveil, un «Merde! Six heures! Pas si mal, ton vieux mari, non?» qui lui levait le cœur. Ses questions, le pire moment de l'acte sexuel! Si encore elle n'avait qu'à le subir. Mais non, il fallait commenter, dialoguer, avoir un avis. «C'était bien pour toi aussi?» Divin! Et ces rapports sur la durée, comme si une performance brève était le pire péché! Elle préférait, et de loin, quand ça allait vite. «Excuse-moi, mon petit, ton vieux mari s'est laissé emporter par tes charmes.» Et elle l'assurait de son plaisir pour éviter d'avoir à subir ses généreuses caresses qui lui donneraient son légitime septième ciel.

Elle le regardait s'endormir et allait ensuite se laver en cachette, sans bruit. Dormir gommeuse, collante, l'entrecuisse raidi par le sperme séché la dégoûtait.

Un jour, durant un petit déjeuner qui suivait une «matinée sportive» comme il disait (depuis son mariage il avait cessé le tennis, estimant avoir son quota d'exercices à la maison), il lui avait confié avoir acheté sa première maison de campagne parce que sa deuxième femme jouissait en poussant des cris surprenants. Elle l'avait regardé, livide. Il souriait de son sourire de mâle satisfait, l'œil quand même inquisiteur. Elle l'avait trouvé cruel et vulgaire et s'était contentée de murmurer : «Pas mon genre.»

Il avait encaissé mais avait poussé plus loin : «Mais tu me le dirais, mon petit, tu me le dirais si ce n'était pas bon pour toi?» Mon dieu, qu'est-ce qu'il lui fallait? Des hurlements de hyène? Qu'est-ce qu'il attendait d'elle? Des compliments, des soupirs, des remerciements? Elle ne comprenait pas ce plaisir qu'il avait à fouiller le lit, à faire un compte rendu précis après chaque accouplement. Pourquoi en parler, pourquoi commenter? Des tas de gens se contentaient de faire l'amour sans se sentir obligés d'«échanger» après. Enfin, elle le supposait. Mais en le regardant faire, elle avait vite compris qu'en parler l'excitait. Si elle se livrait à ce jeu, il reprenait rapidement des forces et remettait ça. Alors, pour éviter les effets dévastateurs du dialogue, elle le laissait parler tout seul, se contentant de toujours trouver que tout était parfait. Elle estimait que, même seul, il réussissait souvent à s'auto-enthousiasmer. Son unique repli était les études. Son premier semestre universitaire s'était achevé sur des lauriers: que des «A». Elle s'accrochait à ses études comme une noyée à sa bouée. Et elle adorait cela. Elle adorait l'odeur de la bibliothèque, le petit café où on parle durant des heures en fumant, le ciné-club universitaire où elle se rendait seule ou en bande, prenant prétexte de réunions ou de travaux de groupe. Elle avait vu trois fois *The Graduate,* revu *Citizen Kane, Rebecca.* Elle n'avait dit à personne qu'elle était mariée: elle en avait honte. Personne de sa classe n'était marié. Ils avaient des amis, ils couchaient ensemble, se quittaient, bref, c'était sans histoire, léger. C'est à ce moment-là qu'elle avait rencontré Danielle et s'en était fait une amie. Elle lui posait les questions qu'elle n'avait jamais posées. Elle lui avait dit qu'elle était mariée. Danielle avait ri : « Philippe ? Je pensais que c'était ton père quand tu en parlais. »

Et puis elle avait rencontré Greg. Étudiant en maîtrise, un petit génie en avance sur tout le monde. Timide, gentil, le genre de gars qui l'attirait. Ils se voyaient tous les jours, discutant de tout, sauf d'eux-mêmes. Elle en rêvait. Elle l'imaginait toujours quand Philippe lui faisait l'amour. C'était son refuge, sa présence réconfortante, le seul homme qu'elle désirait. Un jour au cinéma, elle s'était mise à pleurer. Elle ne pouvait pas s'arrêter. Il l'avait prise dans ses bras et l'avait bercée. Simplement. Sans chercher à aller plus loin, sans rendre sa tendresse pesante de sexualité. Ils riaient ensemble. Elle lui parlait dans sa tête, le caressait, lui accordait à lui en imagination ce que Philippe lui réclamait inutilement. Elle était très amoureuse.

C'est Danielle qui l'avait mise au courant. À sa demande à lui. Il était trop gêné, trop mal à l'aise pour le lui dire. Il semble que tout le monde le savait, que c'était une évidence, que jamais il n'aurait cru qu'elle l'ignorait. Bref, il n'était pas pour elle. Il aimait les femmes pour tout, mais pas sexuellement. Il préférait les hommes, il était irrémédiablement homo, avait soupiré Danielle. Un gai, quoi !

Mais il l'avait embrassée! Ça, elle n'eut pas le courage de l'avouer à Danielle, mais quand elle l'avait revu, elle lui avait demandé pourquoi il avait fait ça. Parce qu'il en avait eu envie. C'est tout. Parce que sa confiance à elle, la tendresse qu'il avait pour elle l'avaient poussé à essayer. C'était sans conséquence, un baiser. « Son » baiser! Celui qu'elle n'avait cessé d'amplifier, de recommencer en imagination! Son baiser, le premier donné sans contrainte, avec amour, ce n'était rien pour lui. Rien qu'un essai. Humiliée, elle avait assuré qu'elle comprenait tout ça, que c'était très simple, qu'elle ne lui en voulait pas, que ce n'était pas sa faute à lui, elle s'était laissée emporter par son romantisme, avait imaginé des choses... et elle ne l'avait plus revu. Elle ne voulait plus le revoir, elle l'évitait, restait évasive quand il l'appelait. Elle ne pouvait pas accepter. Elle avait une véritable peine d'amour. Elle pleurait dans son lit une fois Philippe endormi, se désespérant d'avoir perdu celui qu'elle aurait tant voulu. Elle imaginait des scénarios de retour, des rencontres où, éperdu, il lui avouait avoir lutté pour ne pas l'aimer mais que c'était impossible. Elle rêvait du moment où elle l'autoriserait à l'aimer sans avoir à lui faire l'amour. Son seul problème demeurait la répulsion que lui inspiraient les rapports homosexuels. C'était sa limite. Là, ça manquait vraiment de romantisme pour elle.

Mais Greg avait eu du bon. C'est en s'appuyant sur lui, sur son fantasme, qu'elle avait mis fin à son mariage. Grâce à lui, elle avait retrouvé assez d'intérêt envers elle-même (ou de respect pour le terrible chagrin d'amour qu'il lui avait inspiré) pour dire à Philippe que c'était inutile, une cause perdue, qu'elle n'était pas heureuse dans ce mariage et ne souhaitait plus vivre avec lui. Tout le drame de Philippe lui était passé cent pieds au-dessus de la tête : elle vivait « sa » déception d'amour, Philippe avait la sienne, une sorte d'équité qui lui permettait d'échapper momentanément à la culpabilité. Philippe avait tout fait pour trouver l'homme qui lui enlevait sa femme. Il avait enquêté, questionné, harcelé. En vain. Il ne croyait pas ses affirmations. Il n'acceptait surtout pas d'être quitté au profit de personne d'autre. Inconcevable ! Il fallait un coupable, un traître, il ne pouvait même pas imaginer qu'elle puisse prendre une telle décision par elle-même. Alors ce fut, faute de mâle, la responsabilité de Danielle. Philippe décréta que cette « petite libérée » avait perverti sa femme, l'avait convaincue de partir, de cesser cette aliénation de type paternaliste. Bref, il lui avait voué une haine terrible. Aucun ressentiment, aucun reproche à elle, Diane, mais tous les griefs à Danielle, « cette fille incapable de satisfaire un homme et qui s'arrange pour légitimer sa frigidité en poussant les autres à se soi-disant libérer ! » Jamais Philippe n'avait prononcé de telles paroles, n'avait abordé de tels sujets en parlant de Diane. Tout ce qu'il devinait être les vraies causes de leur séparation devenait des caractéristiques de Danielle, ses impuissances à elle généreusement prêtées à sa meilleure amie.

Diane l'avait laissé dire, trop contente de

bénéficier d'une amnistie, même si elle se manifestait aussi injustement. Danielle, de toute façon, ne voyait jamais Philippe et lui offrait aimablement de porter quelques griefs. En fait, cela la passionnait et l'amusait.

Mais cela avait été dur. Philippe refusait de céder. Il avait tout essayé, y compris un certain viol conjugal dont le souvenir la laissait encore blême de rage. Puis il avait compris la puissance de la manipulation émotive. Et il s'était arrangé pour la culpabiliser. Coupable, elle l'était, l'avouait, y consentait, mais la coupable voulait partir et acceptait même de provoquer tout ce gâchis.

Dix ans plus tard, en se préparant pour ce souper avec Philippe, elle dit mentalement merci à Greg de lui avoir offert inconsciemment un tel soutien. Sans lui, elle n'aurait pas réussi. Sans le désir fou, insensé, qu'elle avait entretenu pour lui, elle aurait probablement cédé par épuisement.

Et connaissant le besoin de Philippe de sentir une concurrence sexuelle, elle glisse à son annulaire droit la plus jolie des bagues de sa mère.

— T u prends un apéro?
— Scotch.

Les sourcils bougent, se soulèvent ensemble sous l'effet de la surprise.

— Tiens! Deux Glenfiddich.

Elle s'absorbe dans la lecture du menu. Bien sûr, c'est cher, très cher, ça fait partie du plaisir de Philippe.

— J'ai pensé t'apporter ceci.

Elle lève les yeux: une boîte emballée, un paquet devant elle. Un cadeau. Exactement ce qu'elle déteste.

— Philippe...

— Ouvre. C'est une blague pour Noël, c'est pas un vrai cadeau.

Tendue, elle défait l'emballage: un répondeur. Le dernier modèle. *(Got the message?)*

— Ça t'évitera de faire réparer le tien.

— Ben oui... merci.

Elle dépose le tout par terre, près de sa chaise. Elle le tuerait! Il lève son verre, attend qu'elle fasse de même: «À toi, ma chère.» Elle boit. Elle éprouve tant de plaisir à retrouver le goût divin du scotch qu'elle en oublie presque sa mauvaise humeur.

Il a vieilli. Pas mal. Ça lui fait quel âge

maintenant? Voyons... elle a trente ans, il en a dix-sept de plus... quarante-sept ans. Il les fait. Il a perdu des cheveux, grisonné.

— Joli!

Elle sursaute. Il lui indique la bague de sa mère, semble apprécier la valeur si ce n'est la facture. Elle soulève sa main:

— Merci.

— Un cadeau?

Elle ne pensait pas qu'il serait si direct. Elle confirme vaguement en buvant.

— Très beau. Je peux voir?

Elle tend la main. Elle a même fait ses ongles. Rose pâle. Le diamant luit, magnifique, imposant sans aucune vulgarité ni ostentation. Il serre sa main entre les deux siennes.

— Hou... c'est froid, ces mains-là!

Seigneur! C'est quand même pas son grand-père! Il ne va pas aller jusqu'à dire des menottes quand même! Elle retire sa main, excédée, et finit son verre.

— Un autre?

Elle hésite, elle en a une furieuse envie, mais elle se méfie d'elle-même. Le scotch lui fait perdre la tête, l'assomme littéralement. Ces derniers temps, elle a eu l'impression vague de se rendre volontairement inconsciente avec le scotch. Ça ne lui plaît pas beaucoup. Les lendemains de scotch ont toujours un obscur goût de malaise presque honteux.

— Vaut mieux pas.

— Pourquoi? C'est moi qui conduis! Au pire, il y a l'opération Nez rouge! Deux autres! Tu as choisi ce que tu veux manger?

Elle se tourne vers le serveur : « Pas de scotch pour moi, merci. » Le visage de Philippe ! Les lèvres se serrent, sévères. Oh, il n'aime pas... cette autorité l'agace. Elle lui fait une fleur pour adoucir le dur rappel de son indépendance :

— C'est parce que je veux conduire ta Mercedes.

— Je dois avouer que c'est toute une voiture. D'accord, tu essaieras tout à l'heure. Je t'avertis tout de suite : on y prend goût.

Il passe la commande, décidant pour elle ce qu'elle préfère, ce qui est meilleur, ce qu'elle devrait essayer à tout prix. Et le champagne suit, bien sûr. Elle pourrait décrire tout le programme de la soirée à l'avance tellement il est fidèle à lui-même. Un ennui terrible l'étreint : pourquoi, mais pourquoi supporter ça ? (« Personne n'a aucun droit sur toi, personne. Si tu te sens des obligations, tu es probablement en présence d'un salaud. ») Elle sourit, regarde la bague : quel salaud a donné à Yseult cette science dépourvue d'illusions ?

— Parle-moi de lui.

Bon : phase numéro deux : il faut inventer un partenaire digne d'être son successeur. Elle essaie d'y prendre goût, de s'amuser un peu.

— Il est plus jeune que moi, vingt-huit ans. Administrateur d'une grosse boîte. Il enseigne aussi. Plutôt grand, des épaules solides de joueur de basket, mince...

Bizarre, elle a l'impression de parler de quelqu'un qu'elle connaît, comme si elle décrivait vraiment une personne.

— Administrateur ? Intéressant... C'est quand

même une bague très dispendieuse pour un gars de vingt-huit ans.

— Bijou de famille. T'as pas vu? Elle est pas neuve.

Il regarde encore, un peu fâché on dirait, contrarié en tout cas.

— Il travaille où?

— Ah, écoute Philippe... C'est pas encore mon mari.

— Il a l'air en bonne voie. T'aurais rien qu'à déplacer la bague. Y s'appelle comment, le prince charmant?

— Gilbert.

— Ah... Gilbert qui?

Elle n'aime plus ça. Ça l'inquiète. Elle lève son verre:

— À toi, Philippe.

— Tu veux pas me dire son nom? T'as peur que j'enquête sur lui?

Elle soupire, essaie de passer outre:

— Comment c'était, Toronto? Pas trop fatigant?

— Diane... tu peux me le dire. S'il a des bijoux de famille, il doit avoir un nom de famille, non?

— Philippe, désolée d'être brutale, mais ça ne te regarde pas.

— Bon, bon, j'insiste pas. Fais pas ces yeux-là, tu me donnes envie de continuer.

Pause. Ah ce silence, la qualité du silence pesant, mesurable, plus réel que le contenu de leur assiette.

— En tout cas, tu es très belle. Ça te va bien, l'amour.

Elle sourit: le deuil aussi sans doute.

— Comment va ta mère?

Oups! Comment a-t-il pu deviner?

— Elle est en mer.

— Ah oui? Elle s'est mise au yachting? À la croisière de luxe?

— Non, la plongée.

— Ah oui? Surprenant.

— Oui, ça m'a étonnée moi aussi.

— Encore à collectionner les amants?

— Non, je pense que ça lui a passé. Elle va quand même avoir cinquante ans, tu sais.

Et tac! Là, elle a frappé le cœur. Il déglutit péniblement, sourit:

— C'est pas le genre de chose qui «passe» avec l'âge, dieu merci.

— Et toi, tes amours? C'est quoi tes grands changements de vie?

— Ah oui... je t'avais un peu annoncé ça ce matin... bon, écoute, je viens de mettre fin à une longue liaison et disons que ça m'a ramené, heu... les circonstances m'ont ramené à nous deux.

Elle ne dit rien, machouille un fruit de mer, vaguement écœurée.

— Tu sais, sexuellement, c'était formidable. Une bombe au lit, une femme vraiment passionnée, gourmande, pleine d'imagination.

Son portrait, quoi! Pourquoi insiste-t-il tant pour lui raconter ses exploits sexuels? Les réussir ne lui suffit donc pas?

— Une jeune fille, en fait, et c'est là que ça me ramène à toi. Vingt-cinq ans, une beauté. Très souple...

Petite pause d'appréciation mentale de la souplesse en question. Diane repousse son assiette : ça va être long.

— Nos débuts ont été formidables, exaltants. Puis elle s'est mise à voir quelqu'un d'autre, plus jeune qu'elle. En amie qu'elle disait. J'ai pas supporté. Pas du tout. Je suis devenu, moi si libertaire, fou de jalousie. Incapable de la laisser sortir, de lui faire confiance, de la croire. J'étais sûr qu'elle le faisait venir à la maison, baisait avec lui dans mon lit...

— *Votre* lit.

— Pardon ? Ah oui... si tu veux. Bref, c'est devenu l'enfer et j'ai pas supporté.

Il tripote son morceau de pain rageusement, fait éclater la mie, écrasant brutalement la croute. Diane peut concevoir l'enfer que c'était, effectivement.

— Je me suis dit que cette rage t'était destinée. Que je ne t'avais jamais fait part de mon sentiment de colère et que cela finissait par gâcher toutes mes relations ultérieures. Cette fille, elle était honnête, j'en suis sûr, et je ne l'ai pas crue parce que ça n'a jamais été clair entre toi et moi.

Elle soupire : le même vieux numéro ! Il doit être maso. Il veut qu'elle l'ait trompé, haï, il veut avoir été incompétent. Il veut des preuves de son indignité à lui. Elle en a plus qu'assez de ses retours en arrière.

— Écoute Philippe, si t'as des problèmes avec ta jalousie, règle ça tout seul. Pas avec moi. Ça fait dix ans. On passera pas notre vie à fouiller notre année de mariage.

— Je veux savoir pourquoi t'es partie.

— Je te l'ai dit, Philippe, c'était une erreur.

— Moi? T'as découvert que j'étais pas ton type d'homme?

— Philippe, j'avais dix-neuf ans, j'avais pas de type d'homme. Je voulais partir de chez nous, c'est tout, peux-tu comprendre et accepter ça?

— Pourquoi t'essaies de m'épargner? Tu vois pas que c'est pire que toutes les aventures que tu pourrais avoir eues? Tu peux pas savoir tout ce que j'ai imaginé, tout ce que j'ai pensé. J'ai été loin pour savoir qui c'était. Tu serais étonnée.

— C'était inutile, Philippe.

— Avec elle, la dernière, je l'interrogeais comme si c'était toi, je la questionnais, la fouillais. Tu peux pas me faire ça. Il faut que ça cesse, que tu me dises toute la vérité.

— Tu la veux pas, la vérité.

— Essaie.

Il la regarde, prêt à recevoir les pires nouvelles, des noms, des actes, des tromperies sordides. Diane se sent dépassée. Pourquoi ne peut-il pas admettre son impuissance à la rendre heureuse? Elle s'arme de courage:

— Je t'ai laissé, Philippe, parce que je ne t'aimais pas.

— C'était qui, l'autre? Qu'est-ce qu'il avait de plus que moi? Il était jeune, c'est ça? Un étudiant?

— Excuse-moi.

Elle prend son sac, se lève et va se réfugier aux toilettes. Elle s'appuie au lavabo: qu'est-ce qu'elle peut faire? Lui inventer une aventure sale, terrible? Par désœuvrement, elle remet du rouge, sa bouche est un peu gonflée, on dirait. Tiens, elle ressemble à celle d'Yseult! Jamais elle ne l'avait remarqué auparavant. Elle touche ses lèvres, sourit : pas vraiment, mais un peu Yseult. Elle s'examine attentivement : non, pas grand-chose, pas grand-chose d'elle. Rien de sa beauté fatale. Rien de son assurance non plus. Petite fille, elle est encore une petite fille à trente ans, à se réfugier aux toilettes parce son vieux ex-mari lui fait des scènes de jalousie sordides. Qu'elle est bête ! Qu'elle est stupide ! Qu'est-ce qu'elle ferait, elle ? Comment elle s'en sortirait ? Elle ne supporterait pas ça jusqu'au dessert, c'est sûr.

Et si elle essayait ? Si elle essayait de voir les choses comme Yseult, au lieu de les subir comme elle le fait toujours ? Se prendre pour elle, répondre comme elle, se défendre comme elle. Excitée, elle fixe toujours son image. Ça serait bien de pouvoir emprunter un ou deux trucs à sa mère. Comme cette bague. Juste pour se débarrasser des éternelles scènes de Philippe.

Elle sort des toilettes, va s'asseoir, royale. Elle regarde autour d'elle. Pas mal de monde, des dîners de Noël d'entreprises qui ont une grosse réputation à défendre et un gros budget de frais de représentation à dépenser. L'homme là-bas qui la regarde, il s'ennuie. S'il savait comme elle aussi s'ennuie ! Elle esquisse un sourire. Il hausse les sourcils. Elle sent la bouche d'Yseult à la place de sa bouche, plus lourde, tellement plus pleine.

— Ça va ?

— Tu vas m'excuser, Philippe, mais je dois partir.

— Comment? Déjà? Mais... on s'était promis cette soirée. Ça fait des années que je ne t'ai pas vue...

— Deux ans.

— C'est ça, des années. Reste un peu, j'ai pris l'avion deux heures plus tôt pour toi.

— Désolée.

Le petit ton sec, le regard au-dessus qui balaie la salle: oh, le bonheur, oh, la divine distance d'Yseult!

— Vraiment, Diane, c'est insensé! Es-tu complètement irresponsable? Finis au moins ton assiette.

Elle sourit, se lève. Le garçon vient précipitamment tirer la chaise derrière elle: il faut bien justifier les prix. Elle se penche vers lui et murmure en souriant de sa nouvelle bouche: «Tu m'ennuies, Philippe. C'est tout. J'ai pas assez de temps pour le perdre à m'ennuyer.»

Et elle se dégage. Furieux, il lui saisit le poignet: «Pour qui tu te prends? Espèce de garce, petite plotte profiteuse!»

Elle retire sa main lentement, le regarde droit dans les yeux, totalement indifférente, presque amusée: «J'espère que ça te soulage parce que c'est très disgracieux. Bonsoir.»

Et elle le plante là, sans remords, sans un soupçon de culpabilité. Elle l'abandonne avec ses fausses raisons, ses motivations compliquées, ses manigances et son répondeur.

En enfilant ses gants, elle murmure un petit merci au diamant. Et elle décide de s'offrir un scotch.

Dehors, ça sent la neige. Le froid pique, stimule. Elle marche vite, légère, heureuse comme elle ne l'a plus été depuis... elle cherche. Non, rien qui lui vienne, aucun événement, que le triste cortège des habitudes dont sa vie est truffée, emprisonnée. Peut-on être aussi heureuse alors que sa mère est morte? Elle rit : voyons, elle n'est pas morte, elle l'a aidée ce soir, conduite d'une main sûre vers la sortie. Elle a même souri à sa place. Non, jamais Yseult n'a été aussi vivante que maintenant. Et Yseult a soif. Elle n'aime pas le scotch, mais là-dessus Diane sera intraitable : scotch ou rien. En ce qui la concerne, le champagne est banni à vie; le champagne ressemblera toujours à un chèque fait pour l'acheter, donner le droit de lui passer sur le corps.

Elle ne sent pas le froid, elle est si excitée qu'elle rirait tout seule, en plein trottoir. Comme c'est facile, comme c'est simple, vivre. On n'a qu'à respirer, regarder et partir si ça ne convient pas. Et elle a trente ans! Viens, Yseult, viens, nous allons au bar où, pour la première fois de ma vie, j'ai failli sortir avec toi. Viens, on va y entrer ensemble. Et après, on ira où tu voudras. C'est ta soirée, je te dois bien ça.

Elle est un peu chic pour ce genre de bar,

mais c'est tout à fait le style d'Yseult, ce raffinement. Elle s'assoit au bar, divinement à l'aise et déguste ses deux premiers scotchs les yeux mi-clos. Elle pense à Philippe assis à sa table là-bas, avec ses misères sexuelles et son répondeur: elle l'a enduré dix ans le coup du gars marqué à vie qui cherche à comprendre pour s'éviter de voir. Dix ans à l'écouter remettre en question les moindres plis du drap conjugal. Elle soupire de soulagement.

— Bonsoir.

Elle ouvre les yeux: jeune, très sombre, des épaules solides et cet air... bizarre, on dirait qu'il la teste, il a l'œil un peu provocant.

— Bonsoir.

Il reste là, planté devant elle, espérant elle ne sait quoi. Elle attend, pas du tout embarrassée, en finissant son verre.

Elle le pose finalement sur le bar, se lève, il va finir par la mettre mal à l'aise avec son silence.

— Un autre?

Il indique du menton son verre vide.

— Pas en silence!

Elle se rassoit. Lui aussi. Ils trinquent. La conversation n'est vraiment pas son fort. Il l'observe curieusement. Elle se secoue:

— Alors?

— Alors... est-ce qu'on refait connaissance à chaque fois?

Elle le fixe stupidement: c'est ça, ils se connaissent et elle ne l'a pas reconnu! Elle cherche rapidement: elle sait qu'il appartient au scotch et qu'elle n'a pas si envie que ça de le reconnaître, de clarifier les souvenirs qu'ils ont en commun. Elle était donc revenue ici depuis sa rencontre avec Yseult? Ça l'étonnerait.

— C'était pas ici, quand même?

Il se détend, sourit:

— Non. En fait, j'ai essayé de fréquenter d'autres bars depuis la dernière fois. On dirait bien que tu me poursuis.

— Ou que je fais tous les bars de la ville, systématiquement.

Pourquoi ses yeux sont-ils si désolés, si tristes? Il semble désemparé. Il boit en silence. Il a l'air de prendre ça très sérieusement.

— Ça serait compliqué qu'on refasse connaissance à chaque fois?

— Plutôt, oui... en tout cas...

Yseult... Yseult, aide-moi. Qu'est-ce qu'on fait quand on ne supporte pas la tristesse au fond des yeux d'un homme? Qu'est-ce qu'on fait quand ils se mettent à être humains? Elle pose la main sur son avant-bras: «Qu'est-ce que je demande en premier? Ton nom ou ton âge?»

Il rit. Comme il rit! La question semble parfaite. Elle rit aussi et dit très vite, comme si elle venait de le trouver: «Vingt-huit ans.»

Bon, il ne rit plus. Il la fixe, douché:

— Tu fais semblant? Tu fais semblant de ne pas me reconnaître, c'est ça?

— Non. J'ai guessé.

Il n'a vraiment plus l'air de suivre. Il fait oui pensivement et tout son corps crie non. Il sourit, mais sans gaîté: «O.K., je vais faire un guess, moi aussi: si on boit encore quatre ou cinq scotchs ensemble, on va danser et puis tu vas venir chez moi me battre jusqu'à temps que tu tombes et après on va faire l'amour et tu vas profiter de mon sommeil pour t'en aller. C'est ça?»

C'est son tour de ne plus rire. C'est comme un film qu'elle a déjà vu. Un film qu'il lui raconte avec précision. Mais ce n'était pas elle! En fait, elle est certaine que c'est elle, elle le sait, mais elle ne le sent pas. Elle ne veut pas le sentir. Finalement, elle a une furieuse envie de partir. Elle se lève, dépose son verre. Bon, elle tremble maintenant, c'est ridicule. Il répète durement: «C'est ça?»

Elle fixe sa main sur son verre, obstinément. Sa main droite aux ongles faits. Sa main si belle avec cette bague. Ce devrait être la main gauche. Il y a une erreur, ce devrait être la main gauche. Il pose la main sur son poignet. Des poils frisent entre la manche et la montre. Ça lui rappelle quelque chose: des poils blond roux sur des avant-bras solides. Des poils qui accrochaient une lumière crue. Ah oui: sa mère est morte, le petit assistant en habit vert de salle d'opération. Le jeune homme qui a sorti de sous le plastique, avec ses bras forts et couverts de poils brillants, la main rouge et cassée d'Yseult, la main aux doigts disjoints. Ce n'est pas lui puisque les poils sont foncés. Qu'est-ce qu'il attend avec sa main sur son poignet? Qu'elle avoue quoi? Ils veulent tous que ce soit sa faute. Ils veulent une histoire complète avec une victime et une coupable. Et, si possible, un déroulement logique. Quand est-ce que c'est logique? Quand est-ce que ça se tient? Jamais! Elle était bien, elle était heureuse, pourquoi faut-il qu'il la bouscule, qu'il l'oblige? S'il veut qu'elle s'excuse, il peut le dire, elle peut très bien le faire, elle ne sait faire que ça, elle est une excuse vivante.

Elle voudrait qu'il retire sa main pour voir si la sienne tremble encore, pour voir si elle peut s'en aller sans crainte. Yseult ne l'aidera plus, elle le sait. Elle l'a laissée, elle est partie. La fée s'est maquillée, coiffée, parfumée, la fée a mis ses souliers dorés et elle ne les perdra pas à minuit. Il va falloir attendre toute seule que la fée revienne. Toute seule à la porte fermée de sa chambre. « J'ai froid. »

Il la laisse enfin, mais il la prend dans ses bras. Il la serre très fort, comme elle le souhaitait tant, il la tient sans parler, juste fort, très fort. Sans la regarder, sans rien demander. Au bar où tout le monde les observe peut-être, mais elle s'en fout. Elle ferme les yeux : oh, petit noyau sec, petit pou dur, incassable, petite fille d'acier trempé et glacé, quelqu'un pourra-t-il jamais te réchauffer, t'ouvrir, trouver l'amande ? Il n'y a pas d'amande, pas de centre. Faux ventre, fausse femme. Les larmes qui coulent à l'intérieur du noyau, les larmes peuvent-elles faire pousser une amande ? Mouiller la carcasse vide ? Non ! N'arrête pas, n'arrête pas de me serrer ! Elle le regarde, affolée à l'idée de sortir de ses bras, d'en être chassée, expulsée. Il l'embrasse. Elle ne veut pas. Elle ne veut pas qu'on l'ouvre, qu'on la visite : elle est vide, il n'y a rien, ne cherche pas. La douceur ferme de sa bouche, la constance de ses bras fermés sur son corps, la protection infinie qu'elle ressent la calment. Elle se réfugie tout entière dans sa bouche à lui, s'y enfonce, y enfouit tout, fouille en exigeant d'être fouillée. Il y a quelqu'un, une langue, une cavité exquise qui absorbe toute l'angoisse, apaise les cauchemars, fait tout converger au centre du remous, abîme virevoltant de sa langue qui aspire son ventre.

C'est à la lumière rouge des rues Sherbrooke et Jeanne-Mance qu'elle le lui dit: «Je ne peux pas aller chez toi.» Le feu change, il embraye:

— Pas assez de scotch?

— Peut-être.

— J'en ai si ça te prend ça.

— Je veux pas.

Un silence. Il fixe la route. Elle le voit tenter d'organiser ses arguments. Il rit un peu: «Pas assez soûle pour décider de te soûler?» Elle rit. Elle l'a bien mérité. Il arrête la voiture en bordure de la rue, tire le frein, se tourne vers elle:

— C'est quoi?

— Quoi quoi?

— C'est quoi le problème?

— C'est moi.

Il soupire, allume une cigarette. Elle tend la main, la lui prend: «Juste un peu.» Il l'observe. Elle voit bien qu'il cherche à comprendre, qu'il travaille très fort. Elle fume pour lui échapper. Il prend une autre cigarette, l'allume. Elle lui tend la sienne, il hoche la tête.

— T'es toujours comme ça?

— Non, j'avais arrêté de fumer.

— Diane...

145

Comme c'est étonnant qu'il sache son nom!
Quelle surprise à chaque fois. Comme si elle était
la seule à ne pas connaître les personnages d'une
vie antérieure.

— Tu baises seulement soûle?

Elle n'aime pas ça. Mais son ton est seulement
intéressé, ni agressif ni méprisant. Gilbert... celui-
là, elle devait bien savoir qu'elle le reverrait. Elle
le cherchait en tout cas.

— J'ai parlé de toi à mon ex.

— Tu t'en souvenais alors?

— Non. J'ai cru que je t'inventais pour les
besoins de la conversation. Et puis deux heures
après, je tombe sur toi.

— Drôle de hasard...

Non. C'est Yseult. C'est avec elle que je suis
sortie ce soir. C'est Yseult qui voulait que toi, je te
revoie.

Comment expliquer que les volontés d'Yseult
lui font encore peur? Comment expliquer que sa
doublure soûle, elle ne la connaît pas et ne l'apprécie pas tellement quand elle est à jeun?

— On fait quoi? Tu veux que je te reconduise
chez toi?

— J'ai faim. Pas toi?

Il l'emmène rue Laurier. Non, pas de hasard.
Yseult doit le connaître, impossible que ce soit
autrement. Elle meurt de faim, il la regarde manger avec amusement:

— T'avais oublié de souper?

— Non. J'ai mangé avec un vieux schnoque
déprimant.

— Ton patron?

— Une sorte, oui. Un grand boss. Mais je l'ai clairé.

— T'as l'air de les clairer pas mal vite, les gars.

— Ah oui? J'ai l'air de ça?

Elle trouve ça vraiment drôle. C'est sa mère qui avait ce talent, sa mère qui avait le tour de les embobiner et de les débobiner, pas elle. Il est plutôt beau, celui-là. Jeune et les yeux brillants :

— Pourquoi tu fais ça? Pourquoi t'acceptes de venir manger avec une fille qui ira pas chez vous après?

— Je pourrais te dire que je te trouve intrigante ou intéressante. Mais c'est surtout parce que j'espère que tu vas changer d'idée.

— Ça me surprendrait.

— Pas moi. La dernière fois, tu m'as battu avant de me laisser te toucher. Ça serait plutôt une amélioration de nos rapports d'aller manger avant de rentrer.

Ça fait deux fois ce soir et elle n'aime pas l'entendre. Elle n'aime pas qu'il lui révèle ces choses-là. Et elle voit bien qu'il le fait exprès pour vérifier... quoi? Sa sincérité probablement. Elle voudrait bien lui jurer que non, elle ne se rappelle rien, mais c'est toujours un peu troublant quand il raconte, comme un souvenir vague. Elle se décide courageusement, quitte à en perdre l'appétit :

— Et l'autre fois? T'as dit deux fois.

— Heu... L'autre, je m'en souviens moins.

— T'étais soûl?

— Pas mal. Je me souviens que c'était plutôt terrible.

— Terrible comment?

147

— Le fun.

— Tu vois bien qu'on peut ne pas se souvenir.

— Mais moi je te reconnaissais, je pouvais savoir que c'était toi. Je te cherchais même!

— Ben pas moi! Le black-out total... Pourquoi tu me cherchais?

— Pour recommencer, qu'est-ce que tu penses! Recommencer moins soûl.

— Et je t'ai battu?

— Tu me crois pas? Attends.

Il tend la jambe, lève son pantalon : là, sur l'arrête de la jambe, juste sous le genou, un bleu jaunâtre s'étale, plutôt imposant.

— C'est moi? Moi qui ai fait ça?

Il replace son pantalon :

— J'en ai d'autres moins bien placés, si tu veux que je te les montre...

— Ça fait combien de temps? C'était quand?

— T'arrêtes pas de demander des dates. Ça fait huit jours.

— Tant que ça?

Elle jongle : huit jours... qu'est-ce qu'elle a fait depuis? Combien de jours depuis qu'elle a vu sa mère morte étendue sur la civière, recouverte de plastique? Combien de mois, d'années qu'elle erre depuis qu'on a roulé Yseult devant elle?

— Le 22 novembre, ça fait combien de jours, ça?

— Ça fait... attends... vingt et un jours.

Elle cherche, s'inquiète, fait ses calculs intérieurs.

— Excuse-moi, mais... est-ce que t'es soûle depuis cette date-là?

— À peu de chose près, je suppose que oui.
— Tu te souviens de rien?
— Des bribes.
Surtout des doigts de la main gauche d'Yseult. Et sa voix la nuit au téléphone. Et que l'hiver est là, elle n'a pas cessé d'avoir froid depuis. Et quelques souvenirs qui viennent de plus loin que vingt et un jours, qui viennent du fond du fleuve, du fond vaseux, brouillé du fleuve.
— Viens dormir chez moi. Je ne te toucherai pas. Je vais juste te serrer comme t'aimes. On baisera pas, juré.
Pourquoi fait-il ça? Pourquoi, puisqu'elle l'a battu, l'a envoyé promener, ne l'a pas reconnu? Il est maso? Il est comme l'autre, il veut qu'elle lui doive quelque chose à vie? Il veut commencer sa facture, ouvrir son compte? Elle n'a rien à offrir, rien à donner. Coquille vide. Qu'est-ce que c'est que cette humanité tout à coup? Des yeux qui voient, des doigts qui touchent, des bras qui serrent. Il veut quoi? La rendre complètement folle?
— Tu me crois pas?
Elle fait non doucement. Comment, pourquoi le croire?
— Tu veux rentrer chez toi tout de suite?
Elle fait toujours non, incapable de parler. Non, pas le loft immense où le soleil va encore se lever sur du vide. Navrantes. Les aubes sont navrantes. Oh mon dieu, qu'est-ce que c'était, ce poème qu'Yseult lui lisait? Il y avait des larmes dedans et la voix d'Yseult qui se cassait dessus.
— Les aubes sont navrantes.

— Les nôtres oui, en tout cas. T'es toujours partie.
(«Rimbaud, le pou. C'est Rimbaud qui, à dix-sept ans, savait déjà ça. C'est le genre d'érudition dont on ne se remet pas, ça a l'air.»)
— C'est un poème de Rimbaud.
Il semble un peu perdu : la littérature n'est apparemment pas son domaine. Il a l'air d'attendre la suite du poème.
—Je ne me souviens pas du reste.
— Ça me surprend pas !
Elle rit. Vraiment, lui, il est sympathique ! Ils sortent sans avoir reparlé de leur destination. Il s'est remis à neiger. La rue Laurier est comme une robe de strass. Là, devant eux, la rue Hutchison. Elle le retient : «Viens, on va marcher un peu par là.» Devant le 5311, elle s'arrête, lève la tête : aucune lumière, rien, Yseult n'est pas là. Elle est sortie, bien sûr. («La nuit appartient aux autres. Toi, t'as le jour, le pou. Pas la nuit.») Bon d'accord, d'accord Yseult, j'ai compris. Soyons adultes, chacun son dû. Je reviendrai demain quand ce sera mon tour et je brosserai tes cheveux. Elle regarde Gilbert :
— Pourquoi tu ferais ça ?
— Quoi ?
— Me tenir dans tes bras sans baiser ?
Il se penche, elle recule un peu, craintive. Il met son nez dans son cou, le glisse entre la peau et le foulard. Elle l'entend à peine répondre : «Parce que j'aime l'odeur de ton corps.»
Cette nuit-là, pour la première fois depuis vingt et un jours, elle dort profondément, d'une

traite, sans rêve, sans lutte, sans course effrénée ou écho de coquille vide. Elle dort calmement, tenue par Gilbert qui, lui, ne s'endort qu'à l'aube, bandé, incapable de ne pas espérer qu'elle se réveille et veuille être tenue d'encore plus près.

Mais, vrai, j'ai trop pleuré! Les Aubes sont
navrantes.
Toute lune est atroce et tout soleil amer:
L'âcre amour m'a gonflé de torpeurs enivrantes.
Ô que ma quille éclate! Ô que j'aille à la mer!

L e voilà, c'est lui, c'est ce poème. *Le Bateau ivre...*
rien ne pouvait être davantage de circonstance.
Elle paye le livre, remonte la rue Saint-Denis pour
prendre un café quelque part. Ce matin, elle n'a
pas vu l'aube. Ce matin, le soleil est parfait sur la
neige. « *Que j'aille à la mer.* » Mot pour mot, ta vie
dans ce quatrain. Et je ne t'ai jamais vue pleurer.
Ni te désoler de l'aube navrante. L'âcre amour... ta
bouche rouge qui riait, tes narines qui palpitaient
quand un homme te renversait, te goûtait au creux
de la clavicule et cet espace un peu bombé entre le
nez et la lèvre, ce renflement un peu dodu que
j'aimais toucher («C'est parce qu'avant j'étais un
chat.»), ces petites lignes parallèles qui tiraient l'arc
de la bouche, en tenaient les pointes et qui
illustraient à elles seules toutes tes gourmandises,
tous tes appétits. L'âcre amour... est-ce de toi que
j'ai conclu qu'il n'y avait rien à chercher dans
l'amour? Toi, si amoureuse, si abandonnée aux
torpeurs enivrantes?

Mais que sait-elle de sa mère? Pas un nom d'homme sur ces bagues. Pas un qu'elle pourrait appeler, alerter: Yseult est morte. Pas un qu'elle pourrait accuser. Comment ne sait-elle pas les noms? Même les visages lui échappent. La porte fermée de la chambre d'Yseult a gardé tous ses secrets. Il faudrait y aller. Y aller et l'ouvrir. Quel bonheur elle aurait à les appeler, à leur dire que c'est fini, qu'ils l'ont usée, cassée, brisée. Qu'ils ont tué sa mère peu à peu, à force d'abandons, à force d'âcre amour. («Il faut toujours que ce soit la faute de quelqu'un avec toi.») Quoi? Pourquoi pas? Ne me dis pas que tu es d'accord avec eux, ne me dis pas que tu les absous, que tu les laisses partir, indifférents à ton sort, à ce que tu deviens? Qu'ils te pleurent, qu'ils se désolent, qu'ils se sentent coupables, qu'ils payent un peu ce qu'ils t'ont fait endurer! («Toute en vengeance et en jalousie. Tu vas souffrir, le pou.») Sa mère a toujours tout su d'elle, tout deviné. Elle ne peut jamais s'en échapper totalement, s'en délivrer. Et morte, elle est seulement plus terrible, plus puissante. Vingt-deux jours, vingt-deux jours aujourd'hui que je me bats avec ton triste fantôme recouvert de plastique. Vingt-deux jours que tu n'attends rien de moi. Rien. Non... ça, c'est plus que vingt-deux jours. Plus que vingt ans. Quand as-tu abandonné la partie, maman? À quel âge m'as-tu regardée, désenchantée, en murmurant: «*Les Aubes sont navrantes*»? Pourquoi est-ce que je comprends tout croche? Pourquoi je m'exalte, je m'excite à me tromper, me méprendre?

Maman... pourquoi tu t'es tuée? Le soleil fait

briller ton diamant, petit glaçon rond qui ne fondra jamais, pourquoi aller là, te laisser tomber dans l'eau noire?

Maman... pourquoi je suis si seule sans toi alors que je me passais si bien de toi vivante?

Je me mens, maman. Tu entends le son que ça fait: je me mens, maman. Et tu ris dans ta glace, parce que tu l'as toujours su. Je n'ai jamais apprécié que tu en saches plus que moi. («Toute en vengeance et en jalousie.») Oui, d'accord, d'accord. Laisse-moi tranquille.

Elle entend le téléphone sonner de l'extérieur. Elle prend son temps pour tourner la clé: avec un peu de chance, ils vont se décourager, raccrocher.

Elle entre, enlève ses bottes. Ils sont patients! Ça sonne indéfiniment. Non. Elle n'a pas envie de répondre. Surtout qu'elle est certaine d'avoir à affronter les sévères représailles de Philippe qui va lui faire payer son humiliation. Bizarrement, elle s'en fout. Philippe ne l'impressionne plus. Il l'indiffère avec son malheur et ses problèmes. Qu'il fasse comme tout le monde, qu'il se paye un psy. Il a les moyens, lui! Elle a assez joué à ses perversités.

Bon, ça s'arrête. Elle s'installe confortablement avec Rimbaud, dans une tache de soleil.

Ça recommence! Vraiment, y a des gens qui refusent de comprendre.

— Allô?

— Je te réveille?

Non, ce n'est pas Philippe. C'est une voix qu'elle ne replace pas:

— Qui parle?

— Diane?

— Oui. Qui parle?

— Ben... c'est Georges.

— Ah.

— Ça va?

— Oui.

— Je te dérange?

— Pourquoi? (Elle lui dirait bien oui, mais Georges est susceptible.)

— T'as l'air distante.

— Ah bon.

— Écoute, je ne veux pas te déranger, mais comme tu ne m'as pas salué hier, je voulais savoir si j'avais fait quelque chose sans le savoir... quelque chose qui t'aurait choquée.

— Hier? Je t'ai pas vu. Où ça?

— Au *Globe*.

— Je t'ai pas vu.

— Ah... Ah bon... T'avais l'air plutôt occupée, je dois dire. Comme t'es partie pas longtemps après, je voulais m'assurer que t'essayais pas de me fuir.

Pas prétentieux du tout... Ah, elle y est: il l'a vue embrasser Gilbert. Il l'a tout simplement regardée faire et maintenant, il vient aux nouvelles. Pauvre Georges!

— Pas du tout, Georges.

— Ah bon... alors ça me rassure.

— J'espère.

— Tes vacances sont agréables alors?

— Tu vas m'excuser, Georges, je dois te laisser.

— Oui, je voulais pas te déranger. On se voit lundi?

— Pardon?

— Lundi... le 17. Gagnon m'a dit que tu venais au party de bureau.

— Non... je ne pense pas, non.

— Ben voyons, Diane, t'avais promis. Tu vas pas nous faire ça?

— Écoute, je vais faire ce que je peux, mais attendez-moi pas trop.

— C'est au *Continental*, tu t'en souviens?

— Oui, oui.

— Je peux t'appeler lundi pour te le rappeler si tu veux...

— Ça sera pas nécessaire. Merci, Georges.

— O.K., à lundi, j'espère.

— Bye!

Elle raccroche avant qu'il n'insiste. Le party de bureau! Même le bureau lui semble un continent qu'elle n'a jamais visité. Même Gagnon prend des allures de fantôme. Il faut qu'elle démissionne. Elle ne peut absolument pas retourner à cet endroit. Seulement y penser lui donne des envies de pont Jacques-Cartier. Elle sourit: ça s'arrange avec l'humour, tu ne trouves pas, maman?

Tant qu'à y être, elle décide de faire l'appel qu'elle avait projeté. Elle prend son chéquier dans son sac. Pourvu qu'il ne soit pas parti!

— Allô?

— Gilbert? Je te réveille?

— Non... je prenais un café en méditant ma vengeance.

— Ta vengeance? C'est ton style, ça?

— Non, mais tu réveilles mes plus bas instincts.

— Tu dormais, fallait que je parte. J'ai pris ton numéro pour pas faire comme l'autre fois.

— Mmm...

— Qu'est-ce qu'y a ?

— T'as pas fait de bruit.

— Tu dormais.

— Bon. J'apprécie beaucoup ton appel; tu remontes dans mon estime.

— Merci. Bye!

— Diane... juste pour savoir, pour m'éviter de faire le tour de la ville, vu que j'ai pas ton numéro, moi... c'est quoi le prochain bar où tu vas aller prendre un scotch?

Elle ne dit rien, surprise.

— Diane?

— Oui, oui...

— Tu vas arrêter de boire à partir d'aujourd'hui, c'est ça?

— En effet, ça serait une bonne idée.

— Je t'avertis: si jamais je te surprends dans un bar, tu vas avoir la rince de ta vie!

— Ça veut dire quoi, ça?

— Ça veut dire mes plus bas instincts.

— O.K. Gilbert, je vais te faire une promesse: je t'appelle avant d'aller prendre mon prochain scotch.

— Ou pendant.

— Pendant?

— Ouain... je te truste pas. Appelle même si t'es rendue au bar, O.K?

— O.K.

— Diane...

— Quoi?

— Appelle même si tu décides de plus jamais boire de ta vie.

— Merci.

Elle raccroche. Elle se souvient avec précision de sa bouche hier soir, au bar. Elle donnerait cher pour y goûter tout de suite encore. Juste pour confirmer cette sensation d'être possédée totalement par un baiser.

J amais elle n'a tant marché. Elle marche pour ne plus penser, ou pour penser à des choses précises, pour s'épuiser. On dirait que son corps refuse de se fatiguer. Elle se dit qu'elle devrait s'arrêter, parler à quelqu'un, en finir avec cette fuite effrénée qui la mène à la limite de la folie. À partir de quand est-on fou, complètement craqué, hors service? La réalité, il faut garder contact avec la réalité.

Diane s'arrête près de l'étang du parc Lafontaine. La musique de Strauss (juste ce qu'il faut de sucre) et les patineurs qui tournent, pirouettent dans le soleil d'hiver. Le soleil généreux mais qu'on sent proche de son départ dès trois heures de l'après-midi. Ce soleil incomparable qui fait la lumière rosée, les ombres denses, même celle du petit nuage blanc qui sort de la bouche des patineurs. La réalité... on est samedi, il fait soleil et froid, la rue est remplie de gens qui achètent des cadeaux de Noël et ici, sur la patinoire, des enfants bien emmitouflés tombent sur la glace dans un bruit mat d'habit de neige. On les dirait en caoutchouc, incapables de se tenir debout, petits bonhommes dodus, petites boules soufflées qui rebondissent sur la glace, se relèvent à quatre pattes et tanguent et s'accrochent à leur parent. Voilà la réalité. Elle n'est pas folle. Elle sait très bien qu'Yseult n'arrivera pas sur la patinoire, petit elfe agile qui tournoie, fée blonde qui recule à une vitesse folle, virevolte et danse sur ses patins. Yseult ne viendra pas l'impressionner en lui faisant le coup de pivoter sur elle-même si vite qu'elle devient une spirale rouge sans visage, sans bras, sans jambes. Une spirale affolante qu'elle craint tant de voir disparaître ou de n'en plus jamais voir le visage.

Elle passait des heures à geler au bord de la patinoire pour la regarder, refusant de patiner à son tour, refusant d'essayer seulement. Elle contemplait sa mère, adoratrice, certaine qu'elle était une championne. Elle ne concevait même pas que d'autres personnes puissent patiner en même temps qu'Yseult, que sa grâce infinie ne les paralyse pas sur place.

Elle reprend sa marche. Où aller? Mains dans les poches, elle fixe l'est: le pont, le pont Jacques-Cartier. Il faut y aller, elle doit au moins regarder du haut du pont ce que la patineuse a contemplé avant de se précipiter dans le vide. Elle a oublié de demander si elle portait des patins et cet ensemble rouge qui la rendait si jolie sur la glace. Rouge et blonde. Elle reculait sur la glace sans faire un seul mouvement, comme si le vent la poussait, elle se penchait vers elle, tendait les bras en riant: «Viens! Pousse un peu, fais pas ta molle.» Elle la saisissait fermement et, face à face, elles faisaient un tour complet. Remorquée par sa mère, guidée par elle, par sa force incroyable, elle y arrivait. Dès qu'elle se retrouvait seule, elle tombait lourdement, découragée, incapable de se relever, les mitaines collées sur la glace. Et elle pleurait. Quelqu'un la ramenait alors et la poussait le temps qu'elle sente le plaisir de la vitesse et la déposait sur la bande pour repartir à toute vitesse sur la glace rejoindre la forme rouge qui tournait là-bas. Gabriel! Comment a-t-elle pu oublier? Gabriel qu'il s'appelait. Celui-là, Yseult, tu l'as aimé. Celui-là, je me souviens de tes yeux quand tu le regardais. Je n'existais plus. Rien au monde comme Gabriel pour te faire rire, rien comme lui pour te faire avoir ces yeux un instant lumineux et tout de suite après ailleurs, désolés. C'est avec Gabriel qu'on patinait. Avec lui qu'on allait au cinéma l'après-midi, avec lui qu'on riait le soir au souper parce qu'il imitait si bien les voix des oursons, des poupées. Yseult morte de rire qui s'essuie les yeux. Et elle qui riait sans comprendre, uniquement parce que sa mère riait. Gabriel qui avait deux, trois, six voix et lui faisait des marionnettes avec les ustensiles sur la table. Le beau Gabriel, l'acteur. Elle avait à peine cinq ans à l'époque. À peine. C'était encore Rosemont.

Il faut l'appeler. Il faut lui dire qu'Yseult pleure. Qu'elle ne mange plus, ne rit plus, qu'elle se désespère sans lui. Qu'elle regarde toujours quelque part sur le mur sans rien dire et que ça lui fait peur. Il faut que Gabriel revienne la faire rire. Elle a oublié, elle soupire aussi. Et puis elle tousse. Elle tousse profond et sa voix est toute drôle, comme une voix qui siffle. Et elle ne finit jamais ses phrases comme si plein de fantômes les finissaient pour elle. Comme si plein de fantômes lui faisaient peur et l'obligeaient à se taire. Non, elle n'avait pas cinq ans, ou à peine. Parce qu'elles avaient quitté Rosemont pour fuir les fantômes de Gabriel, pour mettre fin aux murs pleins de souvenirs qui captaient les yeux d'Yseult. («On va changer de murs. Ça va changer le mal.») Elle ne comprenait pas pourquoi les murs font mal, mais elle aimait partir parce qu'Yseult devenait active, s'agitait. Yseult jetait plein de choses. («Les gens doivent se suffire à eux-mêmes. Si on a besoin d'un objet pour se rappeler quelqu'un, c'est qu'il est déjà trop tard. Les objets ne remplacent jamais personne, le pou.») Mais Diane refusait toujours de jeter ses vieux jouets. Elle gardait tout, au grand désespoir d'Yseult. («Tu veux qu'on loue un garage pour tes souvenirs? Pourquoi tu les mets pas dans ta tête?») Seulement les bijoux, Yseult gardait les bijoux. («Ça brille comme les yeux des hommes quand ils sont vivants. Comme les yeux lumineux des hommes qui rient.») Elle plaçait délicatement les boucles d'oreilles sur les lobes de sa petite fille, elle prenait ses cheveux noirs et les ramenait en arrière pour qu'elle puisse s'admirer, ravie. («Regarde: un petit pou excité! Regarde, tes yeux brillent encore plus que les pierres. Quand les pierres brilleront plus que tes yeux, il faudra les enlever. Faut jamais laisser les pierres gagner sur tes yeux, fais bien attention à ça, mon griffon.») Et Diane guettait dans le miroir le moment où ses yeux s'éteindraient au profit des bijoux. Elle se faisait des sourires, des grimaces de femme fatale. Yseult riait

(«Cabotine!») et quand elle demandait c'était quoi, la bottine, Yseult résumait. («C'est Gabriel.») Gabriel évoquait tant de choses, tant d'émotions. Gabriel chantait doucement en conduisant la voiture et sa mère faisait l'autre voix. C'était si beau qu'elle avait envie de pleurer. Gabriel la berçait le soir («Tu la gâtes.») et, quelquefois, Gabriel les berçait toutes les deux ensemble. Il s'assoyait avec elle pour regarder la télévision, il tendait le bras gauche et criait: «Il nous manque quelqu'un ici!» Et elle arrivait, se blottissait et Diane pouvait enfin se faire une petite place dans toute cette douceur. Il disait: «Tes deux adorateurs.» Et Yseult riait tout en caressant son dos longtemps, indéfiniment. Elle s'endormait toujours. Elle ne se levait pas la nuit à l'époque de Gabriel. Les nuits où Gabriel était dans la chambre, Diane pouvait dormir en toute sécurité, sa mère ne s'enfuirait pas.

Elle avait dit à tante Méli que Gabriel était son père. Méli avait fait un drame. Yseult avait seulement ri. («Tu te racontes des histoires, toujours des histoires.»)

Puis, un jour, Gabriel n'était plus revenu. Yseult toussait et regardait loin au-dedans d'elle. Et Diane prenait son visage dans ses petites mains: «Tu vas pas mourir, maman?» («On meurt pas de chagrin, mon griffon, on respire plus mal, c'est tout.») Ça, Diane pouvait l'entendre: sa mère respirait très, très mal.

Elles avaient changé de murs et le mal avait déménagé avec elles. Insidieusement, caché on ne sait où puisque sa mère avait jeté tous les objets «Gabriel». Mais il s'était infiltré. Yseult respirait

toujours mal. Et un soir d'automne, on l'avait
emmenée à l'hôpital et tante Méli s'était installée
à la maison. Diane avait tous les droits: entrer dans
la chambre, coucher dans le lit d'Yseult, manger
des biscuits à cinq heures, mais rien n'y faisait. Elle
voulait qu'on ferme la porte de la chambre et que
sa mère revienne. Elle voulait rester à la porte la
nuit pour que sa mère rentre et la trouve là et la
ramène dans son lit. Elle ne voulait pas être au
chaud, elle voulait sa mère. Elle avait du mal à
respirer, elle avait du chagrin.
    Diane avait appelé Gabriel: pourquoi t'aimes
plus ma mère? Gabriel n'avait rien dit. On entendait seulement son souffle. Tu respires mal?
T'as du chagrin? Gabriel avait dit oui avec une
voix étouffée qu'elle ne lui connaissait pas. Elle
avait supplié: «Viens, elle respire presque plus. J'ai
peur.» Mais Gabriel avait doucement expliqué que,
s'il venait, ce serait pire après. Qu'il ne fallait pas
avoir peur, qu'elle reviendrait bientôt.
    Comme il l'avait fâchée! Alors qu'elle prenait
tant de risques à l'appeler. («Arrête de t'accrocher,
le pou. Laisse les gens tranquilles.»)
    Un dimanche, Méli l'avait emmenée à l'hô-
pital. Yseult était blanche dans le lit blanc, les
cheveux pâlis, les yeux éteints ayant perdu leurs
pépites d'or. Diane s'était précipitée dans le lit,
sous les couvertures. Elle s'était enfouie contre
elle, dans elle, à respirer sa nouvelle odeur de
médicament. Yseult avait pris sa petite voix bizarre
pour dire: «Le pou! Le pou a enfin trouvé quelqu'un à dévorer! Attention, voilà le pou!» Yseult
avait ri. Elle avait trouvé assez d'air pour rire et

respirer. Elle l'avait gardée contre elle («Mon pou, mon petit pou épeuré.»), caressée. Elle avait écarté la couverture. («Tu vas étouffer.») Mais Diane n'avait pas voulu, elle avait remis la couverture. Elle voulait rester dans le noir contre elle, rester dans ses bras si fragiles, si délicats. Elle entendait le bourdonnement de la voix de Méli et la voix grave, sifflante et plus rare de sa mère. Elle se calmait sous sa main qui massait son dos, retrouvait la perfection du bonheur.

Il avait fallu partir. Elle avait promis à Méli de ne pas faire d'histoires, condition essentielle à la visite. Méli avait dit fermement: «On va laisser maman tranquille.» Diane avait fermé les yeux, crispé son corps contre celui de sa mère, sans un mot, espérant ne pas tricher si elle ne disait rien. Sa mère avait cherché ses yeux, l'avait regardée gravement. («Dans mon tiroir secret, il y a un saphir avec des diamants. Le temps que tu m'attends, tu peux le mettre. Si tu cesses de m'attendre, tu l'enlèves. Promis?») Éblouie, Diane l'avait regardée: le saphir! Elle pouvait porter la pierre bleue avec les diamants! Elle ne savait pas encore d'où provenait la bague. C'était seulement la plus belle. Comment Yseult pouvait-elle croire un instant qu'elle cesserait de l'attendre? Méli avait riposté, trouvait stupide de risquer une telle valeur, elle allait la perdre. Tout ce temps, Yseult regardait Diane, rieuse, ses yeux soudain plus dorés, plus vivants. («À quel doigt tu vas le mettre?») Diane avait montré le majeur. Yseult avait pris ses pieds, les avait agités. («Un pou avec des souliers? Un pou qui peut marcher? Impossible! Im-possi-ble!») Elle avait marché pour lui montrer. («Va chercher le saphir, petit pou doux, va le porter pour moi. Vite! Je ne reviendrai pas avant que tu le portes.») Elle était sortie en courant. De l'ascenseur, elle entendait Yseult avertir Méli. («Laisse-la tranquille, Méli.») En arrivant, elle s'était ruée dans la chambre, avait pris le saphir, l'avait porté fièrement, même dans son bain, au grand désespoir de Méli. Elle l'avait porté encore dix jours. Dix longs jours. Et puis elle l'avait glissé au doigt amaigri de sa mère enfin revenue.

Pleurésie, c'était pleurésie, le nom de la maladie. Et Diane avait pensé que c'était le chagrin qui empêche de respirer, le chagrin pas pleuré qui fait de la pleurésie. Si Yseult avait su, elle aurait probablement dit: l'hérésie des pleurs. Tu aurais dit ça, maman, si je t'avais expliqué comment je comprenais la pleurésie? Tu aurais ri avec dédain. («Pleurer? Quelle perte de temps et d'énergie. Pleurer, se désoler, quelle perte de temps.») Elle ne pouvait pas accuser Yseult d'avoir perdu beaucoup de temps. Sa mère ne pleurait jamais devant elle. Devant personne. Mais elle avait toujours eu les bronches fragiles et des difficultés à respirer. Et elle fumait, comme pour défier la maladie, la mettre à sa place de subalterne. Elle ne céderait pas un plaisir au profit de la prudence, du raisonnable. («Bande d'esclaves consentants. Ils vont mourir pareil.»)

Va-t-elle monter sur le pont? À cette heure maudite où le soleil fait son dégât d'adieu dans le ciel barbouillé? Va-t-elle grimper ce gros jouet de fer, se hisser jusqu'en haut et, là, regarder la ville qui expire cette buée blanche? La grosse horloge Molson qui surplombe le pont indique quatre heures dix. Diane entreprend sa montée sur le pont si peu conçu pour les piétons. Personne ne vient ici à pied. Personne. À moins de vouloir se tuer, pourquoi venir ici à pied? Qui avait vu Yseult monter? Comment était-elle habillée? Était-elle coiffée ou ses cheveux blonds flottaient-ils, fous, dans un désordre pareil à celui de ses yeux? Sa bouche était-elle rouge, fardée? Ou blanche, transparente et ouverte pour chercher l'air. («Trop de chagrin.») L'air sifflait comme maintenant, maman? Pourvu, pourvu que le froid ait été moins tranchant, le vent moins violent, le soir moins dramatique. Tout ce rouge, tout ce ciel bouleversé et les voitures qui crachent leur embrun vaseux sur elle en passant.

Plus elle monte, plus c'est dur, le vent la secoue, la force à combattre. Épuisée, prise de vertige, elle s'agrippe au rebord d'acier froid. Le fleuve glacé en bas, les plaques blanches comme des gales sur le dos sombre de l'eau. Elle voit sa mère tomber continuellement, sans fin, ralenti terrifiant de la chute, bras écartés, doigts déjà cassés, cheveux soulevés en auréole dorée, elle voit le dos de sa mère descendre dans une chute infinie, vertigineuse vers la glace en bas, la glace qui va lacérer son visage, l'ouvrir, tordre sa bouche, casser ses dents. Elle s'accroupit, se tient solidement au garde-fou, presque assise sur le pont, le visage pratiquement écrasé contre le métal pour fixer l'eau en bas, fixer l'eau et surprendre le moment où elle va s'écraser, le moment où le corps abandonné va se fracasser contre l'immense masse noire. Le corps va tomber et rebondir et se retourner et la fixer de ses yeux froids, ailleurs, ses yeux qui regardent les murs qui font trop de mal, ses yeux secs qui ne pleurent pas, ses yeux ouverts mais tellement fermés qu'elle ne voit plus. Le corps va se retourner et s'offrir à sa vue, rigide, blême. Il va dériver sur le linceul blanchâtre de la glace. Et elle va voir son visage... Maman! Maman! Ce n'est pas ton visage, ce n'est pas toi, cette face bouffie, obscène, plâtrée par le maquillage mais quand même livide, le menton trop avancé, le côté écrasé et ces cheveux frisottés, ces cheveux qu'on t'a bouclés stupidement, qu'on t'a placés comme une frange sur ton front lisse. Tournez-la, tournez-la, retournez-la vers l'eau, ne la laissez pas comme ça, à me fixer, à me montrer ses joues pleines de vase, sa bouche serrée. Retournez-la face contre glace, comme on a dû la trouver, face contre fond, à considérer éternellement le courant. Ma mère ne regarde pas le ciel. Ma mère regarde la terre, elle regarde les hommes et la vie, ma mère regarde en bas et ne ferme jamais ses yeux. Jamais. («Même quand c'est laid, c'est un peu beau si c'est vivant.») Alors refaites son visage, enlevez ce fond de teint comme du sable granuleux sur ses joues, peignez ses cheveux, brossez-les doucement, tendrement vers l'arrière, ils reviendront tout seul, ils ont une volonté, un mouvement, vous allez voir. Il n'y a qu'à brosser vers l'arrière et, souplement, ils coulent vers son visage parce qu'ils l'aiment. Ses cheveux aiment ma mère. Ils la tiennent au chaud, ils jouent avec son visage, dansent devant ses yeux, ses cheveux dorés, lourds, généreux. Vous avez frisé ma mère et elle ne pouvait rien dire parce que vous avez cousu sa bouche. Je le sais. Je le vois! Elle n'a plus de dents parce que les plis dodus, le renflement qui tire la bouche vers le nez n'est plus là! Vous l'avez frisée, vous l'avez défigurée, vous l'avez couchée là pour la torturer, la faire disparaître. Vous avez essayé de m'empêcher de la reconnaître. Vous l'avez cachée sous du plastique. Bande de sauvages! Bande de salauds! Vous l'avez déguisée en cadavre rigide. Tu m'as fait ça! Tu tombes encore, tu te précipites devant moi! Tu te massacres devant moi! Arrête! Arrête de tomber! Arrête! Protège ton visage au moins, protège ton ventre, fais une boule, ne les laisse pas te massacrer. Ils vont te trouver. Au fond, au fond de la vase, la bouche ouverte, les yeux fixes, les cheveux comme des foins noyés, ils vont te vider, te sécher, tirer sur tes cheveux et les friser pour qu'ils restent en l'air, stupides d'effroi. Crie au moins! Hurle! Défends-toi! Ne descends pas. Ne va pas là. Tu n'écoutes pas, tu n'écoutes jamais. Je suis là! Je suis là! M'entends-tu? Maman, je suis venue!

Elle hurle en frappant son front contre le métal. Elle hurle son inutile «je suis là», petite boule dure accrochée au métal ferreux, la bouche raidie de froid, les larmes gelées sur les joues. Elle hurle dans le bruit assourdissant du vent et du trafic, vers les eaux noires, tranquilles, en bas. Les eaux qui ont avalé sa mère. Les eaux voleuses qui l'ont battue, défigurée avant de la vomir, pleine d'algues et de vase, Ophélie désolée dans les varechs civilisés de Sorel.

Quelqu'un la touche. Quelqu'un lui parle doucement. Elle regarde en bas : elle n'est pas là, le corps n'est pas étalé sur la glace. C'est un rêve, un mauvais rêve. Non, attendez, je ne veux pas me lever, il faut que je guette le corps. Il faut que je regarde comment elle tombe, si elle tombe.

On insiste, on met un manteau sur ses épaules, oui elle a froid, merci. Elle s'accroche au métal, des gens sont là, ils viennent voir Yseult tomber. Quelqu'un veut l'écarter, ils veulent sa place. La première place. Elle l'a payée, elle a payé sa place assez cher. Personne ne va l'arracher de là. Personne ne va l'empêcher de voir Yseult se fracasser. Elle veut voir la glace ravager son visage, elle veut voir le corps rebondir et s'engloutir, voir les cheveux rentrer dans l'eau noire. Elle veut voir parce qu'elle n'est plus sûre, plus sûre du tout que la triste catin de la morgue, la frisottée au teint cireux, la grosse face plâtrée au front enfoncé d'un côté, elle n'est plus sûre que ce soit Yseult. Ce n'est pas sa mère. Sa mère est une fée. Une fée qui tourne très vite sur la glace sans jamais s'y enfoncer.

— Oui, il y a de la glace. C'est trop froid.

Une nouvelle voix grave, une voix qui siffle. Diane se retourne : comme il y a du monde, comme il y a des gens qui sont venus voir Yseult faire son saut. La femme près d'elle lui parle, mais son souffle siffle, elle respire mal. Diane la regarde, avec commisération : « Vous avez du chagrin ? Vous avez mal ? »

Elle a l'air si surprise que Diane le sache, elle la regarde, stupéfaite. Diane essaie de la rassurer :

— Respirez, respirez doucement, la boule va finir par fondre.

— Voulez-vous m'aider ? M'aider à respirer ? Venez avec moi m'aider.

Diane sourit, très douce, elle tente d'expliquer sans faire de peine à cette pauvre femme :

— Il faut que je reste. Il faut que je reste ici.

— Vous avez froid.

— Elle aussi. C'est pas grave.

Diane regarde l'eau en bas. Dieu merci, son moment d'inattention n'a pas eu de conséquence : la glace qui dérive est vide. Yseult n'est pas encore là. La femme touche sa main, la garde dans la sienne. Diane la dégage :

— Vous voulez ma bague ? Vous voulez mon diamant ? Je peux pas. Je le porte jusqu'à temps qu'elle revienne.

— Qui ?

Diane se retourne : qu'est-ce qu'ils ont tous à la regarder comme ça ? Qu'est-ce qu'ils ont à demander « qui » ? Ils ne savent donc pas que c'est Yseult ? Et puis elle comprend : un suicide. Ils sont venus l'empêcher de se tuer, ils pensent qu'elle va sauter, ils sont en train de la sauver ! Elle rit. Vraiment ! Ils sont arrivés avec leur équipement pour l'empêcher de sauter. Et Yseult ? Pourquoi n'ont-ils pas vu Yseult enjamber le métal auquel elle s'accroche ? Quels pauvres idiots à venir sauver quelqu'un qui ne saute pas. Quels imbéciles !

Elle détache péniblement ses mains du métal : on dirait qu'elles ont gelé dessus, elle ne les sent pas, elle a de la difficulté à leur transmettre sa volonté. Elle se lève. Facile, on l'aide. Elle s'éloigne par où elle est venue avec cette femme qui la suit, qui lui parle constamment avec cette voix sifflante. Elle marche difficilement, le froid l'a transie, le corps est raide, désobéissant.

Bon, ils ne veulent pas la laisser partir. Ils veulent l'emmener, l'interroger, la sauver. Quelle horreur. Ils lui donnent un café, l'enterrent sous des couvertures, l'entraînent vers l'ambulance. Elle résiste. Encore des formalités, encore des questions. Elle ne peut plus signer son nom si c'est ce qu'ils attendent d'elle. Et puis elle ne veut plus revoir la civière froide avec cette fausse tête de mère embaumée, ce simulacre hideux qu'on lui a déjà offert. Elle fait signe à la femme habillée en uniforme. Elle la prend à part : « Laissez-moi partir, c'est un malentendu. J'ai jamais voulu me tuer. J'ai voulu voir d'où ma mère s'est jetée. »

La femme la considère, un éclair de compréhension dans l'œil. Diane en profite, elle veut éviter toutes les procédures, tout ce qu'on peut faire pour la sauver. « Sois normale. Normale », se répète-t-elle continuellement : « Je vous en prie, je suis secouée, bouleversée, mais pas suicidaire. J'ai mes papiers dans mon sac, un emploi stable, des amis. Je ne suis pas désespérée du tout (elle sourit), mais j'ai froid en maudit ! »

Enfin, la femme sourit à son tour, l'entraîne avec elle dans la voiture de police. C'est très chaud à l'intérieur, presque trop, ça étourdit. La femme parle, presque en confidence :

— Normalement, j'ai pas le droit de vous laisser partir.

— Venez me conduire chez moi dans ce cas-là. Je dirais pas non à un lift.

— Je dois vous emmener au poste avant.

— Écoutez, c'est ridicule : on a quand même le droit d'aller voir d'où sa mère s'est jetée.

— Oui. Mais d'habitude, quand je parle à des gens qui font ça et seulement ça, ils répondent. Ils ne disent pas « maman ».

— Bon, O.K., j'étais un peu mêlée, mais je ne me serais jamais tirée en bas, voyons, j'ai le vertige ! Laissez-moi rentrer chez moi.

— Montrez-moi vos papiers.

Pourvu, pourvu qu'elle les ait ! Elle veut ouvrir son sac, ses doigts brûlent, picotent : « J'ai les mains gelées, voulez-vous l'ouvrir ? » La femme l'ouvre, trouve le portefeuille, les cartes, l'argent.

— Comment s'appelait votre mère ?

— Yseult. Yseult Marchesseault.

— Iseult comme l'opéra ?

Tiens ! Un agent de police qui connaît l'opéra. Diane sourit, la trouve sympathique : « Oui. Mais avec un "Y". » La femme range les papiers après avoir noté l'adresse, le numéro de téléphone. Elle lui tend son sac :

— Ce que je peux faire, c'est vous emmener au poste et vous permettre de partir avec quelqu'un qui va se porter garant de vous pendant vingt-quatre heures.

— Voyons donc ! Je ne suis pas une mineure ou une criminelle, c'est insultant. J'ai pas envie de demander ça à personne.

— C'est la seule façon. Sans ça, il faut vous emmener voir quelqu'un à l'urgence qui va signer une autorisation de départ. J'ai pas le droit de prendre de risques.

— O.K., emmenez-moi au poste.

Elle réfléchit tout le long du trajet, humiliée, enragée. Un psy. L'urgence! Ça serait le comble! Philippe? Non, ça lui ferait trop plaisir. Georges? Lui devoir ça? Savoir que tout le bureau va l'apprendre... Merde! Qu'est-ce qui lui a pris aussi? Sylvie peut-être, sa collègue au bureau. Elle se tairait, elle... mais elle ne comprendrait rien là-dedans. Impossible, elle ne la connaît pas assez. Elle ouvre son sac, se mouche. Ses doigts dégèlent, elle a mal partout. Il faut qu'elle puisse rentrer chez elle. Elle range son mouchoir contre le chéquier. Gilbert! Parfait.

— Allô, Gilbert?

Il est là, merci Jésus-Christ! Elle essaie de chuchoter, mais il y a tellement de bruit au poste. Elle l'entend à peine.

— C'est Diane. Diane Marchesseault. (Elle tient à dire son nom de famille au cas où la police le lui demanderait.) Écoute, j'ai un service, quelque chose de spécial à te demander. Peux-tu venir me chercher au poste de police 34, te porter garant de ma santé mentale et me ramener chez moi?

— Garant de ta santé mentale? Qu'est-ce que t'as fait?

— Pas de farce, Gilbert, je vais t'expliquer, mais j'ai vraiment besoin de toi. Ça presse.

— Donne-moi l'adresse, j'arrive.

— C'est à gauche.

Il range la voiture, stoppe le moteur. Elle cherche ses clés nerveusement mais elle tremble trop. Il met la main sur les siennes.

— Ça fait deux fois que je te vois trembler comme ça.

— J'ai eu froid. Laisse-moi chercher mes clés.

Elle les trouve enfin, s'arrête juste avant de sortir : «Merci beaucoup, Gilbert» et elle claque la porte. Il la suit sans dire un mot.

— Qu'est-ce que tu fais?

— Je reste avec toi. Je me suis porté garant, j'ai engagé ma parole qu'y te retrouveraient pas sur le pont ce soir.

Il prend sa clé, ouvre la porte, la pousse dans le hall : «Tu trouves pas que t'as eu assez froid aujourd'hui?»

Elle soupire, vraiment excédée : «Écoute, Gilbert, je te remercie vraiment d'avoir fait tout ça sans poser de questions. Tu m'as rendu un grand service. Mais je suis gelée, fatiguée et j'ai besoin d'avoir la paix. Fais-moi confiance, je ne retournerai pas dehors ce soir.»

Il ne dit pas un mot, il semble réfléchir profondément.

—Gilbert? Si tu veux, je t'appelle demain, O.K.? Parole d'honneur.

—T'as du scotch en haut?

—Non.

—Du cognac?

—Non.

—Du vin?

—Écoute, y a des bars pas loin, vas-y!

Elle appuie sur le bouton pour appeler l'ascenseur. Il s'approche d'elle:

—J'aurais été ravi de voir de quoi a l'air ton appartement, mais j'ai du cognac chez moi.

—Alors va le boire et laisse-moi tranquille.

L'ascenseur arrive, il bloque les portes.

—Diane, c'est pas des farces. Je dirai pas un mot si tu veux, je ferai pas un geste, mais je colle jusqu'à demain matin au moins. Après, tu iras te tirer en bas du pont de ton choix.

—Y en est pas question. Je veux rien savoir de toi.

—T'avais rien qu'à appeler quelqu'un d'autre! Tu pensais que j'avais signé ça pour me contenter de venir te reconduire après avoir eu ton merci?

— Es-tu venu fou? Laisse-moi tranquille! Lâche les portes de cet ascenseur-là!

Il entre. Les portes se referment. Furieuse, elle n'appuie sur aucun bouton:

—C'est pas vrai? Tu vas pas te sentir une mission de sauveteur? Tu vas pas me guetter toute la soirée?

— Quel étage?

Les portes s'ouvrent, faute de destination. Elle

sort dans le hall, suivie de Gilbert. Elle fait les cent pas, furieuse, épuisée : « Gilbert, essaie de comprendre : j'ai besoin de paix... »

Il l'interrompt sèchement : « Écoute-moi, toi. J'ai été te chercher dans un poste de police, après une supposée tentative de suicide. Tu m'as déjà battu, tu passes ton temps à oublier comment je m'appelle et la date qu'on est et il faudrait que je te croie sur parole quand tu dis que tout va bien et que tu veux un peu de paix ? Rends-moi service, Diane, arrête d'argumenter, boude si tu veux, mais t'es pognée avec moi jusqu'à demain, comme moi je le suis parce que j'ai accepté de signer pour toi. Pis dis-toi bien que j'aimerais mieux faire d'autre chose à soir que me battre avec toi. »

Il la prend par le coude, sort, l'assoit dans l'auto et démarre en murmurant : « Essaye pas de sauter de l'auto parce que, cette fois-là, c'est l'asile. Et je vais être témoin à charge ! »

I l l'a assise dans le sofa, recouverte d'une couverture de mohair et lui a apporté un généreux cognac: «Tiens! Je vais te faire couler un bain.» Elle dépose le verre sans rien dire: s'il pense qu'il va la soûler à soir!

Il revient, s'assoit près d'elle: «Bois le cognac, Diane, je te jure que t'en as besoin.» Il lui tend le verre, attend qu'elle s'exécute.

— Non, je veux pas te soûler, je veux juste te réchauffer. Non, je ne suis pas un violeur sadique qui va profiter de la situation.

Elle boit. Ça brûle. Les larmes lui montent aux yeux. Gilbert lui tend la main: «Viens, ton bain est prêt.» Avant d'entrer dans la salle de bains, il la prévient: «Fais pas le saut: tu t'es accroché le front. T'as une belle prune.» Il ferme la porte derrière elle.

Elle le trouve dans la cuisine en train de faire chauffer de la soupe. Elle est emmitouflée dans une immense robe de chambre.

— Excuse-moi pour tantôt.

— Pas de problème. Y a des bas de laine pour toi sur le sofa, j'apporte la soupe.

— Tu sais faire ça?

— C'est marqué sur la boîte.

Elle retourne au salon, finit le cognac,

s'enveloppe : elle tremble sans arrêt. Elle n'arrive même pas à tenir la cuillère sans renverser la moitié de son contenu.

— Tu veux que je t'aide?

— Quand même... je devrais pouvoir manger ma soupe toute seule!

C'est long mais elle y arrive. Il va dans la chambre, la laisse tranquille. Le téléphone sonne : il rassure la police : oui, elle est ici, pas de problème.

— Qu'est-ce que t'en dis? C'est pas professionnel, ça?

— Très impressionnant.

— Le lit est prêt. J'ai mis la télé dans la chambre pour que tu te sentes pas obligée de me faire la conversation.

— Tu couches où, toi?

Ça, il ne l'attendait pas! Il reste là, soufflé. Elle rit :

— Tu t'appelles Gilbert et on est le 15 décembre!

— Et je couche dans le salon si t'aimes mieux.

Il l'installe dans le lit, appuyée contre les oreillers, recouverte jusqu'au menton.

— Tu veux du thé, de la tisane?

Elle grimace :

— Cognac?

— Tu vas dire que je t'ai soûlée pour abuser.

— Juré que non.

— Pas bon pour le cœur.

— Mon cœur en a besoin.

Il apporte la bouteille, la sert : « Tu veux être toute seule? »

Elle fait signe que non. Il s'assoit sur le lit et boit en la regardant, sans rien dire. Elle attend un peu, puis :

— Pourquoi tu poses pas de questions?

— Ça me regarde pas tellement.

— C'est pas ton lit?

— Oui, mais je suppose que tu m'as appelé parce que c'était plus facile avec un inconnu et non pas parce que tu connais personne.

— T'es pas mal perspicace...

— Je sais faire chauffer la soupe en boîte aussi.

Elle rit, se ressert une large rasade.

— Tu vas t'assommer.

— J'ai froid. Viens.

Il hésite, incertain. Il s'assoit dans le lit, tout habillé, la prend dans ses bras. Elle frotte sa joue contre le chandail :

— C'est doux.

— Je comprends : du cachemire. Offert par ma plus grande admiratrice. Le seul que j'ai, d'ailleurs.

— Ton admiratrice va être fâchée que ce soit moi qui en profite.

— Non, elle va comprendre.

— Les circonstances?

Il rit : « C'est ma mère. »

Elle finit son verre, se blottit contre lui : « J'ai froid. » Il l'installe confortablement entre ses jambes, contre sa poitrine. Elle se tait, respire calmement. Il caresse ses cheveux : « Ça va? »

Elle marmonne quelque chose.

— Tu vas t'endormir? Il est huit heures!

— Non, non.

— Ça te dérange si j'allume la télé?

— Non... tu peux vivre un peu même si je suis là.

— Du moment que je te serre assez fort.

Elle ferme les yeux: «Comment tu sais ça?» Il sourit, allume la télé. Au moins, ça va l'occuper, le distraire. Il vient de se taper une nuit blanche à «la serrer fort», sa patience est plutôt ébranlée. Sa respiration est plus tranquille, son corps plus lourd, elle s'endort, épuisée. Il regarde le film en crevant de chaleur mais résolu à ne pas bouger de peur de la réveiller.

Il allait s'endormir quand il l'entend sangloter, gémir, se débattre. Il la réveille le plus doucement possible: «Diane. Diane, c'est un cauchemar, un mauvais rêve. C'est fini. Diane... je suis là. C'est Gilbert. Tu es chez moi, dans mon lit. C'est fini, là, c'est fini.»

Il la serre sans qu'elle le demande, la tient très fort. Elle se débat encore, la respiration oppressée. Il la berce, la calme. Elle le regarde sans comprendre.

— C'est moi. C'est Gilbert. Chut... dors, rendors-toi, c'est un mauvais rêve.

— Écrase-moi.

Oh mon dieu! ça recommence! Il ne sait vraiment pas quoi faire de cette fille suicidaire qui demande à être écrasée avant de faire l'amour.

— Rendors-toi, Diane.

Elle se redresse, confuse, s'étend sur lui, prend son visage dans ses mains, le détaille comme si elle le voyait pour la première fois.

— C'était violent.

181

— Le rêve?

— Oui... T'as une belle bouche.

Il ne sait pas quoi dire, il se sent idiot. Elle l'embrasse. Elle l'embrasse et se serre contre lui, bouge son bassin, ouvre ses jambes, l'enserre. Il glisse ses mains sous les épaisseurs qui la protègent, sa peau douce, la courbure des reins, l'intérieur des cuisses... Il est un peu craintif, mais il résiste mal à l'assaut: il a beau ne pas être sadique, il a beau ne pas vouloir abuser... Elle ouvre sa robe de chambre, écrase ses seins contre le chandail. «Ta peau... sentir ta peau.» La voix, la voix grave qu'il aime tant, la voix troublante qui annonce le plaisir. Il s'efforce de se déshabiller sans la quitter. Son désir est si violent qu'il a peur de précipiter les choses, de gaffer et de tout perdre. Elle l'aide, elle le déshabille très vite, le caresse, ne le laisse rien décider, contrôle tout. C'est lui qui doit supplier, lui qui demande qu'elle cesse, lui qui la renverse, la pénètre, s'enfouit de plus en plus loin, au rythme de son souffle, de son gémissement qui se creuse, devient sourd, voilé, lui qui regarde sa tête se renverser, le cou parfait se tendre, il voit presque le cri passer sous la peau frémissante, atteindre sa bouche et arracher le sien.

Il entend soudain la télévision comme si elle avait eu la délicatesse de diminuer le volume toute seule pendant qu'ils faisaient l'amour. Il rit:

— T'as encore envie d'écouter ça, toi?

— Reste!

Il interrompt son mouvement:

— Tu dis toujours ça.

— C'est la première fois.

182

— Menteuse.

— Presque pas soûle! C'est la première fois que je m'en souviens en tout cas.

— Ouais... presque! T'avais quand même descendu quelques cognacs. T'as froid?

— Brûlée. Je suis brûlée.

— Pourtant, t'as bien dormi.

— T'as l'air plutôt content, toi...

— Plutôt, oui.

Il ne dit rien, la caresse paisiblement. Diane le détaille, passe son doigt sur la ligne du sourcil, sous la bouche, songeuse. Ça l'intimide:

— À quoi tu jongles?

— Au plaisir.

— Sexuel?

— Mmm.

— J'ai déjà vu plus pénible comme pensée.

Il la respire, mord un peu son épaule, son sein; il n'arrive pas à cesser de la désirer. Son odeur le trouble, cette façon de tendre son corps, d'écouter les caresses avec sa peau. Il remonte près de l'oreille, pousse ses lèvres derrière, sous les cheveux sombres, il glisse ses mains sous ses reins, la soulève un peu: «Je sais que t'es brûlée, mais...» La réponse dans ses mains à elle, ses mains fermes qui l'attirent violemment contre elle, ses mains folles qui l'affolent.

Encore une fois, la télévision semble s'éteindre d'elle-même.

—Qu'est-ce que c'est, tu penses?

Il est tellement loin, il l'entend à travers les pulsations de son cœur qui se calme.

— Quoi?

— Qu'est-ce qui fait que ça marche si fort, nous deux?

Il se soulève, ramène la couverture:

— Tu veux une explication scientifique?

— Ben disons... Pourquoi y a rien qui m'écœure avec toi?

Il est tellement étonné du mot, incrédule:

— T'écœurer?

— J'ai jamais fait ça...

Devant son air ahuri, elle précise:

— Baiser... comme ça. Quand j'étais très soûle, je faisais quoi?

— Tu baisais... comme ça.

— C'est bien ce que je pensais.

Elle est tellement soucieuse, troublée, il ne comprend pas bien:

— C'est grave?

— Ça me fait drôle... J'ai fait un cauchemar tantôt?

— Oui, tu te débattais, t'avais peur. Te souviens-tu c'était quoi?

— Non... oui, un peu.

Elle se tait, se détourne. Il s'étire, prend la commande à distance, éteint la télé.

— Non!

Il rallume aussitôt. Une publicité qui se termine. Elle se retourne : « L'homme, l'acteur... je le connais. Tu peux éteindre. » Il éteint, elle ne dit plus rien, ne le regarde plus. Il travaille fort, cherche à comprendre. Au bout d'un certain temps, il tente une hypothèse, tout timide : « T'étais amoureuse de lui ? » Comme il est content de l'entendre rire aussi franchement. « Gabriel ? Jamais. C'est ma mère qui l'aimait. »

Elle s'assoit sur le lit, s'enveloppe dans la robe de chambre. « Le pont... c'est ma mère qui s'est tirée en bas. J'étais seulement allée voir. »

Il ne dit rien, ne pose pas de questions, il a tellement peur qu'elle ne se taise. Il écoute sans tout comprendre, mais les mots ont l'air tellement durs à accoucher qu'il n'ose rien faire d'autre que soutenir son regard. La voix monte, prend une tonalité aiguë qu'il ne lui connaît pas.

— Elle... elle s'est tuée en tombant... non, en se jetant... elle s'est jetée, je crois... jetée en bas... dans... dans l'eau. Ça doit faire mal, tu penses pas ?

— Probablement.

— Ses doigts... ses doigts étaient cassés... sa main comme séparée en deux... ma mère... (Elle soupire, elle avale difficilement. Il se retient pour ne pas se précipiter sur elle, la prendre contre lui, la bercer.) Yseult est morte... toute seule.

Les larmes ruissellent maintenant. Elle secoue

la tête en pleurant comme si elle les refusait, son menton tressaille, elle cherche à parler malgré les sanglots qui l'étouffent: «Je l'ai abandonnée... abandonnée... à cause... oh mon dieu, j'ai rien fait pour... ils ont frisé ses cheveux.»

Elle cache son visage dans ses mains pour pleurer. Il s'approche doucement, la prend contre lui. Elle sanglote sans retenue, totalement abandonnée au chagrin comme elle l'était au plaisir tout à l'heure.

Il ne sait pas quoi faire d'autre que la tenir et frotter son dos avec douceur.

C'est comme une nuit de tempête, une nuit où les éléments bousculent tout, ébranlent les nerfs, laissent les gens épuisés, défaits, couverts de marques. Quelquefois, elle se tait, se calme, semble mieux respirer et quand il est au bord du sommeil, prêt à glisser, à se laisser envahir, les sanglots reprennent, violents, intarissables.

La nuit semble ne jamais vouloir finir. Durant les accalmies, ça lui arrive de murmurer: «C'est effrayant de te faire ça. Excuse-moi, excuse-moi.»

Et il l'assure que ça va, qu'il est là, que ce n'est pas grave.

—Je sais plus... je sais plus quoi faire.

Il ne peut pas beaucoup l'aider. Il la regarde chercher en silence, réfléchir, soupeser des hypothèses dont il ne sait rien. Ses yeux sont bouffis d'avoir tant pleuré, sa bouche un peu enflée. Elle a très peu dormi. Son café est froid, il le jurerait. Elle soupire, fait une drôle de grimace sympathique : « J'ai le droit de retourner chez moi ? »

Une fois à la porte de l'immeuble, il n'a plus envie de la laisser partir. Il laisse tourner le moteur et fixe la neige que les essuie-glace balaient par intermittence.

— Diane... ça t'intéresse de savoir ce qui t'a tant choquée, la nuit où tu m'as battu ?

— Pas sûre...

— Je fais quoi ?

— Shoot !

— Je t'ai répété quelque chose que tu m'avais dit : « Diane pour le jour, Yseult pour l'amour. » Tu m'avais expliqué que les nuits appartenaient à Yseult. J'ai pensé que c'était toi, une facette de toi.

— Non, mais c'était vrai : les nuits appartenaient à ma mère, pas à moi.

Les essuie-glace couinent contre la vitre dans le silence. Il se risque à suggérer :

— L'homme... l'acteur, pourquoi tu l'appelles pas ?

— Gabriel ? Ça fait tellement longtemps !

— Il aurait oublié ?

Stupéfaite, elle se rend compte qu'elle ne croit pas que quiconque a rencontré Yseult puisse l'oublier.

— Je sais pas. Je vais y penser en tout cas. Merci.

Il a le cœur gros subitement, l'impression bête d'être abandonné :

— Je peux te demander un service moi aussi ?

— Oui.

— Appelle-moi. Même pour me dire que t'as rien à me dire, appelle-moi, O.K. ?

— O.K.

Soudain gêné d'insister, il regarde dehors, cherche sa phrase : « Je peux te demander de le faire avant Noël ? Avant lundi de l'autre semaine ? »

Elle sourit : tous le même délai ! Le monsieur poli de la morgue et Gilbert. Elle ouvre son sac, sort une facture, note quelque chose à l'endos, la lui tend : « Imagine-toi pas que j'ai envie de perdre un aussi bon amant. Je peux pas te jurer que je vais toujours répondre, mais tu l'as. »

Elle se penche, effleure sa joue et part.

Il rentre chez lui coller le numéro de téléphone sur son frigo.

C'est comme si elle revenait d'un long voyage: sans reconnaître vraiment l'endroit. L'impression que l'appartement a changé parce qu'elle n'est plus la même.

Le Rimbaud est ouvert sur le sofa, le gâteau aux fruits de madame Boisclair presque égrené près du téléphone et les bagues d'Yseult s'étalent sur la table. Une émeraude magnifique, montée sur platine mais travaillée de façon très originale, surprenante. Exclusivité évidente. Elle devine que le vert devait faire chanter l'or dans les yeux d'Yseult. «Yseult pour l'amour.» C'était à elle les nuits, à elle le plaisir tant méprisé. À Yseult le sexe et ses débauches. Le sale sexe qui lui avait toujours levé le cœur. À Yseult l'avilissement, la perte de contrôle, le râle disgracieux. Yseult pour l'amour, pas elle, pas le pou incapable de désirer, d'ouvrir son esprit, d'abandonner son corps à quelqu'un. Pas pour elle cet échange qui fait vibrer l'être, qui pompe le cœur, exclut le jugement. C'est toi maman qui voulais ça? Toi qui gardais l'exclusivité de la sensualité? («De quoi tu te protèges tant? Ils ne te mangeront pas, t'es pas en sucre.») Me protéger? Tu penses que je me protégeais? Non... tu as toujours cru que là-dessus j'étais ta fille et non l'héritière de Méli, n'est-ce pas? Là-dessus, tu ne doutais pas que ta fille soit ta pareille. Tu n'as jamais su le petit glaçon rétif que j'ai pu être. («Que tu me traites de putain me fait de la peine pour toi: ça me donne une idée de ce que tu penses du plaisir.») Non... s'il te plaît, ne me rappelle pas ça. Je n'ai pas la force, pas aujourd'hui. J'ai pleuré toute la nuit, ne fais pas ça, maman. Yseult dans le salon lumineux qui rit. Cette insolente passion à vivre. Les dernières images d'elle. Yseult qui écoute la cascade d'injures, tête penchée, avec la grâce lointaine d'un sphinx. Yseult dans sa douceur moelleuse qu'elle avait eu envie de lacérer, de détruire. Je t'en voulais tellement de ta beauté, maman, de ta supériorité. Tu avais l'air de pouvoir te sortir de tout, de planer sur la vie, de réussir tout le temps. Je me sentais tellement nulle devant toi. Un pou. Un vrai, un pou jaloux, envieux, détestable. Un pou méchant qui voulait justifier sa médiocrité en t'écrasant. («Comment tu vas survivre avec tes idées de grandeur et de perfection!») En trichant, maman, en faisant comme si je détenais la vérité et que les autres devaient s'écraser devant moi. En jugeant, condamnant avant de l'être. En m'arrangeant pour exercer un pouvoir que je n'aurai jamais en déclarant tout le monde incompétent avant qu'ils n'agissent. En me rendant insupportable de suffisance, en affirmant des demi-vérités, en faisant ma tête dure. Les vieux trucs! Une empêcheuse d'être heureux, c'est ça que j'étais... «Diane pour le jour», la rigidité, le jugement, le blâme, celle qui condamne, qui se permet de désapprouver. Celle qui n'a aucun plaisir parce que c'est sale.

191

Parce que c'est sale ou parce que c'est toi? Parce que c'est à toi la séduction, la beauté? Quand un homme me trouve belle, je ris au fond de moi, certaine qu'il essaie de m'enfirouaper. Il y a toujours cette petite voix qui dit: si tu penses m'avoir avec tes belles phrases. Un jour tu m'as dit, très triste, très sérieuse: «Le plaisir, c'est pas un prix de consolation pour les minables, Diane. Tu es tellement sévère, tellement...» Je ne t'ai pas crue. Je n'ai jamais cru ton souci pour moi. J'ai toujours pensé que tu jouais à être une bonne mère, jamais que tu pouvais effectivement l'être. Je pensais que tu trouvais que ça sonnait bien, que c'était de circonstance de dire ça. Je ne voulais pas que tu le sois. Ne me demande pas pourquoi, pas maintenant.

Elle s'assoit, glisse l'émeraude à son doigt, contre le diamant. Les bagues s'accouplent, scintillent, immuables de beauté.

— Elle est morte. Vous pourriez vous éteindre un peu. Vous pourriez avoir un peu de respect, non?

Non, les pierres brillent, intactes, absolument inaltérées par leur séjour au fond du fleuve. L'éclat superbe d'Yseult que le fond de la vie n'abîmait pas en apparence. Diane tourne les bagues et essaie de revoir le visage d'Yseult. En vain. Rien que celui du cadavre si loin de la beauté intouchable de sa mère. («Arrête de rêver, ça te rend dure.») Elle essaie d'avoir le courage de regarder encore cette face étrangère et l'idée la rend malade, au bord de la nausée.

Elle fuit en cherchant son agenda: elle trouve

192

le calendrier, regarde les mois de novembre et de décembre. À peine si elle peut combler trois dates : le 22 novembre, elle était à la morgue, le 23 novembre elle prenait des vacances et le 15 décembre, hier, elle se rendait sur le pont. C'est tout. Le reste... vaguement, quelques éclairs de lucidité : le répondeur d'Yseult, l'appartement rue Hutchison, Philippe. Des petites bribes de réalité qui émergent du chaos. Et le scotch. La volonté déterminée d'éteindre la lumière, de tout précipiter dans le noir, l'oubli. Elle prend un crayon, une feuille, le truc de la psy : elle va mettre le pour d'un côté, le contre de l'autre.

Elle travaille comme une folle pendant près d'une heure, totalement absorbée. Après, en lisant la feuille, elle se rend compte qu'elle ne parle que d'elle-même, de ses difficultés, de ses griefs.

Elle déchire la feuille et inscrit sur la suivante : MAMAN EST MORTE, et elle reste là à regarder les mots danser comme on fixe les vagues de l'océan, hypnotisée. Une demi-heure plus tard elle inscrit plus bas : YSEULT M. EST MORTE. Et doucement, en lettres minuscules, semblable à son premier essai d'écriture, elle signe un tout frêle et tremblotant DIANE.

Finalement, en considérant le tout, elle met un point d'interrogation sur YSEULT, puis sur MAMAN et finalement, comme on se rend à l'évidence d'un match nul, elle en met un sur DIANE.

Elle va péniblement jeter les feuilles. Son corps est comme une plaie : pas une articulation qui ne lui fasse mal. Elle erre dans l'appartement, cherchant ce qui pourrait la satisfaire, la calmer. Elle fait du café, le laisse refroidir. Elle a mal à la gorge, elle a froid. Elle s'installe dans son lit en grelottant. Elle va sûrement être malade après cette histoire de pont. Elle cherche quelqu'un à qui parler, seulement raconter un peu ce qui arrive, enfin une partie de ce qui arrive. La phrase de Gilbert lui revient: pas parce que tu manques d'amis mais parce que tu préfères un inconnu. Ses amis... elle n'a personne, personne à appeler. Danielle, sa copine d'université, sa meilleure amie, elle l'a laissée s'éloigner en prétextant n'être qu'un fardeau dans cette amitié. Elle n'a pas voulu du poids de la gratitude ou de l'humiliation de se savoir redevable de quelque chose. Sylvie, collègue de bureau avec qui elle va quelquefois dîner lui raconte tous ses problèmes familiaux et conjugaux, mais ça lui enlève plutôt l'envie de se livrer. Georges... bon, c'est un brave type décidé à être amoureux d'elle parce qu'elle l'ignore. Un homme qui comprendrait pour lui plaire, aussi bien dire pas du tout. Philippe est tout sauf un ami à qui parler franchement. Tante Méli... elle ne l'écouterait pas, elle lui expliquerait ce que cela lui fait à elle. Reste la psy... qui est loin du statut d'amie. Elle vit dans un désert, isolée dans son loft, à l'abri et sans les autres depuis dix ans. Non, depuis sept ans, depuis la scène avec Yseult. Parce que, durant son divorce, ses études, son année de psy, elle a parlé, elle a quand même eu des amis. Greg, qu'est devenu Greg? Elle n'en sait rien. Lui aussi rayé, biffé, éliminé. Danielle, Greg, Yseult, Méli... comme s'ils étaient morts, elle les a rejetés comme des vieilles chaussettes, trop blessée pour leur donner une explication, trop insultée pour comprendre leur position. («Les autres ne sont pas toujours là pour nourrir tes illusions. Ils ont le droit de vivre.») Le vide. Elle a acheté un loft et fait le vide. Au bout de trois ans, elle avait déjà éliminé tout ce qui était imparfait, insatisfaisant de sa vie. («Quand c'est vivant, le pou, c'est pas parfait et c'est parfait de même.») Voilà... voilà Yseult, c'est parfait et c'est vrai que c'est mort. Ça fait pas mal. Ça fait rien. Un peu froid peut-être. Si j'étais parfaite, je ne sentirais rien. Elle fixe le téléphone : qui appeler ? Qui appeler pour dire qu'elle a mal, qu'elle est fatiguée, qu'elle n'y parvient pas ? Que sa mère est morte et qu'elle ne veut pas. Qu'il y a plein d'erreurs, qu'elle veut effacer, recommencer. Que sa copie n'est pas propre.

Elle compose doucement un numéro, attend patiemment ; la voix, la voix de sa mère... Après le bip affreux qui lui donne envie de hurler, elle murmure : «Maman ?... Il faut que je te parle, il faut que je parle à quelqu'un.» Elle raccroche. Ça ne fonctionne plus. Cette voix est celle de sa mère, mais sa mère est morte, elle le sait. Elle ne peut plus faire semblant. Finie l'illusion, maman. Et c'est toi, toi qui as cassé la magie des accroires. («Pauvre petit pou qui veut croire aux fées.») Toi qui as déchiré le livre d'images.

Comme le loft est grand. Elle ne sait plus combien de pieds carrés, mais c'est tellement immense pour une seule personne. Elle voudrait bien sortir, s'enfuir d'ici, aller marcher pour engourdir le mal, alléger l'oppression qu'elle sent encore entre ses deux seins, mais elle est si fatiguée, si épuisée. Elle pourrait mourir ici dans ce loft, sans que personne le sache, sans que personne s'inquiète. Incroyable... Qui s'est inquiété d'Yseult? Qui l'a recherchée, réclamée? Personne. Ils ont mis sa photo massacrée dans le journal et ils ont demandé de leur dire qui était cette inconnue. Personne, personne à part elle n'a deviné qu'Yseult était la morte sous ce masque. Yseult qui avait dissimulé sa beauté derrière cette face bouffie, grotesque. Personne. Pas un homme.

Mais elle, défigurée ou pas, personne ne la réclamerait. Yseult seule l'aurait reconnue; même laide, même boursouflée, la face en bouillie, le corps en lambeaux, Yseult l'aurait trouvée et reconnue. Elle ne l'a jamais cru, mais elle l'a toujours su. Yseult ne l'a pas abandonnée. C'est elle, elle seule qui avait abandonné Yseult. («Tu n'as pas le pardon facile, le pou, ça va te jouer des tours.») Le pardon, l'argument des faibles, des pitoyables, l'argument de ceux qui se réfugient derrière leurs excuses. («C'est pas parce qu'on souffre qu'on a raison, tu sais.») Bon, ça va maintenant, elle le sait qu'il est trop tard. Elle le sait. Elle était si sûre d'avoir tout son temps, si sûre que personne ne prendrait de décision majeure avant qu'elle n'ait choisi. Yseult aussi l'avait abandonnée. Elle avait oublié qu'un jour sa fille la chercherait, qu'un jour elle voudrait se réconcilier.

— **G** abriel? C'est Diane Marchesseault... la fille d'Yseult.

— Diane?

— Oui, la fille d'Yseult Mar....

— Je te replace très bien. Je suis surpris, c'est tout.

— Je m'excuse de vous déranger.

— Non, y a pas de problème.

— J'aurais aimé vous parler si ça vous dérange pas trop.

— Oui?

— Heu... J'aimerais mieux pas au téléphone si c'était possible de se rencontrer. Si vous avez une heure on pourrait prendre un café.

— Oui, bien sûr, c'est mieux comme ça. Quand?

— Quand vous voudrez. Demain si c'est possible.

— Veux-tu m'attendre un instant?

Le cœur battant, elle croise les doigts: pourvu qu'il ne se défile pas, pourvu qu'il accepte. Juste une heure!

— Diane? Demain je répète jusqu'à deux heures. On peut dire trois heures si tu veux.

— Oui, oui, trois heures ce serait parfait. Où?

— Si on veut avoir la paix...

— Chez moi si vous voulez.

— O.K. je prends l'adresse... alors à demain, trois heures.

Elle raccroche, époustouflée. Elle l'a fait! Elle a appelé Gabriel! Et il l'a reconnue, il va venir demain. Ils vont parler d'elle, d'Yseult. Enfin quelqu'un, quelqu'un de vivant avec qui parler.

J usqu'au moment où elle a enfin entendu la sonnette, elle a cru qu'il ne viendrait pas. Elle a passé la matinée à s'en faire, à lui trouver des raisons, à imaginer des scénarios. Et maintenant, ça y est, il monte, il s'en vient.

Elle n'avait pas pensé à quel point c'était facile pour elle de le reconnaître après toutes ces années où elle l'avait revu à la télévision. Son immobilité à la porte, cette façon de la dévisager, de l'examiner, lui rappelle que, pour lui, c'est un choc. La petite fille qu'il a connue a grandi. Elle tend la main, il la serre, entre :

— Ça me fait plaisir de te revoir.

— J'imagine que j'ai pas mal changé.

— Oui et non : les mêmes yeux noirs, la bouche est semblable...

Son regard, appréciateur, balaie son corps.

— Je ne lui ai jamais vraiment ressemblé.

Il s'assoit, attend. Elle voudrait lui offrir du café, mais elle le regarde sans rien dire, submergée par un flot de souvenirs.

— Parle-moi d'elle. Comment va Yseult?

Elle l'entend dire le prénom volontairement, avec plaisir. Le sien s'enfuit du coup : il est venu pour elle, pour avoir de ses nouvelles à elle, pour la revoir peut-être. Quelle idiote elle a été de croire qu'on se dérangerait pour son insignifiante petite personne! Déçue, elle s'assoit et lui envoie bien en face: «Elle est morte.»

Elle ne s'attendait pas à un tel effet. Blanc, livide, Gabriel la fixe comme pour trouver le mensonge. Sa bouche s'ouvre toute seule, sans une parole. Il a l'air suffoqué. Elle le regarde avoir mal et se sent devenir méchante, allègrement mauvaise. Elle le laisse reprendre son souffle et elle continue, doucement: «Il y a sept ans... d'une pneumonie.»

Les mots lui viennent facilement, le plaisir de la vengeance, incomparable, l'envahit, la pousse à poursuivre: «Toute seule.»

Gabriel se lève, marche, va à la fenêtre et reste là à contempler Montréal indéfiniment. Elle regarde son dos large, cette belle carrure d'homme. «Souffre un peu, Gabriel, goûte un peu à l'amertume du regret. Tu dois bien avoir quelques reproches à te faire, toi aussi.»

Va-t-il s'effondrer, avouer tous ses torts, supplier pour un délai? Gabriel se tourne, revient vers elle: «Tu m'as appelé pour me dire ça ou bien tu voulais autre chose?»

Elle est déçue: déjà? Il a repris contenance, il a retrouvé son souffle, ses couleurs presque. C'est tout. Ma pauvre Yseult, tu pesais pas lourd. («Pas plus lourd qu'une bague.»)

— Diane? Qu'est-ce que tu attends de moi?

— Que vous me parliez d'elle.

— Mais... tu la connais mieux que moi. Tu as vécu avec elle. C'est toi qui pourrais me parler d'elle.

Devant l'évidence, elle perd pied. Muette, elle

le regarde avec rancœur. Pourquoi veut-il absolument qu'elle avoue? Elle n'a pas fait pire que lui, lui aussi l'a abandonnée.

— Vous l'aimiez?

— Oui.

— Pourquoi vous êtes parti?

Elle essaie de ne pas laisser filtrer d'agressivité dans sa question. D'avoir seulement l'air curieuse, de ne pas juger. Elle essaie d'être coulante, sympathique.

— Pour plusieurs raisons... dont la principale est qu'Yseult désirait que je parte.

Le menteur! L'affreux lâche! Elle? Jamais! Yseult a failli mourir quand il l'a quittée et ce serait elle qui l'aurait voulu? Elle sourit, prend un ton suave avec un soupçon de doute poli : « Ça me surprendrait. »

Il sourit lui aussi, mais sans douceur : « Qu'est-ce que tu veux, Diane? Me faire une crise de jalousie posthume? Tu ne pourras jamais savoir ce qui s'est passé entre ta mère et moi parce que ça nous appartient. C'était compliqué et plutôt triste. Si tu as pu attendre sept ans avant de me poser la question, si ta mère ne te l'a jamais expliqué du temps qu'elle était vivante, il va falloir que tu te passes des détails parce que ce n'est pas moi qui vais te les donner. Désolé, c'est privé. »

Il se lève. Comme il a l'air blessé. Comme il semble touché, défait. Elle reconnaît quelque chose à l'instant sur son visage, quelque chose d'Yseult : la dignité, la dignité d'Yseult quand elle a mal et porte toute seule son fardeau : sans plainte, sans aide. L'humilité des orgueilleux.

— Excusez-moi.

— Non... c'est seulement que... c'est si loin. C'est... je sais pas. J'ai envie de dire : c'est à moi. Tu étais trop petite pour comprendre.

— Ça a l'air que je le suis encore.

Il sourit tristement : « Tu l'as dit comme il y a vingt-cinq ans ! Je suis très triste de la mort de ta mère et je suis désolé de ne rien pouvoir faire pour toi. »

Il se dirige vers la porte.

— Est-ce que je peux quand même vous poser une autre question ?

Il a quelque chose d'intimidant, elle se sent tellement stupide tout à coup : « Lui avez-vous offert une bague ? »

Il regarde ailleurs, au-dessus d'elle, fermé. Il ne répondra pas, elle le devine. Il va l'envoyer promener. Il a l'air si fâché.

— Pas quand on s'est quitté, non. J'étais un acteur pauvre, j'avais pas les moyens de lui offrir ce qu'elle aimait. Mais un jour, j'ai fait faire une bague pour elle. Perle et diamants. Une perle magnifique... qui lui allait à la perfection. On s'est revu à cette époque-là.

Il reste là à fixer le paysage au loin, tellement au-dessus d'elle... Non, son regard revient vers Diane :

— C'était longtemps après... six ans plus tard. Tu étais une adolescente difficile à cette époque.

— Je vous remercie. Je m'excuse de vous avoir dérangé pour rien.

— Toi, ça fait sept ans que tu le sais. Apprendre la mort d'Yseult n'est pas vraiment rien.

Il ouvre la porte, elle le rejoint:

— Quand j'étais très petite, est-ce qu'elle jouait au théâtre? Elle était actrice?

— Non. Elle était régisseure. Pas longtemps. Trois ans, je pense. Elle ne jouait pas. Elle a été lectrice à la radio. Et après elle a été recherchiste presque tout le temps. Pourquoi? Elle a dit qu'elle jouait?

Diane prend un ton léger:

— Non, non, c'était une sorte de secret entre nous, une blague qui avait presque l'air vraie.

— Mais elle aurait probablement été excellente. Au revoir, Diane. Désolé.

Il lui serre la main, puis l'embrasse brusquement sur chaque joue et s'en va.

Yseult... Assis dans sa voiture, enfin à l'abri, Gabriel s'appuie contre le volant, luttant contre les larmes, contre la colère, contre tout. Yseult... la beauté, l'harmonie faite femme. Yseult qui riait, se moquait. Yseult la terrible, la grisante, qui lui coupait les genoux à seulement le regarder d'une certaine façon. Les nuits qu'ils avaient eues. L'inoubliable Yseult avec son sens tranchant des réalités, son humour terrifiant. Il avait vingt-six ans, elle en avait vingt et un. Il était marié, père d'un enfant, tricheur, menteur, capable de se faire accroire qu'il avait de l'envergure pour deux femmes et même deux enfants. Elle était seule avec ce petit bout jaloux, sauvage qui exigeait toute l'attention exclusive de sa mère. Il fallait charmer cette rivale pour obtenir la permission d'exister près d'Yseult.

Pourquoi lui aurait-il fait des aveux? Pourquoi à elle, sa fille, dire ce qu'il n'avait jamais dit à l'autre, la mère? Pourquoi admettre son dérisoire credo — temporiser, négocier, oublier et si possible éviter —, pourquoi s'humilier devant ces yeux impitoyables qui n'auraient jamais d'amitié pour lui? Alors qu'Yseult dans toute sa splendeur, dans toute sa force n'avait réussi à obtenir que de pauvres gémissements d'homme responsable et coincé. Yseult qui n'exigeait rien. Yseult qui n'attachait aucune importance à sa banale vie d'homme marié. Yseult qui exigeait le pire: vivre follement, inconsidérément ce qui leur arrivait, cette passion incontrôlable, forcenée qui le ramenait à elle plus fidèlement qu'une marée, cette folie furieuse où tous les instants se poudraient de l'or de ses yeux, où toutes les caresses s'inventaient. Inépuisable passion, fièvre vorace qui le précipitait en elle, assoiffé, dans un total abandon qui l'angoissait dès qu'il quittait l'odeur capiteuse de ses étreintes. L'envie folle de fuir et celle de revenir qui le tenaillaient. Yseult la rieuse, la dure, l'inflexible qui posait sa main fraîche sur ses yeux en murmurant: «Regarde, tu ne vois plus rien, comme tu aimes tant.» Yseult la sans-illusion qui tablait sur sa couardise aussi sûrement que sur la fin du jour. Ces fausses tournées pour rouler dans ses bras. Ces fausses répétitions pour s'épuiser d'elle, l'inépuisable, et fuir vers sa vie choisie, celle qu'il contrôlait et désirait. Sa vie sans péril. Sa vie sans risque. «Tu ne vis pas!» avait-elle hurlé. «Tu ne vis pas!» Son unique et terrible reproche, sa seule raison, «Tu ne vis pas!», son désespoir, sa défaite. Elle refaisait le lit, elle arrachait le drap, le lui tendait plein de ses hésitations, de ses petites morts mesquines, de ses esquives: «Les draps de mon lit ne sont pas des linceuls, va mourir ailleurs.» Yseult la cruelle qui crache la vérité avec la même ardeur qu'elle embrasse. Yseult qui ne pardonne pas. Comme sa pareille, ce petit animal aux yeux sombres qui demande des comptes.

Il n'avait pas envie de lui dire qu'il avait été

peureux, veule, incapable de choisir, de se décider, incapable de renoncer à Yseult mais incapable de quitter sa femme. Pourquoi lui dire qu'Yseult ne souffrait pas de son mariage mais de sa profonde incapacité à vivre entièrement, follement, dangereusement? Pourquoi lui dire qu'il s'était trompé, qu'il avait prêté à sa mère une propension aux demi-vérités que lui seul possédait? Pour se justifier d'avoir fait du mal à sa mère? Les yeux de Diane, foncés, vifs à juger, peser la culpabilité. Ses yeux qui condamnent sans appel. Elle les avait encore tout à l'heure. Il avait assez payé. Il avait assez pleuré. Il l'avait quittée. Elle le voulait vivant ou rien. Ce fut rien. Yseult la vivante qui méprisait les maigres arrangements qui structuraient sa vie, qui ne supportait pas les basses compromissions, même torturées. Yseult qui n'avait rien à faire de ses hésitations, mais qui aurait brûlé avec gourmandise le demi-temps qu'il lui offrait. «Tu ne vis pas!» Et ça voulait dire: même avec elle. Avec les autres, elle s'en foutait.

C'est lui qui ne supportait pas son audace. Lui qui jalousait son appétit, se méfiait de son charme, de sa séduction. Lui qui la voulait pour lui tout seul, alors qu'il ne pouvait même pas la prendre. Elle n'avait rien à faire d'un adorateur. Elle bénéficiait déjà d'un exemplaire insurpassable avec Diane. Elle détestait être admirée.

Elle l'aimait. Et c'était cet amour qui l'éblouissait, le rendait fou d'orgueil, de suffisance idiote. Elle l'aimait et ça l'exaltait. Il avait eu l'impression d'être désigné par les dieux. Elle l'aimait et ça le tourmentait, il n'arrivait qu'à en être flatté, jamais persuadé. Il doutait d'elle. Il doutait de lui. Il n'était sûr que de sa femme. Il avait tout gâché, cherchant à l'attacher. Et cet animal sauvage l'avait repoussé, s'était cabré devant ses exigences. Lui qui offrait si peu ! Lui qui demeurait prudent d'un pied tout en dansant de l'autre. Mais il avait toujours eu peur de la violence de leur passion, de l'intensité de leur relation. Jamais de répit, jamais de repos, de calme, toujours la tourmente, la soif d'elle, l'excès épuisant, frénétique, le besoin indescriptible d'elle, de sa brûlure contre sa bouche, de la brutalité du désir. Yseult l'incandescente. Morte. Depuis sept ans. Sept ans que le monde s'agite sans elle. Sept ans qu'il joue des scènes d'amour à une morte. Combien de femmes a-t-il renversées en murmurant pour lui-même : « Yseult » ? Combien de tirades amoureuses a-t-il appuyées sur le manque lancinant d'elle, combien d'adieux lui a-t-il murmurés dans sa vie ?

L'indomptable Yseult avait donc été piégée ? Une pneumonie. Incroyable de mourir de si peu de nos jours. Insupportable Yseult qui n'écoutait jamais ses excuses, l'excluait de son univers doré. Oui, il avait gardé ses motifs pour lui et il s'en était contenté. Elle ne s'en serait pas satisfaite. L'exigence d'Yseult lui paraissait si inaccessible.

Il aurait dû se douter, dix ans plus tard, quand il était revenu vers elle, il aurait dû deviner la constance de cette femme inflexible. Et savoir qu'avec Yseult on ne vivait pas à rabais.

Elle ne le jugeait pas, elle refusait des excuses pitoyables. Et malgré la faiblesse de ses bras, il

aurait pu jurer qu'il l'avait aimée infiniment.
Malgré cette fin misérable qu'avait eue leur liaison.
Ce piteux retour, la fulgurance de leurs
retrouvailles, cette nuit où il avait aboli dix ans
d'absence à seulement ouvrir sa bouche, à l'enfermer dans ses bras, cette nuit innommable où
elle lui avait volé son corps pour le lui rendre brisé
à jamais, refusé, nié, vieilli.

Il ne comprenait pas encore, n'arrivait pas à
lui pardonner. Il ne trouvait que des mots bas, vils,
pour qualifier la dolence de ce petit matin, sa pose
alanguie, sa bouche encore humide, gourmande,
retroussée de plénitude. Il avait déposé la bague
sur son ventre, l'avait recouverte d'un baiser. Elle
s'était redressée : l'erreur. Il ne savait pas pourquoi,
mais c'était une horrible erreur. Les yeux secs, la
bouche soudain fermée, tirée, elle l'avait cinglé de
son rire rauque et l'avait renvoyé de sa voix trop
calme, trop posée pour être amicale. Sa voix
haineuse. Elle avait seulement tendu la bague sans
rien dire. Il l'avait reprise, humilié sans savoir
pourquoi. Qu'avait-elle donc pensé ? Qu'il la
payait, l'achetait ? Qu'il voulait racheter la pauvreté
passée avec le bijou ?

Il lui en avait voulu de ce refus, l'avait haïe longtemps. Et il avait offert la bague à sa deuxième femme qui, même sur scène, ne l'enlevait jamais. Yseult
n'avait gardé de lui que l'anneau du personnage
qu'il jouait à l'époque de leur rencontre. L'anneau
de Perdican dans Musset. Un anneau de trois dollars
qu'elle avait volé à la production à la fin des
représentations. Un anneau stupide, sans valeur,
ridicule à côté de ses trésors.

Maintenant il pouvait s'avouer que, pour lui, c'était inconcevable de figurer si pauvrement dans la collection d'Yseult et que, oui, sa vanité l'avait poussé à offrir la bague. Yseult n'avait jamais été dupe de sa petitesse. Il avait voulu la haïr pour ça. Il n'avait réussi qu'à se mépriser. Depuis, il savait exactement ce qu'il valait. Yseult... pourquoi tu ne m'as jamais haï? («Ça t'aurait évité de te détester : trop pratique Gabriel. Sois au moins responsable des coups que tu sais si bien donner.»)

Il démarre en se demandant encore ce que cette enfant jalouse et exécrable lui voulait. Probablement juste se venger de lui en lui apprenant la mort d'Yseult. Juste lui donner un coup et en apprécier l'effet. Petite fille détestable qui a volé la poitrine et les hanches d'Yseult en grandissant.

Qu'est-ce qu'elle espérait? Qu'ils s'assoient ensemble en parlant tranquillement d'Yseult, comme s'il y avait eu entre eux un «bon vieux temps»? Qu'ils se rappellent les meilleurs moments, se consolent ensemble des pires et se plaignent des petits côtés décevants? Quel scénario imbécile! Elle avait oublié que Gabriel excitait sa jalousie, que cet homme lui volait quelque chose d'elle et que jamais elle ne lui avait pardonné d'avoir touché Yseult, de l'avoir changée. Il avait blessé sa mère, l'avait rendue malade, absente, triste. Il avait fait du mal à son enfance. Qu'il aille au diable avec sa belle gueule d'acteur suffisant! Qu'il croie qu'elle est morte depuis sept ans! Si elle avait pu, elle lui aurait inventé des dernières paroles terribles, dignes de nourrir ses remords jusqu'à sa fin à lui.

Elle ne comprendrait jamais l'amour d'Yseult pour cet homme. «Privé: désolé, c'est privé.» Va donc au diable avec ton privé! Garde-le pour toi, espèce d'égoïste. Mais elle, tu ne l'auras pas pour toi. Elle ne t'appartient pas, tu ne l'auras jamais. Garde tes souvenirs et compte-les parce que tu n'auras rien d'autre. Et je regrette d'avoir ri avec toi quand j'étais petite. Et d'avoir été rassurée quand tu étais là. Et je regrette d'avoir désiré rien qu'une minute que ce soit toi mon vrai père. Je te déteste et elle ne t'aimait pas tant que ça. Ta perle, elle ne l'a pas emportée avec elle. Pas toi, Gabriel. Tu n'étais pas avec elle au fond du fleuve. Alors cesse de te vanter de l'amour d'Yseult, tu n'étais pas si important. Elle retourne aux petits sacs, les vide encore : que des inconnus. Elle voudrait tellement les identifier, les nommer. Comme si ces bagues avaient chacune un nom et qu'il fallût les trouver afin de laisser la main d'Yseult se détendre à jamais.

Sa tête est vide, elle n'a pas fait attention, ne s'est pas souciée de ces hommes qui n'existaient que la nuit. Elle a eu des alarmes, ceux qui voulaient s'installer dans le jour... mais elle a effacé, rayé ces visages de sa mémoire. Sauf les blonds aux yeux bleus. Ceux qu'elle soupçonnait toujours d'être son père. Elle si noiraude... Fallait-il qu'elle soit décrochée de la réalité ! Comment une mère si blonde aurait-elle pu faire un pou noir avec un père blond aux yeux bleus ? (« Tu fabules, le pou ! ») Elle aurait dû s'intéresser aux sombres. Mais les sombres n'avaient aucun attrait pour elle. Père inconnu. Son pire reproche, le plus lourd, le plus inaltérable. Père inconnu, demi-nommée à chercher l'autre racine pour arriver à pousser. Elle cherche maintenant le nom des amants de sa mère comme jadis elle a cherché celui de son père. Et elle a bien peur de ne jamais y parvenir, comme jadis. Il faudrait parler à Méli qui doit garder un registre précis dans sa mémoire. Méli qui doit avoir une opinion sur chacun. Ou alors Roger...

demander à oncle Roger. Lui a-t-il offert une bague ? Elle ne peut pas croire qu'elle l'ait entraîné avec elle, il n'était rien ou si peu. Un service, une sorte de dépannage... Voilà ce que ça avait été.

Elle tourne entre ses doigts le petit anneau décoloré (le temps ou l'eau ?). Un anneau modeste, sans valeur, léger, qui a dû coûter fort peu. Roger ? Non... ç'aurait été bien mesquin de sa part, il avait quand même des moyens !

Qu'est-ce qu'elle peut faire pour poursuivre son enquête ? Appeler Roger ? Elle a peur que Méli ne l'apprenne. Retourner rue Querbes, là où, avant de claquer la porte pour toujours, elle avait rencontré un homme mince, presque maigre qui n'avait que la bouche de généreuse ? Un homme aux lunettes cerclées d'écaille qui couvait Yseult, l'adorait en silence.

Le seul fait de penser lui poser une question l'intimide. Elle n'oserait pas. Comment refait-on la vie d'une femme qui enterrait chaque homme dans une bague ? Comment reconstruire ce qu'elle avait si bien camouflé, ce qu'elle ne partageait avec personne ?

Yseult non plus n'avait pas d'amis. Que ces hommes qui étaient tout, sauf des amis. Comme elle, Yseult n'avait pas de relations amicales avec les femmes. Ce n'était pas son genre. Elle n'avait pas besoin de s'épancher, de raconter en détail ses malheurs et ses bonheurs. Yseult ne racontait pas. « Désolé, c'est privé. » Yseult ne voulait pas qu'elle appelle Gabriel, elle aurait été très fâchée de l'apprendre. Et elle détesterait l'idée de voir Diane fouiller son passé, fouiller ses draps. («Laisse ma vie tranquille. Tu as assez à faire avec la tienne.») Non maman, ma vie c'est aussi la tienne. Tes nuits ont empêché les miennes, tes hommes que je n'ai vus que sur tes doigts ont étranglé mon plaisir, l'ont retenu dans leurs mains. Je veux ma vie. Je veux des noms, des visages, une chronologie complète. Je veux savoir! («On dirait un animal qui cherche un mur pour se cogner la tête. T'as pas honte?») Non maman, ça c'était après Philippe, tu pouvais le penser, c'était un peu vrai. Mais pas les noms, pas les hommes. Je ne veux pas avoir mal, je veux savoir. Je veux pouvoir suivre ta vie jusqu'à... jusqu'en haut du pont. Et je veux savoir qui est le dernier! Ce qu'il t'a fait pour qu'un soir d'automne tu partes toute seule vers la glace. Est-ce que j'ai le droit de savoir? Ce n'est pas pour juger. C'est un besoin de comprendre et d'effacer. Ou même de te venger. Je ne pourrai pas oublier ton visage de morte tant que je ne saurai pas tout. Et ne discute pas, c'est mon privilège maintenant de savoir. Tu n'as quand même pas pensé que je te laisserais mourir comme ça — «Mort violente de nature non déterminée quant à l'intention» —, sans rien chercher? Je vais trouver et l'intention et le coupable, je vais chercher et je vais trouver les blessures et ceux qui les ont faites. Parce que pour moi, maman, tous ces hommes-là sont un peu des meurtriers. («C'est tellement stérile, la vengeance, ma pauvre, tellement inutile.»)

D'accord, pour Philippe tu avais raison, mais pas pour eux, pas pour les tiens.

C'est surtout pour se faire une idée quant à son avenir qu'elle s'est rendue au party de Noël du bureau, et non pas stimulée par les rappels de Georges qui avait même offert de venir la prendre. Elle s'est soigneusement maquillée, s'habillant avec un peu trop de recherche pour bien montrer qu'elle n'est ni déprimée ni malade. Elle a glissé l'émeraude (celle-là lui va vraiment très bien) à son annulaire gauche pour repousser les avances de Georges et elle est arrivée au restaurant avec un peu de retard.

Ils sont tous là, endimanchés, coincés, encore un peu mal à l'aise, à échanger des plaisanteries et à attendre l'entrée et l'ambiance. Ils ont l'air ravis de la voir, un peu surpris de son teint (tu as été malade?), de sa sveltesse (donne-moi ton régime!), de son air détaché. Ils lui racontent les événements du bureau, la colère d'un tel, les résultats de la campagne (elle a du mal à se souvenir que c'est *sa* campagne de publicité), le divorce d'un autre, tout ce qui fait leur vie. Elle écoute, distraite, et essaie de comprendre ce qui, à part le salaire, peut justifier sa présence dans cette entreprise. Elle les regarde s'amuser, rigoler, faire des farces pesantes et cherche vainement une bonne raison de rester là. Que ferait Yseult? Elle se lèverait, souveraine, et partirait sans rien dire. Ou alors elle chercherait qui, autour de cette table, pourrait meubler une nuit de solitude. Elle s'essaie, fait le tour des gens avec des yeux inquisiteurs. Georges se penche vers elle, tout sucre :

— Tu ne manges pas ? C'est très bon pourtant.

— Non, je n'ai plus tellement faim.

Il fait ses yeux de bon chien déçu, ses yeux soucieux de celui qui s'en est tellement fait. Elle commande un scotch. Il lui parle continuellement, l'empêchant de se livrer à son petit jeu de racolage. Pourquoi lui parle-t-il de projets de Noël ? S'il savait comme il l'ennuie.

À son troisième scotch, elle commence à trouver la soirée plus animée. La jeune téléphoniste qui semblait terrorisée au début est déjà complètement soûle et elle glousse au bout de la table. C'est elle qui crie : « Hé ! Vous vous êtes fiancée ? Elle est belle, votre bague ! C'est combien de carats ? »

Diane sourit, fait non, tend la main à ceux qui veulent voir, s'extasier, se surprendre. « Un cadeau. C'est seulement un cadeau. » La petite frisée rit comme une folle : « Qu'est-ce que ça va être le jour où il va vous marier ! » Georges a l'air d'avoir avalé de travers, il s'essuie continuellement la bouche, comme s'il craignait qu'un bout de persil malencontreux n'altère son sourire. Il murmure un « très beau » contraint, se râcle la gorge, lui offre un scotch et lui demande si elle est prise entre Noël et le jour de l'an.

— Comment, prise ?

— Occupée... as-tu des projets précis ?

— Plutôt, oui. Pourquoi?

— Je pensais louer un chalet dans le nord pour aller skier. Si ça te tente...

— J'ai pas chaussé de skis depuis dix ans! L'époque du chalet de Philippe. La randonnée sportive obligée et l'après-ski lamentable. Elle garde une répulsion terrible pour ce genre d'activité et surtout pour la combinaison des deux : sexe et sport sont pour elle les deux mamelles de l'horreur.

— Non, Georges, je ne pense pas.

— T'as... heu, t'as quelqu'un?

Elle ne répond pas, commande un scotch. Elle commence à avoir envie de s'amuser. Elle considère Georges un instant, puis Gagnon qui a l'air dans une forme terrible. Il lui fait d'ailleurs signe : «Venez vous asseoir ici un peu, qu'on se parle.»

Les yeux de Georges! Indigné, il la voit s'éloigner sans répondre, rejoindre Gagnon qui a déjà la cravate desserrée, les joues rouges, la lippe avancée. Et ils ont l'air de s'amuser, de faire des farces! Georges décide d'aller aux toilettes avant de se mettre à paranoïer ou d'être entrepris par Geneviève qui est déjà debout, prête à remplacer Diane près de lui. Geneviève, la femme de quarante ans avancés, prototype de la divorcée archi-seule qui irait jusqu'à payer pour avoir des aventures.

Quand il revient, Gagnon tient Diane par le cou et elle le regarde avec des yeux qu'il ne lui connaissait pas. Le café est arrivé et tout le monde hurle pour se faire comprendre tellement il y a de «l'ambiance». La téléphoniste revient des toilettes avec un air dolent, en balbutiant qu'elle n'aurait pas dû mélanger, que c'est les mélanges, sans ça elle porte très bien l'alcool. La moitié des convives s'agitent, font des charades. Certains n'hésitent pas à se lever, à se ridiculiser en prenant des poses que Georges juge plus que déplacées. Diane éclate de rire, attirant son attention : légèrement appuyée sur Gagnon, concentrée sur le doigt de celui-ci qui souligne son décolleté sans aucune discrétion, elle a l'air partie pour meubler sa soirée. Georges va les rejoindre : «Si on allait danser?»

«Excellente idée!» Branle-bas de combat, tout le monde est debout, quelques-uns titubants mais déterminés à ne pas perdre leur entrain. Geneviève couve Georges des yeux comme à tous les partys de bureau et il sent qu'il va encore payer son égarement passager vieux de quatre ans qu'elle remet à l'ordre du jour à chaque soûlerie. Il saisit Diane par le coude, décidé à faire tourner la chance de son côté. Si elle se fiance, c'est maintenant ou jamais :

— Je t'emmène?

— Mais c'est en face!

— Je vais t'aider à traverser la rue.

— Franchement, Georges, je suis pas si soûle!

Elle se dégage sèchement, va mettre son manteau que Gagnon lui tend obligeamment. Il en profite pour l'étreindre sans gêne. Georges trouve que la soirée tourne au grotesque et se demande s'il va poursuivre avec eux. La téléphoniste est maintenant en larmes et elle craint de rentrer chez elle dans cet état : son mari ne sera pas content.

On la rassure, on la cajole, on l'habille, on la met dans un taxi. Au moins, Georges se dit qu'il n'aura pas à la reconduire comme l'année passée.

Geneviève l'attend ostensiblement, le manteau sur le dos, le rouge à lèvres fraîchement étalé qui déborde sur les incisives que son sourire expose. Georges est saisi d'un pervers désir d'humilier. Pour contrer ses instincts, il ramasse deux autres filles par le bras et va rejoindre Geneviève dont le sourire s'efface enfin.

À la discothèque, la musique est assourdissante : de quoi dessoûler tout le monde. Une partie du personnel se dandine sur la piste. Gagnon et Diane s'en donnent à cœur joie. Difficile pour Georges de s'immiscer sans paraître ridicule. Et puis Diane a enfin l'air de se lasser, elle va au bar, s'y appuie, son regard balaie la salle, scrute chaque visage comme si elle était à la recherche de quelqu'un. Georges en profite pour la rejoindre. Elle sursaute. Il ne peut ignorer le total manque d'enthousiasme qu'il provoque :

— Fatiguée ?

— Non.

— En tout cas, t'as achevé Gagnon ! Je pense pas qu'y se relève de la soirée.

En effet, Gagnon tient son Perrier à deux mains, assis près de la piste, le visage rouge et luisant de sueur, l'air au bord de la crise d'apoplexie. Georges se félicite de n'avoir pas dansé et d'être demeuré frais et présentable :

— Tu reviens quand ?

Elle le fixe sans comprendre ; visiblement, elle ne suit pas.

— Au bureau... tu reviens quand ?

Elle hausse les épaules :

— Je suis pas sûre de revenir.

— Quoi ? Tu vas où ? Pourquoi tu ferais ça ?

— Mon dieu Georges, que t'es pesant ! J'en sais rien, j'ai dit ça comme ça.

Elle le plante là et va danser toute seule. Encore heureux qu'il n'ait pas déjà loué le chalet dans le nord ! Il sent qu'il va passer des vacances familiales avec sa mère et sa sœur.

— Y en a qui ont tout ce qu'on voudrait sur un plateau et qui ne le considère même pas.

Il tressaille : Geneviève qu'il n'a pas vue venir est plantée à côté de lui à observer Diane onduler sur la piste. Il esquisse un dégagement.

— Sauve-toi pas, Georges, je reste pas. T'auras pas à m'endurer longtemps, j'ai compris.

— Ben voyons, Geneviève...

— Si j'avais su en divorçant que je lâchais un paquet de problèmes pour un autre, j'aurais réfléchi un peu plus.

— Il est peut-être pas trop tard.

— Es-tu fou ? Mon ex s'est remarié avec une fille de quatorze ans de moins que lui. Moi, je peux sécher.

Mal à l'aise, Georges prend une gorgée.

— Peux-tu me dire pourquoi ça a pas marché, nous deux ?

— Ben... c'était une fois comme ça...

— Peux-tu me dire pourquoi y en n'a pas eu deux, d'abord ?

Il voit Gagnon se lever, se diriger vers Diane qui rigole, recule, continue à danser pendant que lui la poursuit, hilare. Geneviève lui touche le bras : « Embrasse-moi. Si tu savais comme ça fait longtemps que personne m'a embrassée. Juste un baiser. »

Les yeux implorants de Geneviève, sa solitude sexuelle le révoltent. Il n'arrive qu'à revoir la tache de rouge à lèvres sur ses dents et il ne sait plus quoi dire. Elle rit, faussement dégagée, et c'est encore plus désolant. « Voyons Georges, fais pas cet air-là, je vais finir par penser que je te dégoûte. »

Pour en finir, parce que c'est vrai, il l'empoigne et l'embrasse. Mal. Trop vite, avec brusquerie, il balaie sa bouche d'un coup de langue et la lâche. Elle est comme sonnée, elle n'a pas eu seulement le temps de fermer les yeux. Il vide son verre d'un trait : « Excuse-moi ! » et il va rejoindre Diane que Gagnon observe d'un œil égrillard, planté au milieu des danseurs sans faire un seul geste, une seule ondulation, outre celle de son sourcil appréciateur.

Diane est déchaînée. Elle danse avec une rage, une sauvagerie éminemment sexuelles. Georges se met à danser. Comme ça, sans chercher à l'atteindre, à former un couple avec elle. Il se contente de la croiser de temps en temps et de lui sourire en dansant. Elle hoche la tête vaguement, il n'est même pas sûr qu'elle le reconnaisse. Geneviève s'est assise près de la piste et ne le quitte pas des yeux. L'idée d'échouer devant elle le rend agressif. Il s'approche de Diane, tourne autour d'elle, la presse un peu. Elle se dégage, fluide, va vers le centre de la piste, là où Gagnon fait figure de statue dans l'agitation générale. Et puis elle disparaît.

Gagnon va s'asseoir, chancelant, plutôt confus. Geneviève en prend soin, lui tapote l'épaule. Presque tous les autres sont partis. Georges se met à la recherche de Diane. Elle est là, près de la porte des toilettes, accroupie par terre en train de vider sa sacoche sur le plancher.

— Je peux t'aider?

Elle se retourne, l'examine, elle n'a pas l'air de bonne humeur. Elle continue de vider son sac sans rien dire. Il s'accroupit près d'elle :

— J'aimerais ça te parler, Diane.

— Une autre fois, O.K.?

— O.K. Demain pour souper? Je passe te prendre à huit heures.

Non! Pas encore un souper-causerie où elle va périr d'ennui à s'entendre reprocher tous ses manques, toutes ses promesses non tenues. Elle a vraiment le tour de s'entourer de gens sympathiques!

— Non.

Elle continue sa fouille, étale tout le contenu du sac renversé. Elle ouvre son porte-cartes, l'éventre, en extirpe un chéquier plié.

— Quand?

Elle déplie le chéquier, le feuillette, trouve ce qu'elle cherchait. Ravie, elle lève la tête :

— Quoi?

— Quand, Diane? Quand je peux te voir?

Elle fourre tout son barda pêle-mêle dans son sac, le chéquier entre les dents, elle chuinte :

— Pourquoi?

— Pour faire le point.

Il s'affole, il voit bien qu'elle ne l'écoute pas,

221

qu'il ne l'intéresse pas une seconde. Il se fait penser à Geneviève qui implore pour un baiser. Il a honte et il n'aime pas ça. Il retire le chéquier d'entre ses dents et s'approche de sa bouche très vite, pour l'embrasser. Elle recule, tombe assise par terre, le repousse ; il tombe sur les genoux, déstabilisé. Il s'appuie d'une main à terre pour garder son équilibre et de l'autre il l'attrape solidement, l'empoigne et la plaque contre lui. Il l'embrasse violemment, force ses lèvres serrées, se bat contre sa langue, certain de la faire fléchir, de la convaincre de goûter le baiser. Elle gronde dans sa bouche, se débat et se dégage enfin. Révoltée, elle essuie sa bouche du revers de la main, une seule fois, puis elle la tend, rageuse : « Le chéquier. »

Précipitamment, il l'esquive, le fait disparaître derrière son dos. Ce geste, plus encore que le baiser, la met hors d'elle. Elle se jette sur lui, furieuse, en hurlant. Une pluie de coups, une vraie furie. C'est le barman qui les sépare, la retient pendant que Georges se relève, replace son veston et lui tend le chéquier sans un mot, avant d'effectuer une sortie faussement désinvolte que personne ne remarque.

Le barman la met debout, admiratif :

— Tu sais te défendre !

— Un vrai fou !

— Y en a qui le prennent mal de se faire dire non.

— J'ai même pas eu le temps de dire non.

— Je t'offre un scotch pour te remettre ?

Elle accepte, flattée de le voir se souvenir de

ses préférences. Elle le suit en rangeant son chéquier dans son sac. Gilbert sera ravi d'apprendre qu'elle s'est battue pour lui.

Il fait encore noir dans la chambre où elle se réveille. Elle regarde l'homme inconnu qui dort profondément dans le désordre des draps. Elle se lève avec précaution, retrouve ses vêtements un à un, éparpillés partout dans le salon où un jour laiteux éclaire à peine. Elle ne se rappelle rien. Rien. Ou plutôt, le dernier souvenir qu'elle a, c'est, quand le gars avait sorti ses condoms, d'avoir voulu appeler Gilbert pour vérifier s'ils en avaient utilisé. Le gars avait tellement ri qu'il avait eu de la difficulté à la convaincre de ne pas appeler tout de suite, parce que ça risquait de compromettre leur nuit. Ça, l'histoire des condoms, elle s'en souvient. Après, néant. Si elle a eu du plaisir, si c'était bien ou non, si elle avait vaincu ses dégoûts, aucun souvenir. Elle n'est pas pour aller compter les enveloppes de condoms vides pour savoir si ça avait été une bonne nuit, quand même!

Dehors, il fait un froid humide. La matinée est triste, lourde, le jour va se traîner. La neige menace encore. Elle se hâte de rentrer pour manger, le cœur vraiment au bord des lèvres. Le scotch ne lui réussit pas toujours.

Quel jour est-ce? Quelle date? Voyons, elle le sait. Hier, le party de bureau, le 17, lundi. Donc, on est mardi, le 18 décembre. Noël dans une semaine. Elle récapitule : sa mère est morte, Yseult est à la morgue et elle n'a pas recommencé à se prendre pour elle, elle est juste allée un peu fort sur le scotch. Elle se promet que c'est terminé, qu'elle ne boira plus d'ici Noël. Après... après, elle appelle le monsieur poli, enterre Yseult et recommence à neuf. Enterrer Yseult, elle ? Pourquoi pas ? Enterrer Yseult et ses haches de guerre, enterrer les blâmes, son ressentiment, enterrer son enfance, sa famille, les erreurs, les colères, tout ! Elle se sent miséricordieuse, ce matin. Elle n'a jamais eu l'intention de se désister, voyons ! Jamais. Elle n'a jamais eu la tentation d'abandonner Yseult à l'État. Quelle idée ! Elle a bien quelques réserves, elle n'accepte pas tout mais elle va se comporter comme une fille civilisée et enterrer sa mère. Il n'a jamais été question d'agir autrement. Le téléphone maintenant. Pourquoi n'a-t-elle pas le droit de prendre un café en paix ?

— Diane ? C'est Gabriel.

— Oui ?

— Peux-tu me dire pourquoi t'as fait ça ?

Il a l'air furieux, hors de lui. Elle se souvient que c'est l'acteur, celui qu'elle a fait venir pour rien. Il continue à hurler, sans attendre ses réponses :

— Pour qui tu te prends ? Es-tu venue folle ? Penses-tu que tu peux inventer des énormités pareilles sans que ça se sache ? Pourquoi t'as fait ça ? Te rends-tu compte que je t'ai crue, que j'ai pensé que c'était vrai, que j'ai été complètement bouleversé ? J'ai même annulé une répétition. T'as pas pensé que je poserais des questions ? Que je

mettrais pas longtemps avant d'apprendre que
t'avais tout inventé. Pourquoi t'as fait ça?

— Quoi?

— Yseult est pas morte, voyons! Y a trois mois,
elle a fait la recherche sur les poètes pour Radio-
Canada. C'est la réalisatrice qui me l'a confirmé.
Me prends-tu pour un épais? J'ai enquêté, qu'est-
ce que tu penses? Je veux savoir pourquoi tu m'as
dit ça. Qu'est-ce que ça te donne? Et je t'avertis
que j'ai appelé ta mère, je lui ai laissé un message
et je vais tout lui dire dès qu'elle me rappelle. Tu
ne t'en tireras pas comme ça.

Elle part à rire. Elle rit tellement qu'elle ne
peut rien dire. Il a appelé sa mère! Il va la vendre,
tout dire à sa maman pour qu'elle la dispute. Quel
idiot! Et Yseult aimait ce pauvre type. Vraiment,
c'est à mourir de rire!

— Diane? Diane, arrête de rire comme une
hystérique! As-tu compris? Arrête! Pourquoi t'as
dit ça? Par pure méchanceté? Pour voir si tu
pouvais me faire quelque chose, m'atteindre?
Arrête de rire!

Elle cesse tout à coup, sérieuse:

— Gabriel, sais-tu avec qui maman vivait
dernièrement?

— Vivait? Tu continues à halluciner? Réponds
plutôt à ma question.

Elle est persuadée qu'il peut l'aider, elle essaie
de s'excuser, de le convaincre de sa sincérité: «Je
ne sais pas, Gabriel et je m'excuse. Une sorte de
vengeance enfantine, peut-être. Maman est en
voyage parce qu'elle a eu une grosse peine
d'amour dernièrement. J'aurais voulu savoir avec

qui et je pense que je t'ai fait payer inconsciemment la note de l'autre.»

Ce qu'il y a de fabuleux, c'est que, à mesure qu'elle parle, elle se croit, tout semble logique, étonnamment réel. Gabriel soupire, calmé:

— En tout cas, tu m'as eu. J'ai pleuré toute la journée.

— Vraiment, je m'excuse. Ça doit être le choc de la savoir en peine, l'inquiétude.

— Une liaison qui a mal fini?

— Oui. Elle m'a laissé un message comme quoi elle partait se changer les idées, casser le spleen comme elle dit. Elle se plaint pas, tu la connais, mais j'ai deviné qu'il y avait un homme en dessous de ça.

Comme c'est agréable de parler d'Yseult comme ça, de dire «tu la connais», de lui inventer des secrets, de se créer des complicités avec elle. Pourvu que Gabriel lui parle encore un peu.

— Comment veux-tu que je sache c'est qui? Tu la vois plus souvent que moi quand même. Si y avait une chance que j'ignore qu'elle soit morte depuis sept ans, comment veux-tu que je sache avec qui elle couche? On a complètement coupé le contact, tu sais.

Évidemment! Elle est coincée: «Je pensais pas que tu me croirais, Gabriel. Et puis je me disais que par Radio-Canada... comme tu y es souvent. Tu sais comme c'est facile de tout savoir sur les aventures des autres dans une boîte comme celle-là.»

S'il le sait!

— Je ne suis pas du tout dans son secteur,

moi. Elle est recherchiste, pigiste en plus. Je ne fais jamais de radio. Ça prendrait un hasard incroyable pour que je la croise quand elle passe pour un meeting.

Plus incroyable que tu crois, Gabriel. Mais elle veut exploiter son filon jusqu'au bout:

— La réalisatrice de l'émission dont tu parlais?

— Oui?

— Par elle, tu pourrais peut-être savoir. Ou une autre recherchiste.

— Écoute, je peux faire mon enquête, mais je te garantis rien. Pourquoi tu demandes pas à Yseult?

— Vraiment! T'as oublié comment elle est? Elle est partie justement pour ne pas en parler.

— C'est vrai... c'est pas le genre placoteuse, ta mère.

Maintenant encore moins que jamais, non. Elle a peur qu'il ne fasse pas d'effort:

— Gabriel? Essaie, veux-tu? Pour me prouver que tu me pardonnes vraiment.

— Je ne te promets rien.

— Tu me rappelles quand?

— En fin de journée?

— Merci!

Elle danse au milieu de la place: elle l'a eu! Elle l'a bien eu! Elle va le faire enquêter et le laisser sécher. Et dans sept ans, elle va lui dire qu'Yseult est morte!

Elle se fait couler un bain mousseux, reçoit stoïquement la somptueuse douzaine de roses et les obligeantes excuses qui les accompagnent

— vraiment, ses hommes ont tous le même réflexe ! —, décide du coup que Georges, quoi qu'il fasse, sera désormais traité à la manière «Yseult» et sort se payer la robe noire la plus sexy de Montréal.

À trois heures et demie, elle est au poste, frémissante, à attendre l'appel de Gabriel. À cinq heures, elle se décide à faire quelque chose pour éviter de devenir folle. Elle sort l'annuaire, cherche le nom de Roger Anger. Il n'y en a pas des tonnes. Et le sien a un petit «compt» à côté, indiquant clairement qu'il est l'ex-mari de Méli. Elle note les deux numéros au cas où elle déciderait de l'appeler. Elle n'est pas sûre d'en avoir envie. Il pourrait vouloir des nouvelles plus précises d'Yseult. De toute façon, elle est tellement certaine que ce n'est pas le genre d'homme auquel sa mère révélerait ses secrets. Un petit comptable presque chauve maintenant, elle le jurerait.

Elle dresse une liste des noms qu'elle connaît: Gabriel, son père, Roger, le gars de la rue Querbes. C'est mince. C'est loin du total d'une vie. Même pas assez de noms pour toutes les bagues. Sans compter que celle de Gabriel n'y est pas. Voyons... il y a trente ou trente et un ans, son père. Elle décide que c'est le premier, Yseult n'ayant que dix-neuf ans à ce moment. («Tu te maries à l'âge que j'avais quand je t'ai eue. On a le dix-neuf difficile!») Diane avait pensé qu'elle voulait dire: on fait nos erreurs au même âge. Mais elle était si heureuse alors de partir, de s'enfuir loin de cette mère exécrable qui ne la laissait pas rêver et la critiquait tout le temps. («Pourquoi tu ne sors pas? Pourquoi t'enfermer avec un homme si vieux, qui va te voler ta jeunesse?») Si elle savait comme elle détestait sa fameuse jeunesse! Et combien elle s'en passait des soirées avec de jeunes hommes avides, les mains tremblantes à farfouiller ses vêtements. Comme elle était dégoûtée de ces appétits sur pattes qui semblaient être au monde pour la consommer!

Bon, Diane revient à son enquête. Gabriel : il y a vingt-cinq ans. Non, ça a duré trois ans et elle en avait cinq quand il est parti, donc... il y a vingt-sept ans! Roger, facile, il y a vingt ans, année de ses dix ans et de la rupture. Le gars de la rue Querbes, il y a sept ans.

Comme il en manque, comme elle est loin du compte! Elle se rappelle vaguement, après Gabriel, ce médecin qui revenait et restait si longtemps dans sa chambre... Ah mon dieu, Mélisande saurait tout, elle. Elle critiquait tellement Yseult pour ses abus. («Laisse-moi tranquille, Mélo, la jalousie t'enlaidit.») Et quand tante Méli voyait une nouvelle bague scintiller, elle faisait une petite bouche amère, désapprobatrice qui rendait Yseult folle de joie. («J'ai encore dépouillé une honnête femme de son dû, Mélo!») Comment faisait-elle? Personne ne lui offrait jamais de bague de prix à elle. (Bon, d'accord, sa bague de fiançailles et une autre pierre dormaient dans un coffre à la banque, mais pour elle ce n'était pas pareil.) Yseult ne le demandait pas, ça elle en était sûre. Elle n'en parlait jamais. Pourquoi ont-ils tous eu cet

empressement à la couvrir de bijoux? Alors
qu'elle, on la couvrait de roses pour s'excuser.
(« L'effet d'entraînement, ma chère : c'est incroyable comme les hommes sont vaniteux et
comme ils ont le sens de l'émulation.») Ce qui
avait finalement l'air de ne pas la regarder.
Quand même, ces bagues coûtaient des fortunes
et c'est à elle qu'on les offrait. Et elle les portait
avec plaisir, c'était évident. (« Les objets du
culte!») Quand elle se parait quelquefois, elle lui
tendait la boîte de carton dans laquelle elle les
conservait. (« Choisis, le pou.») Diane prenait
presque toujours le rubis, sa couleur favorite.
(« Petite gourgandine!») Yseult elle-même pour-
rait-elle mettre un visage sur chaque joyau? Peut-
être pas...

— Allô?

— Oui, Diane, c'est Gabriel. Désolé de t'avoir
fait attendre.

Six heures trente, elle avait oublié l'heure :

— C'est pas grave. Alors?

— Alors j'ai pris deux bières avec la réalisatrice qui travaille presque toujours avec Yseult.
Une amie, en fait. Elles ont fait l'émission des
poètes ensemble entre autres. Elle m'a dit que ta
mère était dans une forme terrible.

— Ah oui... ça devait pas être encore fini.

— Y semble pas y avoir d'homme dans le
portrait. En tout cas, elle n'en a pas parlé.

— Ça me surprend pas.

— T'es sûre qu'elle n'est pas juste allée
changer d'air? Sans avoir rien à oublier?

— Je pense pas, non.

— C'est tout ce que j'ai pu obtenir à part une vieille histoire.

— Quelle histoire?

— C'est vieux: l'autre année.

— Quand même, ça peut m'aider. C'est qui?

— Un certain Jocelyn Maltais, mais ça n'a rien à voir. J'ai cru comprendre que c'est Yseult qui l'a planté là. Sèchement ou bizarrement, je sais pas trop. Évelyne le connaissait avant Yseult... une histoire un peu confuse, Évelyne avait pas l'air de vouloir en parler. Je pense que le gars a fini par faire une dépression.

— Qu'est-ce qu'y fait?

— Universitaire, genre chercheur. Yseult faisait une recherche concernant les dernières découvertes sur le sida. Ça a l'air qu'elle s'est prise d'intérêt pour le sujet.

— Ah bon.

— Le pauvre a pas dû se remettre de la voir s'intéresser à lui, ça a dû le changer de ses hamsters. Évelyne m'a dit qu'Yseult est toujours aussi belle, aussi classe.

(Je vais t'en faire un «classe», moi!)

— Eh bien, merci beaucoup, Gabriel.

— Sais-tu si elle revient pour Noël?

— Qui?

— Yseult, voyons!

— Ah oui! Non... non elle m'a rien dit. Je pense pas, non. Les Fêtes, c'est pas tellement son genre.

— C'est vrai... Heu, veux-tu la saluer pour moi? Vraiment, dis-lui que je pense à elle... souvent.

— Certainement Gabriel, je lui fais le message. Merci encore.

Elle raccroche, souriante : t'as entendu ? Il te fait ses amitiés émues. Il pense à toi... souvent !

Elle ajoute Jocelyn Maltais à la fin de sa liste, la considère : quelle misère ! C'est ce qui s'appelle avoir des relations étroites avec sa mère. Elle plie le papier, le range dans le sac de plastique avec les autres reliques. Elle se retient pour ne pas tout balancer au bout de ses bras : elle en a assez des états d'âme d'Yseult, de ses petites phrases blessantes, de ses secrets. Elle en a assez de sa supposée détresse. Elle n'avait qu'à appeler : elle est sa fille, pas un monstre. Elle l'aurait aidée.

Elle rit toute seule en arpentant le loft : aider Yseult ! Quelle hérésie ! Aider la reine, l'intouchable ! Même en mourant, Yseult lui indique sa place : au pied, le pou !

Elle s'affale dans le sofa, allume la télévision et s'absorbe complètement dans ces histoires niaiseuses où les couples s'engluent.

En se couchant, elle décide de mettre fin à cette torture, de faire enterrer sa mère dès demain et de jeter tous ses effets, sauf les bagues. Fini. Terminé. Elle ne gâchera certainement pas sa vie parce que sa mère s'est tuée !

U ne boule, une boule vaseuse, molle, informe roule sur elle, l'écrase, la suffoque. La boule l'atteint, la jette face contre terre, recule, revient buter contre elle. La marée monte, il faut qu'elle s'échappe, elle doit s'enfuir avant que l'eau ne l'atteigne. Elle veut crier mais elle aspire de la vase, la boule gélatineuse possède une force terrible, même si le choc contre son corps semble mou. Elle s'agrippe à la terre qui cède, s'ouvre sous elle, l'aspire. Les sables mouvants! Elle va mourir. Elle se débat, essaie d'hurler, un étranglement humide et de la vase sortent de sa bouche. Elle essaie de se forcer à l'immobilité, malgré la masse qui s'abat sur son dos, malgré la vase qui, dans un clapotis de succion, l'attire, l'aspire vers le fond. Il faudrait relever la tête au moins, extirper le nez. Elle prend appui sur ses bras, tente de dégager sa face de la vase : son bassin s'enfonce. Et puis c'est l'horreur totale : les sables mouvants la sucent, l'excitent, ouvrent son sexe, travaillent à sa jouissance. Terrorisée, elle tremble de peur et du désir qui monte, confondant les deux. Elle veut bouger ses hanches, en finir, faire éclater le plaisir, mais plus elle ondule, plus elle cale, disparaît, étouffe. Avant d'être gagnée par la volupté, elle tente une dernière fuite, serre les dents et tire, tire follement pour extraire sa face. Un cri de victoire et de jouissance mêlées la réveille.

Hagarde, toutes lumières allumées, elle s'est assise au salon, incapable de rester dans la vase du lit. Elle tremble et son sexe palpite : elle a joui ! Toute seule, comme ça, au milieu du cauchemar, elle a joui. Une écœurante jouissance qui pompe encore son ventre. Dégoûtée, elle marche, va faire chauffer du lait. Elle refuse d'y penser. Elle ne veut pas analyser, elle s'en fout des symboles. Elle veut dormir en paix, vivre en paix, baiser en paix quand elle en a envie, si elle en a envie. Compris ? Elle ne veut pas parler à Yseult. Ce n'est pas normal de continuellement apostropher sa mère. Surtout quand elle est morte. Il doit pourtant y avoir moyen de la faire taire, de la liquider une fois pour toutes. Elle verse son lait, ajoute de la vanille, retourne dans le sofa.

Il doit y avoir une association de parents de suicidés qui aide les gens à s'en sortir. Est-elle vraiment obligée de mourir étouffée toutes les nuits parce que sa mère s'est noyée ? Il y a des limites, non ? Elle boit le lait à petites gorgées : ça passe, il y a de l'espace, pas trop de vase qui forme un bouchon. C'était un rêve, juste un mauvais rêve. Comme quand elle était petite. Le rire derrière la porte. C'était le cauchemar récurrent de son enfance. Le rire d'une femme derrière une porte et elle, certaine que c'est sa mère, s'approche, touche la poignée, la tourne : elle entend, terrifiant, un murmure rauque et ce rire singulier que sa mère avait parfois. Elle veut ouvrir la porte mais sait qu'elle doit rester fermée, qu'elle n'a pas le droit.

Enragée, elle reste devant la porte, rouge de colère, inquiète du plaisir qu'elle entend et qui ne dépend pas d'elle. Exclue et apeurée à l'idée que sa mère en meure. Comme la psy s'était délectée de ce rêve ! Comme elle avait voulu qu'elle y revienne, en parle un peu plus, en décrive les détails. Comme elle savait où ça menait ! Diane s'en voulait beaucoup de l'avoir révélé, gênée de rêver aussi clairement une symbolique primaire qui ne masquait rien. Comme elle se trouvait ridicule, d'une évidence criante. Presque vulgaire de clarté. Après, pour corriger l'impression, elle avait inventé d'autres rêves plus complexes, mieux ficelés que les siens, s'était embourbée et avait renoncé à poursuivre ce sujet. La psy avait été très déçue, le matériel devenant de plus en plus croustillant et de plus en plus proche de ses manuels.

Finalement, elle avait ouvert la porte et trouvé Yseult morte. Elle ne le ferait plus, son petit rêve enfantin. Finie la peur : Yseult est effectivement morte, plus rien à craindre là-dessus. Le pire est arrivé, elle peut respirer.

Elle termine son lait. Yseult aurait dû l'emmener avec elle en voyage. Elle aussi est déprimée et a des chagrins à oublier. Elles auraient pu en profiter pour parler ensemble, se promener dans la campagne et régler leurs vieilles disputes, leurs vieux conflits inutiles. Pourquoi ne pas se rapprocher, ne pas faire preuve d'un peu d'indulgence ? La vie est si pénible. Surtout la nuit. Yseult aurait dû l'inviter, elle a changé, elle n'est plus la petite adolescente colérique qui l'accusait continuellement. Mais, bien sûr, elle n'y a pas pensé.

Diane s'allonge sur le sofa, pose la tasse sur son ventre, la fait tourner lentement: c'est un jeu, elle n'est pas dupe, un petit jeu pour la nuit, le temps qu'elle passe. Juste un répit, une évasion. Ça lui fait du bien et ça ne fait de mal à personne. Elle va engueuler sa mère à son retour, lui dire qu'elle aurait dû l'emmener. Elle a porté ses bagues fidèlement mais elle n'a plus l'âge d'attendre sa mère en se contentant de porter ses bijoux. Il faut qu'Yseult comprenne un peu, il faut qu'elle tienne compte de sa fille.

Elle va chercher une couverture, revient au sofa, s'installe. Demain, elle va appeler oncle Roger. Elle va lui dire qu'Yseult l'a envoyée lui demander à lui ce qui s'était passé. Elle s'endort en imaginant la face congestionnée d'embarras de son oncle comptable.

— Oui, je savais qu'elle te dirait ça, elle m'avait averti : le jour où ma fille demande des comptes, tu t'arranges avec.

Diane est sidérée, choquée : «Je ne te demande pas vraiment des comptes...»
Il rit, engouffre un morceau de pain en attendant sa soupe. Il n'est pas aussi insignifiant qu'elle voulait le croire. Il a vieilli, grossi, il a perdu des cheveux, mais il est plus gai, plus énergique que dans son souvenir. Et il a l'air très à l'aise, enchanté de la revoir en plus. C'est elle qui éprouve un malaise :

— Je ne veux pas avoir l'air de te faire un procès.

— Penses-tu ! C'est une vieille histoire entre ta mère et moi. Comment va-t-elle ?

— En voyage pour un bout de temps.

— Et t'en profites pour fouiller ses tiroirs ?

Elle rit sans rien dire, prise en flagrant délit. Pourvu qu'elle ne rougisse pas ! Il massacre son carré de beurre, l'enfouit dans ce qui reste de pain, s'interrompt : «Tu sais, c'est une femme pas mal extraordinaire, ta mère !»

Elle acquiesce, muette. Elle n'est pas pour nier même si elle a des réserves sur les côtés extraordinaires d'Yseult.

— On se revoit une fois par année, au mois de mars. Je lui fais sa déclaration d'impôts. On en profite pour manger ensemble, se donner de nos nouvelles.

— Tous les ans?

— Hé! Ça revient chaque année, l'impôt! Mais c'est bien agréable de la revoir.

La soupe arrive. Il sale, poivre généreusement avant même de goûter. Il mange avec un solide appétit : « Qu'est-ce que tu veux savoir, ma noiraude? »

Elle se sent idiote. Chaque année! Il la voit encore chaque année et elle n'a pas de ses nouvelles depuis sept ans!

— Diane? Tu rêves?

Elle se secoue, revient à lui. En plus, il a les yeux bleus!

— Ben... je veux pas être indiscrète, mais...

Elle patauge comme une imbécile. Elle est gênée de parler de sexe devant cet homme jovial qui mouche son assiette avec du pain.

— Mais tu veux savoir si ta mère a trahi ta tante aussi terriblement que ça en avait l'air à l'époque?

— Oui.

— Oui.

Il la regarde en souriant, ses mains potelées rangées sous son double menton, pas gêné, pas contrit du tout.

— Oui?

— Aussi net que ça!

Et il rit, le monstre! Il rit comme si c'était une bonne blague. Elle balbutie :

— Mais Méli...

— Ta pauvre tante Méli détestait tout ce qui était sexuel. Tout. Elle n'avait de l'appétit que pour la nourriture pure et dure. Elle n'a pas changé d'ailleurs. Tu l'as revue dernièrement?

Elle fait non, piteuse.

— Elle se bourre de sucre, qu'est-ce que tu veux? Ça paraît. Mais pour être honnête, Méli, c'était un gros zéro dans un lit. Mange ta soupe!

Elle a déjà un peu mal au cœur. Elle avale une cuillérée, péniblement.

— Quand j'ai vu Yseult la première fois, j'ai failli tomber à genoux: une beauté incroyable! Une madone avec des yeux de péché. Un péché mortel ambulant. Elle, elle ne manquait pas d'appétit. My God! le beau party!

Le plat principal est servi. Il saisit sa fourchette, roule allègrement ses spaghettis, les engloutit avec, dans les yeux, le souvenir piquant de ses aventures.

— Très bon. Goûte! En tout cas, je pourrai remercier ta mère toute ma vie: elle m'a rendu un maudit bon service.

— En... (Pourquoi est-elle si gênée de le dire?) En te permettant de divorcer?

— Ça? Non... J'y serais venu tout seul à force. Non, en remettant le courant électrique dans ma vie. En me faisant cadeau d'une intensité difficile à expliquer. En me réveillant, quoi!

Diane le fixe, ne saisit pas:

— En te réveillant?

— Écoute, j'ai un ami qui vient de faire une crise cardiaque. Infarctus, soins intensifs, toute la patente. Laisse-moi te dire qu'il l'a vue passer proche, sa mort. Ben ce gars-là est plus le même depuis, ça a changé sa vie. Fini, les pertes de temps, les gens insupportables, les fausses relations. Fini. Il vit. Il a décidé de profiter totalement, pleinement du temps qui lui reste à vivre. Yseult, ça a été mon infarctus à moi. Imagine : c'est arrivé il y a vingt ans. Vingt ans que j'ai gagnés sur l'engourdissement total.

— Voyons... tu vivais quand même pas dans misère.

— Oh non... j'étais beaucoup trop confortable pour me douter que le confort, c'est pas vivre. Beaucoup trop dorloté pour me douter que c'est pas ce que je souhaitais. Ça prenait un éclair comme ta mère... ton âge... Elle avait ton âge, vingt-neuf ans.

— Trente.

— Ah, plus jeune, c'est-tu possible ? Belle... pas disable. Et le sens du plaisir, le sens de l'instant piqué dans ses yeux qui voyaient tout. Elle a vu tout de suite que je me mourais d'elle. Tout de suite. Pas de mystère, rien. Elle s'est moquée, m'a découragé : rien à faire, je la désirais, je la voulais, je pensais juste à ça.

— Elle voulait pas ?

Il rit, c'est presque gênant tellement c'est fort. D'ailleurs les gens de la table d'à côté les regardent :

— Rien à faire ! Et j'ai essayé !

— À cause de Mélisande ?

— Non. J'étais pas son genre, tu dois bien te douter. Les petits comptables bedonnants, Yseult avait rien à faire de ça. Je dis ça... c'est pas si vrai. C'était pas une question de physique, c'était une question de feeling. Ça cliquait pas.

— Ben d'abord...

— Comment ça s'est fait? Par abandon du joueur, je pense. Je la faisais rire aussi. Yseult riait et on aurait dit que le soleil se levait. Je la lâchais pas, je lui fournissais des reparties et, pourtant, dieu sait qu'elle a le tour avec les phrases. Et puis un jour, je lui ai dit que je la voulais, point à la ligne. Une fois. Juste une. Je lui ai dit que je voulais savoir une fois dans ma vie c'était quoi toucher au feu. Qu'après ça, je ne réclamerais rien, je disparaîtrais, j'arrêterais de la poursuivre. Je lui ai dit que je voulais rire et faire l'amour avec elle pour le plaisir, pour brûler un instant parfait, pour vivre à la bonne vitesse une fois dans ma vie.

— Elle a voulu?

— Ça t'étonne, han? Et je ne l'ai pas forcée! Je pense que, sur le coup, mon exposé devait être très convaincant. Elle en a eu envie. Parce que tu penses bien que j'aurais pas accepté qu'elle me fasse la charité. Et Yseult a bien des défauts, mais pas celui-là.

— La charité?

— Oui. La charité pitoyable des bien nantis, bien pensants. Ceux qui savent ce qui est mieux pour toi.

— C'était pas un peu pour te permettre de divorcer?

— Ah oui: notre invention machiavélique, notre stratégie de repli. On a ri! Quand on s'est vu pris dans le champ de bleuets, pris les culottes baissées c'est le cas de le dire, Yseult a soupiré, elle a regardé le ciel et a dit: «Ça va être l'enfer avec Mélo.» Moi, je me sentais tous les courages et je lui ai suggéré de parler de charité pour m'aider à divorcer. Bref, ce que tout le monde penserait étant donné la séduction du beau-frère. C'était ça ou le viol dont j'assumais évidemment les torts. Yseult a parlé d'endosser la responsabilité de mon viol, mais ça manquait de vraisemblance. Qu'elle a ri! Ça lui convenait parfaitement: service rendu au beau-frère pour le délivrer de sa femme.

— Mais Méli a eu de la peine, quand même...

— Méli était insultée, indignée, scandalisée et très gênée pour nous, mais elle n'avait pas tellement de peine. Méli en aurait eu si elle s'était questionnée sur elle-même, si elle s'était inquiétée de ses déficiences. Ça n'a pas été le cas. Elle s'est contentée de faire la victime, elle a pleuré, elle a récolté la pension que je lui verse avec plaisir encore maintenant, mais Méli n'a pas eu de vrai chagrin.

— T'as pas le droit de dire ça!

Elle se sent quand même tenue de défendre l'intégrité de Mélisande. Elle les trouve ignobles avec leur complicité.

Il la regarde tristement:

— Diane, je vais te dire une chose: si Méli avait voulu se réveiller, se poser une ou deux questions, si elle avait saisi sa chance, on aurait mis ça sur le compte d'un égarement passager et on aurait passé l'éponge. Mélisande a fait ce qui lui convenait, elle a choisi de ne pas se poser de questions.

— Mais t'étais amoureux de sa sœur!

— Non.

— Non?

— Non. Amoureux fou de la vie. Amoureux de la vitalité, de l'énergie gourmande, sensuelle, sexuelle qu'Yseult dégageait, oui, mais pas d'elle. On ne s'est pas imaginé être des amants maudits et condamnés par le sort. Ni elle, bien sûr, ni moi. Je voulais vivre, j'avais trente-deux ans. J'avais la chance de pouvoir fréquenter mieux qu'une star de cinéma, j'avais la chance de toucher à ce qui me semblait le summum de la perfection dans la vie, je l'ai pas ratée.

— Et tu l'aimais même pas!

Il hoche la tête, surpris de la trouver encore si naïve, si enfantine; cette romantique serait la fille d'Yseult la lucide?

— Je l'aimais. Je l'aime encore mais je n'étais pas amoureux d'elle.

— Je comprends pas.

— Yseult m'avait bien dit que tu ne comprendrais pas.

Insultée, elle picore dans son assiette. Puisqu'elle est supposée être trop obtuse pour comprendre, elle change de sujet:

— T'es remarié?

— Non. J'ai assez d'une pension à payer. Mais je vis avec quelqu'un. Ta mère la connaît.

— Ah bon.

Elle abandonne son assiette, regarde la salle. Elle voudrait s'en aller maintenant, elle n'a plus envie de l'entendre.

— Mais qu'est-ce qui te choque tant là-dedans?

Il attend. Il attend patiemment la réponse. Elle ne dit rien. Elle ne le sait même pas. Elle se sent trahie. Elle se sent comme Méli et elle sait bien que ce n'est pas le bon côté pour Yseult. Elle se sent jugée et malheureuse.

— Tu trouves que c'est immoral?

— Oui.

— Pourquoi? Parce que c'est la sœur de ta mère qui était ma femme?

— Peut-être.

— Fais pas cette tête-là, Diane, parle, dis-le. C'est pas grave. Si tu veux, je te promets le secret. J'en parlerai pas à Yseult.

— Je comprends pas pourquoi, elle, elle a fait ça.

— Probablement que, pendant un instant, j'ai eu tout le charme que je pouvais espérer avoir dans ma vie.

— Non, je veux pas dire... ah, tu sais bien...

— Oui, je sais. Elle a fait l'amour avec moi, fais pas de grimace c'est pas si affreux, parce qu'elle en a eu envie. Parce qu'on a ri, qu'il faisait soleil, parce qu'y avait pas de bleuets dans notre coin...

— C'est pas vrai, y en avait. Je les ai ramassés.

— De l'autre côté de l'eau, oui. Là où tu étais.

— J'étais à côté, j'ai tout vu.

— T'as toujours dit ça, Diane, mais t'étais avec Méli de l'autre côté du ruisseau. Même Méli a confirmé qu'elle ne t'avait pas quittée des yeux quand t'as commencé à dire que tu étais près de nous.

— C'est comme ça que je m'en souviens.

— Tu veux dire que tu te rappelles nous avoir vus? Précisément?

—... Non. Je me rappelle vous avoir entendus. Entendus rire.

— C'est impossible, voyons! On était trop loin.

— Dans ma tête, c'est comme si je vous avais entendus.

— Pourquoi?

— Parce que c'est réel pour moi, comme si j'étais là.

— Pourquoi c'est si réel?

— Parce que c'est épouvantable.

— Faire l'amour?

— Non, c'est d'être si proche, si proche des autres, dehors, en plein air, quand n'importe qui peut vous surprendre, je sais pas, ça m'a fait...

— Sale? Indécent? Ça t'a fait quoi?

— Ah écoute... ça m'a impressionnée, c'est tout.

— Tellement que tu t'es vue à côté de nous en train de nous surprendre. C'est Émile qui est arrivé. Émile Dorion le fatigant qui cherchait sa talle de bleuets et qui a hurlé tellement y a eu peur. Y était pas tout seul à avoir eu peur. On a fait un maudit saut, je t'en passe un papier.

— Me souviens pas.

— Non? On aurait dû te parler aussi. Ça, je dois dire qu'Yseult avait une drôle de manière de négocier avec toi.

— Comment ça?

Son air ombrageux de petite fille jalouse, comme il la retrouve intacte! Il sourit:

— Elle te protégeait beaucoup.

— Tu trouves?

— Toi, tu trouves pas en tout cas. Yseult a

247

longtemps admiré ta propension à rêver, à fabuler.
C'est pas mal plus tard qu'elle s'est aperçue que
ça te jouerait des tours.

— Je me débrouille pas si mal.

— C'est vrai? Comment? Parle-moi de ta vie
un peu.

— Je travaille, je gagne bien ma vie. Je vais
probablement changer d'emploi. J'ai un ami, on
va partir ensemble pour Noël.

— Tu changes d'emploi?

— J'y pense... pas assez de défis. Je peux te
poser une autre question?

— À propos de ta mère?

— Oui. Lui as-tu donné une bague?

— Moi? Non. J'y aurais pas pensé seulement.
Pourquoi? Pour faire comme les autres? Je ne me
suis jamais senti dans ce clan-là. On est vraiment
amis tous les deux.

— Oui? Elle se confie à toi?

Encore un qui s'illusionne, encore un qu'elle
a eu, à qui elle a donné de l'importance et qui se
croit champion. Pauvre Roger! Si tu savais ce que
tu pesais quand elle montait sur le pont!

— Non. Pas au sens habituel. Pas tellement
son genre je pense. Une fois, y a six ans... elle m'a
appelé. En pleine nuit. J'ai été heureux qu'elle
m'appelle.

— Qu'est-ce qu'elle voulait?

— Un ami. Quelqu'un pour la prendre dans
ses bras le temps que la crise passe, le temps que
la nuit finisse.

— Tu l'as fait?

— Certainement. J'ai mis mon manteau par-dessus ma robe de chambre tellement je suis parti vite. Un fou! Elle m'attendait dans l'escalier, les yeux secs, le souffle court.

— Qu'est-ce que t'as fait? Qu'est-ce qu'elle avait?

— J'ai pas posé de questions, je suis resté avec elle et je l'ai tenue dans mes bras jusqu'au matin. Je l'ai juste calmée. Je suis revenu tous les soirs jusqu'à ce qu'elle me dise que ça allait. Je te l'ai dit: on est amis tous les deux.

Elle n'en revient pas: comment sa mère avait-elle eu besoin de lui? De quel droit avait-elle choisi le comptable pour la serrer? Six ans, pas sept...

— Où t'étais en octobre?

— Cette année?

— Oui.

— Attends... c'est fou que tu me demandes ça de même. As-tu une date précise? Qu'est-ce que tu cherches exactement?

— Elle m'a dit qu'elle t'avait appelé avant de partir. Vers la mi-octobre... disons le 15.

— Ah oui! Le congrès à Chicago! J'ai été à un congrès et j'ai pris une petite semaine après. Elle m'a appelé? Pourquoi?

— Je sais pas. Tu lui demanderas au mois de mars.

— Non, pas cette année. On va se voir avant à cause de la nouvelle taxe. Faut que je lui explique ça.

— Bon alors, tu verras. C'était probablement à propos de ça.

Il insiste pour payer. Quelle chose étrange de savoir que cet homme est l'ami de sa mère et qu'elle l'a peut-être appelé avant... non! Elle est partie en voyage.

— J'espère te revoir avant vingt ans, Diane. Je peux dire à ta mère qu'on s'est vu?

— Bien sûr. Pas de problème.

Diane ne veut pas rentrer. Il faut qu'elle marche, qu'elle réfléchisse. Le temps est plus doux aujourd'hui, la neige s'est alourdie, elle dégage une humidité presque printanière. Plus difficile de croire à Noël. Elle voudrait tant que ce soit le printemps. Le soleil chaud sur une peau assoiffée, l'odeur de terre puissante, la clarté lumineuse. La robe de printemps... repartir avec Yseult acheter une tenue pour dire bonjour à la nouvelle saison. Yseult faite pour l'été, les robes légères qui dansent sur sa peau, l'effleurent, Yseult qui boit le soleil chaud comme une plante, qui s'épanouit à seulement dire: «l'été»...

Peut-être qu'au printemps elle va revenir, peut-être qu'elles pourront rire, parler ensemble? Peut-être qu'elle pourrait s'excuser et tout recommencerait. Mieux qu'avant. Peut-être qu'il ne suffit que d'y croire assez fort. Elle se souvient de la crème solaire sur la peau dorée d'Yseult et de son immobilité parfaite, attentive presque. («Laisse le soleil te toucher, le pou, laisse-le te faire plaisir.») Elle se souvient qu'elle s'assoyait près d'elle et la respirait clandestinement en faisant semblant d'étaler la crème, de ramasser sa balle. Yseult souriait au soleil, paisible... pas une angoisse qui résiste à la main puissante du soleil, son alliée.

C'est parce que c'était l'automne peut-être ?
Parce qu'il n'y avait personne ? Parce que Roger
était parti. (L'aurais-tu appelé, maman ? L'aurais-tu
attendu ? Dis-moi qu'il n'y avait rien à faire. Dis-moi
que je n'aurais rien pu faire.) Elle s'arrête devant
un arbre de Noël immense, allumé malgré qu'il
fasse encore jour. Roger et sa face de père Noël, sa
gourmandise... Elle ne peut plus se dire que c'est
parce qu'il fait pitié, qu'il est minable. Quand
même, cette façon qu'ils ont de mépriser Méli, de
l'exclure comme ça, d'un haussement d'épaule,
c'est plutôt pratique : « Si elle avait voulu se poser
des questions. » La voix grave de Roger la suit.
Quoi ? Quelles questions ? Se réveiller comment ?
Bizarrement, elle se sent très visée, coupable elle
aussi d'aveuglement, d'inconscience volontaire. Bon
d'accord, Philippe était une erreur, elle avait envie
de mariage, de confort, de luxe. Pourquoi pas ? Être
traitée en reine comme sa mère, c'était tentant,
non ? C'était légitime... Elle n'était quand même pas
tenue d'aimer baiser avec lui ! Oui ? Elle ne savait
rien de tout ce qu'il lui demanderait et, dès la
première fois, ça l'avait dégoûtée. Même soûle,
rendue inconsciente par toute une bouteille de
scotch, les lèvres molles de Philippe la révulseraient.
Ses baisers interminables, gélatineux... elle
frissonne, change de direction.

Retourner rue Querbes, sonner, se trouver
face à cet homme et lui demander... quoi ? Ce qu'il
était, ses références ? Ce qu'elle était avec lui, ses
manières ? Quel intérêt ? Elle va apprendre qu'elle
était Yseult, rieuse ou morose selon les jours,
amoureuse fiévreuse, belle à se damner et distante

certains matins, certaines « Aubes navrantes »...
Yseult qui ferme les yeux au soleil, renverse la tête,
Yseult qui fond sous la caresse quelle que soit la
main. Elle est encore revenue rue Hutchison, encore
à son point d'ancrage. Cet appartement dont elle
a la clé chez elle et qu'elle craint comme les
phrases brutales d'Yseult. (« Pas voulu se poser de
questions. ») Quoi ? Quelles questions ? Comment
peut-elle démêler l'écheveau ? C'est trop tendu,
trop touffu, elle ne sait pas par où commencer.
Non, elle n'ira pas chez la psy pour s'entendre dire
des tas de lieux communs. Elle préfère les siens.
Et elle n'ira pas rue Querbes. Elle cherchera le
dernier, c'est tout. Celui qui a perdu Yseult ou l'a
laissée se perdre. Enfin, un vrai responsable !

À son troisième essai, la téléphoniste des renseignements généraux de l'université lui confirme: «Oui, on a un Jocelyn Maltais de listé.» Elle note le numéro mais décide de se rendre à l'université.

Le nom est sur la porte entrouverte, elle frappe. L'homme est sur le point de partir, il ferme sa serviette, hausse le sourcil droit: il est vieux. Enfin... il a l'air vieux, cheveux gris, peau martelée au poinçon d'une ancienne acné, bouche comme un fil:

— Oui?

— C'est pour une recherche que je fais. On m'a dit de venir vous voir.

— Quel sujet?

— Le sida et ses réper...

— Allez plutôt voir Sauvé. Bureau 7230.

— Je préférerais vous parler à vous.

— Je ne peux pas vous aider.

Il veut sortir. Si elle se poussait un peu, elle est certaine qu'il en profiterait pour s'éclipser. Elle attaque de front: «En fait, ma recherche porte sur Yseult.» Elle l'examine, traque le moindre recul, le moindre mouvement de reconnaissance. Rien. Calme plat dans son visage, dans ses yeux, un contrôle incroyable. Elle hésite:

— Yseult... Marchesseault.

— Ça ne me dit pas ce que vous cherchez.

— Je voudrais des renseignements sur elle.

— Connais pas.

Il regarde sa montre. Le monstre! Encore un goujat qui veut faire sa vie, qui a eu sa récréation et désire maintenant consacrer son précieux temps à sa carrière. Une minute, mon vieux: «Vraiment, monsieur Maltais?»

Il fait non, ébauche un sourire: «Pas Maltais, Goulet. Gaston Goulet. Maltais n'est plus là.»

Sa bouche s'ouvre d'elle-même tellement elle est décontenancée: «Mais...» Elle indique la porte, le nom sur la porte. Il éteint la lumière, l'entraîne dans le corridor, ferme à clé:

— Lenteurs administratives: un an minimum pour changer la plus petite plaque. Le rythme universitaire, quoi! Au revoir.

— Hé!

Il se retourne en marchant, elle court pour l'atteindre:

— Où il est, Maltais?

— Mort.

Elle reste plantée là pendant qu'il s'éloigne rapidement, devient une petite ombre sur le plancher luisant du corridor.

Elle aurait dû être recherchiste comme sa mère, elle perdrait moins de temps. Elle épluche la colonne de décès du 2 octobre, la met de côté, prend celle du 3. La bibliothèque est déserte, pas un son. Elle travaille jusqu'à la fermeture sans rien trouver. Peut-être aurait-elle dû remonter plus loin? Gabriel a dit « l'année passée ». C'est vaste comme champ d'investigation. Mais s'il s'est tué, comme elle le pense, l'effet d'entraînement pour Yseult incluait à son avis une proximité dans le temps. Elle soupire et décide de tout reprendre à partir du 1er juin dès demain. Et les archives qui ferment vendredi soir pour Noël!

Elle rentre épuisée, se fait couler un bain et s'installe dans le sofa en allumant la télévision. Une publicité de poulet lui met l'eau à la bouche: elle n'a pas vraiment mangé avec Roger. Elle grignote des céréales en marchant. Roger est quand même étonnant! Contre toute attente, il dégage de la sympathie. Il parle de tout ça d'une façon dégagée qui ne parvient pas à être méchante ou lâche. Il a un côté assez rassurant. Elle comprend Yseult de l'avoir appelé pour calmer l'angoisse. Roger a l'air de pouvoir calmer les pires cauchemars. Comme Gilbert. Elle s'arrête soudain: quel jour? Quelle date? A-t-elle encore laissé fuir le temps sans s'en rendre compte? Gilbert lui rappelle toujours qu'elle ne doit plus oublier, qu'elle ne veut plus de black-out dans sa vie. Alors? Elle trouve péniblement la date, le jour et elle se dit qu'elle n'a pas encore appelé le monsieur poli pour délivrer Yseult de son frigo. Demain. Demain elle le fait, pas de problème. Demain, elle appelle. Comment s'appelle le monsieur poli, il doit avoir un nom? Elle sort sa carte: Séguin, il s'appelle monsieur Séguin, comme dans *La Chèvre de monsieur Séguin.* «Ah! Gringoire, qu'elle était belle, la chèvre de monsieur Séguin!» Sa mère prenait la peine de jouer tous les rôles. Quel ravissement total! Comme elle avait détesté le disque avec la voix de Fernandel qui disait les mots drôlement, jamais aussi bien que sa mère.

Elle place le carton tout près du téléphone: demain sans faute. Il ne faut pas le faire attendre, il pourrait décider de se débarrasser d'elle et, ça, Diane ne se le pardonnerait pas. Elle veut sa mère, elle va la coucher, la border, l'enterrer. Elle va en prendre soin et la préserver des chagrins. Pas besoin d'appeler Roger, elle est là maintenant, elle est revenue. Elle regarde le téléphone: elle voulait appeler quelqu'un... Ah oui! Gilbert. Pour lui dire qu'elle n'oublie pas, aucun black-out. Pour l'entendre aussi. Pour voir si ça marche encore, si l'effet est encore là dans son ventre. À seulement composer le numéro, elle frissonne.

— Gilbert? C'est Diane.

— Comment t'as su?

— Su quoi?

— Que je te donnais jusqu'à huit heures pour m'appeler.

— Pourquoi? J'avais promis ça?

— T'as peur, han? T'as peur d'avoir oublié... Quel âge j'ai?

Elle rit:

— Vingt-huit ans.

— Non. J'ai vingt-neuf ans depuis aujourd'hui.

— Tu m'as eue.

— J'espère. Je trouvais ça très bon comme entrée en matière. J'avais tout préparé mon téléphone.

— Veux-tu que j'attende huit heures?

— Non, on va improviser. As-tu mangé?

Elle observe les ronds de céréales qui flottent dans le lait:

— Pas vraiment.

— Veux-tu me fêter?

— Du moment que c'est pas au champagne.

— Pourquoi? Tu snobes le champagne? C'est snob en maudit!

— Moi tu sais, j'aime bien le scotch.

— Ah oui?

— Une sorte de faible...

— C'est parce que c'est doré.

— Non. C'est pas doré, c'est ambré.

— Attends de voir le Macallan que j'ai acheté: de l'or liquide, madame. Es-tu prête? Je viens te chercher.

Elle se dépêche, sèche ses cheveux, se maquille. Enfin, la petite robe noire va sortir du sac. Elle se regarde: drôlement sexy! Elle a mis en valeur tout ce qui vient d'Yseult. Elle rit, pose son index sur le miroir : « C'est ça, un beau *body*? »

L'émeraude et le diamant s'entassent sur le même doigt. « Mais je ne suis plus une petite fille avec des goûts de gourgandine, maman, je ne porterai pas le rubis. » De toute façon, il est scié. Elle frissonne, repousse le bijou au fond du sac.

Elle descend dans le hall et attend, fébrile, impatiente. Qu'est-ce qu'elle a? Elle examine trois fois son allure dans le grand miroir, elle a la bouche sèche, le cœur fou. Elle est contente, tellement contente, elle a une envie folle de s'amuser, de fêter, d'oublier.

Il siffle, la fait pivoter :

— Une robe terrible... dans le genre aimant.

— Amant ?

— *Ai*mant... mes mains sont attirées, elles reviennent tout le temps dessus.

Et preuve à l'appui, il s'insinue sous le manteau, tâte son dos, descend, passe sur les reins, s'arrête à la courbe serrée des fesses : « As-tu vraiment faim ? » Il l'attire, la serre, respire son cou.

— Oui !

— Ça sera pas moins pire tantôt, tu sais !

— Oublie pas que t'es plus vieux.

— Va devant, je veux voir comment ta robe marche.

Elle s'exécute, ravie, consciente d'être attirante, presque belle. Pas Yseult, bien sûr, mais une étincelle de sa séduction. Un petit éclat bien vivant de sa substance magique.

— Qu'est-ce que t'as fait pour être aussi en forme ?

— Je me suis battue pour toi.

Elle lui raconte l'épisode Georges avec détails. Il regarde ses bagues : « T'as dû le balafrer avec tes deux éperons. » Elle tend sa main sous la lueur de la bougie, fait étinceler les pierres: «C'est à ma mère.» Il prend sa main, l'ouvre, souffle dedans: «Tu m'as pas appelé, finalement.» Il perçoit le raidissement dans le poignet, il ne lève pas les yeux, continue de fixer la paume dodue, appétissante.

— J'étais un peu secouée.

— Tu t'es remise avec du scotch?

Il mord la paume doucement, pas de réponse. Il mord un peu plus fort, la main se ferme, il la rouvre, la pose sur la table, trace la ligne de cœur: «Vous allez avoir beaucoup d'aventures, mais vous ne le saurez pas. Comme vous êtes très attirante, les hommes vont vous poursuivre. Vous aimez beaucoup le scotch, même si ça vous fait oublier.» Il lève les yeux et termine: «Surtout quand ça vous permet d'oublier.»

Elle retire sa main, choquée:

— Vraiment, Gilbert.

— C'était une bonne soirée, finalement?

— Es-tu jaloux, toi?

— Oui.

Elle pensait qu'il discuterait, argumenterait, qu'il ferait le gars outragé. Non. Il la regarde sans gêne, plutôt sûr de lui, alors qu'elle crèverait de honte d'avouer un tel péché.

— Comme ça aurait pu être n'importe qui, moi y compris, oui, je suis jaloux. J'aime pas l'idée de faire partie d'un paquet étiqueté «sexe». Tu vas me trouver prétentieux, mais je préfère être unique.

— Tu fais pas partie d'un paquet.

— Ah non?

— Non. Es-tu en train de me faire une scène?

— Oui. Profites-en, j'en fais jamais. Je trouve ça inutile et ridicule.

— Alors pourquoi tu le fais?

— Pourquoi tu te soûles, pourquoi tu baises avec n'importe qui, pourquoi tout a l'air d'avoir la même importance pour toi, sais-tu ça, toi? Non? Ben moi je sais pas pourquoi je t'engueule de coucher avec d'autres. Je dois être exclusif. C'est comme ça. Ça me choque.

Un silence tendu. Elle finit son verre, mal à l'aise. Elle ne sait pas quoi dire, elle ne sait pas avec qui elle a couché, elle peut difficilement se défendre ou le rassurer. Elle ne veut pas qu'il se fâche, c'est très important pour elle.

— Écoute, Gilbert, je ne peux pas te jurer que j'ai couché avec quelqu'un et même si je l'ai fait, ça n'a aucune importance pour moi. Toi, par exemple, tu en as. Tu fais pas partie du paquet comme tu dis.

— Merci beaucoup.

— Même si je voulais, je pourrais pas te promettre de ne pas recommencer.

— Je sais.

— Vas-tu bouder?

Elle ne comprend pas cet air résolu, buté qu'il a en la fixant. «Aimes-tu mieux que je parte?» Il a l'air bien songeur, elle finit par être gênée:

— Veux-tu que je parte, Gilbert?

— Je veux te faire l'amour tellement bien, tellement fort que t'arrives jamais à l'oublier, même soûle comme une botte.

Provocante, elle se penche vers lui, il respire un peu de son odeur, voit la peau se creuser sous les clavicules, les seins s'offrir un peu plus dans le mouvement. Elle a les yeux brillants et souffle un «tout à fait d'accord» de cette voix profonde, modulée à même tous les graves disponibles, cette voix qui le rend à moitié fou. Elle se rassoit. La petite robe a une façon de souligner ses seins qui le déconcentre profondément. Le décolleté a l'air si facile à ouvrir, si consentant à être écarté... il est sûr que sa bouche seule y suffirait. À quoi sert de lui faire une scène? Depuis deux jours, il l'a imaginée dans tous les bras possibles, il l'a perdue mille fois. Il a supplié toutes les forces divines répertoriées à ce jour pour pouvoir la tenir seulement une fois, une autre fois encore et s'abrutir de plaisir, oublier toutes les questions, balayer tous les doutes en s'enfonçant dans cette voluptueuse qui palpite sous le décolleté.

— On s'en va?

Cette voix qui en dit plus long que la phrase, cette voix souterraine, branchée sur son sexe. Il hoche la tête négativement. Elle ne comprend pas, il a pourtant l'air réconcilié. Elle respire mal tellement elle a envie de lui : «T'as faim? Tu veux manger finalement?» Il se penche vers elle à son tour, murmure quelque chose. Elle éclate de rire, le regarde tout émoustillée, glisse sa main sous la table sans réussir à l'attraper: «On va manger d'abord!» Il acquiesce, déplie soigneusement sa serviette et la pose sur ses genoux.

C e n'est qu'avec l'arrivée de l'entrée, après un autre scotch, que la conversation a trouvé sa vitesse de croisière.

— Pourquoi Yseult? Pourquoi ce nom-là?

— Parce que sa mère s'appelait Margot, qu'elle haïssait son nom et qu'elle se prenait pour une soprano colorature. Ça, c'est Yseult qui m'a dit ça.

— C'est pas vrai?

— Probablement... ma grand-mère était romantique. Mais Yseult a jamais été une fidèle épouse et Mélisande a jamais eu la chance d'en aimer un autre que son mari. Ce qui faisait beaucoup rire ma mère. Elle appelait Mélisande Mélo, moi je l'appelais Méli.

— Pas mal! Elle s'est mariée? Elle a des enfants?

— Pas d'enfant. J'ai vu son mari aujourd'hui, enfin, son ex.

— Ton oncle?

— Je l'ai jamais considéré à ce titre-là, mais oui, mon oncle.

— Est-ce qu'il a pu t'apprendre quelque chose sur ta mère?

— Non. Pas vraiment.

— Qu'est-ce qu'il pense de sa fin?

— Oh, je sais pas.

— Il dit rien?

— C'est ça.

— Il trouve quand même pas ça normal?

— Tu veux me redonner du vin?

Il verse le vin, pensif:

— Diane... tu veux que je change de sujet?

— Non. Pourquoi?

— Je sens que tu vas te soûler plus vite. Qu'est-ce qui t'énerve là-dedans?

— Rien du tout.

— Ton oncle a dit quelque chose de choquant sur Yseult? Il l'a mal jugée?

Elle rit.

— Non. Non.

Il arrête sa main qui allait encore saisir le verre:

— C'est quoi qui t'énerve?

— Gilbert, pas de thérapie, O.K.?

— O.K.

— Mon oncle a été l'amant de ma mère.

Là, elle l'a eu: il est stupéfait:

— T'es pas sérieuse? Ta tante le savait?

— Oui, ils ont divorcé à cause de ça.

— Ça devait pas être l'amour total entre elles.

— Non. Elles ne se sont jamais reparlé depuis le divorce: vingt ans.

— Mon dieu... qu'est-ce qu'elle a dit?

— Qui?

— Ta tante.

— Que sa sœur était une putain.

— Non, quand elle a su pour le suicide.

— Mais qu'est-ce que t'as à toujours demander ça? Je le sais pas, moi, ce qu'elle a dit. Je lui ai pas parlé.

— Vous êtes fâchées aussi ?

— Non. Je l'ai pas revue, c'est tout. On n'est pas une vraie famille, Gilbert, ôte-toi ça de la tête.

— Je vois ça !

Elle fait dévier la conversation, le fait parler de sa mère, de son père, de ses frères. Quand elle était petite, elle pensait que toutes les familles étaient comme à la télévision. (« Si tu penses que tout le monde vit comme dans *Papa a raison* ! ») Elle se croyait la seule exception. Gilbert la fait rire avec les divorces, les drames familiaux. Son père s'est remarié, sa mère aussi, la multiplication des sous-familles donne un arbre généalogique qui a des allures de labyrinthe. Tout, sauf la fameuse normalité. Elle est ravie :

— Toi, tu t'es déjà marié ?

— Laisse-moi une chance, j'ai vingt-neuf ans aujourd'hui !

— T'aurais pu faire une erreur de jeunesse.

— T'en as fait une, toi ?

— Oui, mon cher. Toute une : mariée à dix-neuf ans, divorcée à vingt.

— Gros succès !

— C'était pour écœurer ma mère.

— Ah... t'as pourtant l'air de l'aimer.

Le silence de Diane l'incite à changer de cap :

— Qu'est-ce qui marchait pas avec ton mari ?

— Le sexe.

— Non ?

L'œil allumé, il attend. Elle hésite : difficile de lui dire à lui qu'elle n'aimait pas ça. Il insiste :

— Donne-moi des détails, le sexe c'est vaste.

— Pas tant que ça.

— Dis-moi-le. Je veux pas refaire ses erreurs.

— Aucun risque. C'est l'esprit qui me déplaisait. Toi, t'as une façon de faire l'amour qui me plaît.

— Quand tu t'en rappelles.

— Je m'en rappelle, essaie pas de me diminuer. (Elle égrène son pain pensivement.) Ça m'arrive de revoir ta bouche en pensée et de mourir d'envie que tu m'embrasses. Partout. Longtemps.

— Si tu voyais tout ce que je t'ai fait pendant le conseil d'administration cet après-midi.

— C'était bon? J'aimais ça?

— En tout cas, moi, j'aimais ça. Je te montrerai tantôt.

— Raconte.

— Tu veux que je sois plus capable de me lever?

— Si tu y as pensé pendant un c.a., tu devais être présentable.

— Mon œil! J'ai pas pris de café à cause de toi.

— Le rapport?

— Le rapport, c'est que, pour le café, il faut se lever, traverser la salle de réunion et revenir; tout ça devant ses collègues.

Elle finit son verre: «J'ai plus tellement faim, Gilbert.»

Il la voit frétiller, les yeux brûlants, bouche entrouverte d'expectative. Cet air affamé, traqué par le désir l'excite plus que tout:

— Encore un peu de vin?

Elle fait non.

— Un dessert, peut-être?

Elle fait non.

— Un café?

— Toi.

— Non, moi je prendrai pas de café. Tu veux y aller? — Si tu veux pas que je plonge en dessous de la table et que je t'empêche de te lever pour le reste de la soirée, viens-t'en!

— Dis pas ça, tu me tentes.

Elle se lève, se place à côté de lui. Cette robe noire le rend fou. Elle se penche vers lui, en prenant appui sur son accoudoir, elle saisit sa serviette, la dépose près de son assiette. La courbe de son sein effleure presque sa joue. Elle chuchote: «Tu vois mes seins?» Il émet un son qui peut passer pour affirmatif. Elle continue en secret, très près de lui:

— C'est une robe magique pour les seins: juste à bouger des épaules, et on peut les découvrir plus ou moins, selon l'envie.

— Montre.

Elle se penche encore, pousse le sel sur la table. Il voit les bouts rosés, la courbe de l'aisselle. Il passe la main sur sa croupe de féline.

— Pousse-toi, je ne peux plus me lever déjà.

Elle se redresse:

— Je vais payer, prends ton temps.

— Pas question!

— Oui, c'est ton cadeau de fête.

Elle s'éloigne. Cette légère ponctuation des hanches à chaque pas lui rappelle qu'il avait une autre idée de cadeau.

À la caisse, elle hésite à sortir sa carte de crédit. Elle n'a pas envie d'être déçue ce soir. Elle se demande si, légèrement soûle comme elle l'est, le mécanisme s'envole. Elle tente un essai sur le dos de la facture : informe, même le prénom est informe, le nom bloque par la suite. Elle sort l'argent, préoccupée : il faudrait pourtant qu'elle récupère sa signature. Elle hausse les épaules : demain, elle va régler ça demain.

I l fait encore doux, le vent transporte une odeur de pluie. Ils marchent vers la voiture, elle devant : «Ça sent le printemps!» Elle se retourne, recule, s'appuie sur la voiture sans le quitter des yeux. Il avance. Mon dieu, s'il la regarde encore comme ça, elle va se déshabiller ici, dans le stationnement. Il s'arrête à deux pouces d'elle, mains dans les poches. Elle ouvre son manteau, le souffle bref, l'invitation non déguisée. Rien. Il ne bouge pas. Et ce n'est pas parce qu'il n'a pas l'air tenté.

— Gilbert, touche-moi.

Il ne fait rien, il fixe sa bouche :

— Où?

— Partout...

Elle approche son corps, le colle sur le sien. Il la prend aux épaules, l'appuie sur la voiture, glisse ses mains entre la robe et la peau, les descend lentement, inexorablement, entraînant la robe, dénudant les épaules. Il continue comme s'ils n'étaient pas dehors, dans un parking, en plein hiver. Elle ferme les yeux, la poitrine tendue, frémissante. Il arrête le mouvement alors que ses seins sont à la lisière du tissu, presque entièrement exposés, dressés, impatients. Il pose ses pouces sur les bouts durcis qui se tendent sous les plis de la robe, avides : «Jusqu'où?»

Elle ne répond pas, essaie de bouger pour faire saillir ses seins, leur permettre de trouver la chaleur de ses mains si proches. Il l'arrête :

— Jusqu'où ?

— Jusque-là... Plus loin.

Il s'incline, pose sa bouche là où le tissu sombre fait éclater la blancheur du sein, il promène ses lèvres sur la frontière, prenant bien soin de ne pas le découvrir davantage. Elle gémit. Il glisse sa langue à l'intérieur du décolleté ; le sein ferme, gonflé de désir, se love dans sa bouche, pressant, implorant un peu moins de délicatesse. Il le prend, l'aspire. Il cueille l'autre facilement, le décolleté n'offre aucune résistance. Diane ne bouge plus, tout entière réfugiée dans la caresse. Il baisse encore un peu la robe consentante, elle s'appuie sur la voiture, se cambre. Il abandonne ses seins, revient vers son visage : « Tu vas prendre froid. » Elle gronde un « jamais ! » urgent. Il s'éloigne un peu, la contemple : ses seins blancs nus, petites coupoles opalines, magnifiés par la robe descendue, le cou gonflé, tiré par la tête qui s'incline vers le toit de la voiture, les bras prisonniers de la robe, tout cet abandon laiteux entravé par le trait noir du tissu qui le barre et l'exalte. Même le manteau abandonne lentement, coule vers le sol, retenu seulement par ses hanches. Une flambée de désir le saisit : il voudrait la prendre tout de suite, contre la voiture, la tenir fermement et l'empaler, la faire crier de plaisir, la tenir sur lui, les fesses serrées dans ses mains. Il l'embrasse violemment. Les boutons froids de sa veste s'incrustent dans la peau brûlante. Il s'arrête soudain, la rhabille précipitamment, ouvre la portière, l'assoit. Elle s'ajuste en riant, remet ses seins à l'abri. Il pousse le chauffage au maximum. Elle s'appuie contre la portière :

— T'aurais pu.

— On n'est pas au cinéma, je savais plus comment faire pour te déshabiller.

Elle soulève ses hanches, remonte sa robe, expose ses cuisses à demi : « Comme ça. » Il glisse ses mains sous la robe : « Tes seins étaient nus en dessous, eux. »

Elle soupire : « C'est l'hiver, que veux-tu... »

Il caresse son ventre sous la robe, s'insinue, trouve la peau douce, elle se soulève pour l'aider : « On s'en va d'ici Gilbert. Vite ! »

Plus elle est pressée, plus il se sent calme. Il embrasse le cou, là où une veine palpite : « Pourquoi ? T'es mal ? » Il plonge vers ses seins, les mord doucement. Ses mains trouvent son centre moelleux. Elle a le souffle bien rapide, bien court soudain. Il répète : « Pourquoi ? »

Elle grommelle quelque chose, les dents serrées. Ces mains-là sur son sexe, prodigieuses de connaissance intime, éparpillent ce qui lui reste de lucidité : « Tu me tues. Arrête. »

Il obéit immédiatement. Saisie, elle se redresse : cet éclat ludique dans l'œil, cette menace dans la bouche gourmande, il recule, méfiant, se réfugie derrière son volant. Elle n'hésite pas un instant, défait son pantalon, contourne le bras de vitesse, frotte son visage contre le sexe tendu, le lèche, l'affole, l'engloutit enfin, le faisant grogner de plaisir. Ses seins nus frottent l'étoffe rugueuse du pantalon. Il ferme les yeux : il va céder, trop de jeu, trop de raffinement dans cette bouche, trop d'appétit. Elle continue, malgré les délicieuses menaces de vengeance qu'il balbutie. Elle le torture, le garde pour elle, devine son désir furieux d'être tenu fermement enfoncé au creux de sa bouche, sans un répit pour fuir la sensation, échapper au plaisir qui s'amplifie. Ce sexe, elle en est sûre, a été dessiné pour sa bouche.

— O.K. on s'en va d'ici. On y va, Diane, je t'en prie.

Jamais Gilbert n'a trouvé l'ascenseur aussi poussif.

— Comment je peux faire pour être certain de me réveiller avec toi demain ?

Elle est exténuée, il n'y a plus rien à extraire d'elle, pas un son, pas un frémissement. Elle n'arrive même pas à finir ce délicieux scotch qu'elle voit luire sous la lampe. Elle murmure :

— On est déjà demain, t'as trouvé le moyen ça a l'air.

— Je veux dormir avec toi, Diane et me réveiller avec toi.

Elle roule mollement, ramène un peu de drap sur elle :

— Et voir de quoi j'ai l'air avec une gueule de bois ?

— T'es soûle ?

— Disons... légère ! C'est ça, je suis légère. Dors, Gilbert.

Elle passe sa jambe par-dessus le drap, se détourne. Il pose son visage sur la courbe de sa taille :

— Promets... pour ma fête.

— Mmm...

— Tu partiras pas sans me réveiller ?

— Trop fatiguée pour partir. Dors...

Il entend son souffle apaisé s'approfondir, elle dort déjà, la main ouverte près de sa joue. Il éteint, le jour se lève. Un jour d'hiver plus gris que lumineux. Il est tellement heureux qu'il ne parvient pas à s'endormir, malgré l'épuisement. Il finit le scotch lentement en pensant à cette femme endormie qui réveille tout ce qu'il y a de vivant en lui, qui lui donne envie de hurler : « Je t'aime », alors qu'il s'est toujours méfié de ces mots-là, qui l'inquiète aussi... Il n'arrive jamais à aborder les sujets importants avec Diane. Elle s'échappe, dévie la conversation. Il n'arrive pas à savoir les choses les plus simples : depuis quand sa mère est enterrée, pourquoi elle est si bizarre avec cette mort, ce qu'elle se reproche, pourquoi elle cherche les anciens amis de sa mère. Et puis pourquoi elle se soûle et part avec n'importe qui pour baiser ? Pourquoi elle veut s'avilir comme ça, se... « détruire » est le mot qui lui vient. Il pose le verre : trop compliqué pour lui, trop difficile à débattre seul à sept heures et demie du matin après une nuit mouvementée.

En ouvrant les yeux, il cherche la tache noire de sa robe sur le tapis : plus là ! Il tend la main : le lit est vide. Elle est déjà partie ! Elle n'a pas tenu parole. Onze heures, il n'est quand même pas si tard. Il se lève, fait le tour de l'appartement. Il la tuerait ! Il déteste ces manières de s'enfuir, de réduire la nuit à un *one night stand,* il se sent méprisé, rejeté. Un champion du matelas à éviter au petit déjeuner !

Il trouve sa note sous la cafetière.

« NE TE FÂCHE PAS. JE DOIS *ABSOLUMENT* TERMINER UNE RECHERCHE AUJOURD'HUI. NUIT FABULEUSE (M'EN SOUVIENS). T'APPELLE SANS FAUTE. T'EMBRASSE. LONGTEMPS. ENCORE ! DIANE. »

Il soupire : nuit fabuleuse... il veut plus ! Il veut savoir c'est quoi cette recherche. Il veut l'esprit avec le corps. Le dedans avec le dehors.

Il regarde le café monter dans la cafetière espresso et constate avec désolation qu'il est amoureux.

E lle ne trouve pas. Elle ne trouvera jamais! Elle
hait les microfilms, on s'arrache les yeux là-
dessus, c'est difficile de trouver la page, pénible à
manipuler. Où est-il, ce Maltais? Pourquoi sa mort
n'est nulle part? Et si c'était faux, s'il n'était pas
mort? Cet homme, ce Goulet, il avait l'air tellement pressé de se débarrasser d'elle. Il a peut-être
inventé ça pour avoir la paix, pour qu'elle le laisse
tranquille. Peut-être Yseult a-t-elle essayé elle aussi
d'en savoir plus long, de le poursuivre, de le
supplier.

Impossible. Il faut qu'elle soit pas mal exaltée
pour inventer une Yseult suppliante, désespérément accrochée à quelqu'un. («Laisse les gens
tranquilles, arrête de t'accrocher.») C'est plutôt le
contraire qui serait plausible. Alors où est-il?
Comment est-il mort? Peut-être que la famille n'a
pas voulu mettre d'avis, peut-être que son suicide
les a humiliés. Pourquoi est-elle si certaine, si
convaincue que c'est un suicide? Elle ne sait pas.
C'est une chose qu'elle a besoin de confirmer, c'est
tout. Elle range les microfilms dans les boîtes, se
frotte les yeux: elle est crevée. Elle quitte la bibliothèque, va grignoter un sandwich le temps de
penser. Comment, par qui savoir ce qui est arrivé
à Jocelyn Maltais? C'est devenu très urgent

soudain, vital. Tout est là, elle en est sûre. Tout ce qui concerne Yseult, ses angoisses, son désespoir peut-être. S'il était mort du sida? Normal: il l'étudie, contracte le virus par accident, meurt. Et Yseult l'aurait eu et, ne pouvant supporter l'inévitable dégradation de son corps, elle aurait décidé d'en finir avant que la maladie ne la ravage. Très probable quand on connaît Yseult. Ce serait une explication parfaite, logique. («Ta manière de triturer la réalité, de l'arranger à ta convenance! Des histoires, tu te racontes des histoires, ma belle.») Non, c'est possible. C'est vraisemblable. Sinon pourquoi? Il y a bien une raison, maman? Pourquoi faire ça, si ce n'est pour précipiter quelque chose qui s'en venait, accélérer le processus?

Comment savoir si elle était malade, si elle avait le sida? Ou peut-être un cancer, ou même une autre pneumonie... même ça, elle aurait pu ne plus le supporter. Oh mon dieu, elle est fatiguée, elle s'égare, elle s'exalte, elle le sait bien, mais qui va lui fournir une réponse si elle ne l'imagine pas. Qui?

Elle repart, marche, s'accroche à Jocelyn Maltais comme à une obsession: il faut, il faut le trouver. L'annuaire. Elle entre dans une cabine, fouille. Maltais! Comme il y en a ! Maltais, J.: encore un paquet! Qu'est-ce qu'elle veut faire? Appeler tous les Maltais jusqu'à tomber sur l'inévitable «Il n'y a plus de service au numéro que vous avez composé»? Et alors? Elle va savoir qu'il est mort. Rien de neuf, rien qui aide.

Elle fonctionne mal, elle travaille mal, elle se

tuerait! Il doit y avoir une manière plus simple, plus directe. Elle s'arrête en plein milieu du trottoir: Évelyne! Bien sûr, comme elle est stupide! Évelyne-quelque-chose le sait, c'est elle qui a donné le nom à Gabriel. Elle n'a qu'à l'appeler. Trouver le numéro et l'appeler.

Trois appels pour apprendre qui est la réalisatrice de l'émission sur les poètes, deux autres pour trouver le bureau et se faire inviter à laisser un message, madame Guindon étant en réunion. Elle décide de se rendre directement à Radio-Canada en priant le ciel pour qu'elle ne soit pas partie en vacances de Noël anticipées déguisées en «réunion».

Toute une histoire pour passer le contrôle: jouer la fille assurée qui a rendez-vous bien sûr, qui signe le registre (oh! cette informe signature! En lettres carrées? Pourriez-vous le faire? Une tendinite...) Trouver l'étage, le bureau... ça y est. Elle prend une bonne inspiration et frappe.

Évelyne est tout sauf guindée. La cinquantaine alerte, yeux vifs, une certaine sécheresse dans le ton, mais une efficacité évidente:

— Oui?

— Excusez-moi, je... je suis Diane Marchesseault.

Les yeux la fixent, attentifs, aux aguets: «Tiens! Bonjour.»

Diane éprouve un terrible malaise tout à coup. Incapable de parler, elle a chaud, elle salive, elle va vomir. Évelyne tend le bras: «Qu'est-ce qui se passe? Asseyez-vous.»

Elle s'assoit, mais ça n'améliore rien, elle a le cœur sur les lèvres. Elle balbutie: «Les toilettes?»

Évelyne la prend fermement par le bras, sort, la conduit à la bonne porte et l'ouvre pour elle : «Allez-y, je vous attends.»

Dix minutes plus tard, elle est en sueur, elle tremble, tout son corps est secoué. Elle ne peut pas sortir d'ici, affronter cette femme, la honte. Elle s'appuie contre le sèche-mains, ouvre son manteau : de l'air, elle a besoin d'air !

La porte s'ouvre, Évelyne est là, la honte est venue au-devant des nouvelles : «Ça va ?» Diane doit avouer que cette femme n'est ni gênante ni humiliante. Elle fait non.

— En effet, vous êtes verte. Venez.

Elle l'entraîne vers son bureau, Diane résiste :

— Non ! Je pense que je vais partir. Excusez-moi.

— Vous vouliez me parler, non ?

— Je suis désolée, j'ai... je ne vais pas assez bien.

Elle marche vers les ascenseurs, elle se sent ridicule. Évelyne la suit, perplexe. Évidemment, l'ascenseur prend un temps infini à venir. Diane donnerait cher pour se soustraire aux yeux de cette femme qui a l'air de saisir tous ses secrets. Enfin, le voilà ! Évelyne ne la laisse pas, elle la suit, appuie sur le bouton : «On va aller prendre un Perrier en bas. Je ne veux pas vous laisser partir comme ça.» Rien au monde qui la tente moins que de prendre un Perrier avec Évelyne.

— J'aimerais mieux partir.

— Je m'en doute, oui. Mais maintenant que vous êtes là, on va se parler.

Elles sortent de l'ascenseur. Évelyne la pilote résolument vers la cafétéria. Elle fait un arrêt avant d'entrer : « Si vous avez une autre urgence, les toilettes sont juste là », et va l'asseoir devant un Perrier. Pas pressée, Évelyne savoure son affreux café et l'observe sans aucune gêne. La seule chose qu'elle lui épargne, c'est un « alors ? » sonore.

Après deux gorgées, Diane est prête à partir. C'est la seule chose qu'Évelyne semble vouloir ignorer :

— Vous l'avez eu, Gabriel, il était bouleversé.

— C'était stupide.

— Et un peu méchant, non ?

— Non.

— Vous portez ses bagues ou vous avez les mêmes ?

Sidérée, Diane regarde sa main où l'émeraude et le diamant scintillent. Elle a l'impression d'avoir laissé une empreinte digitale compromettante. Cette femme lui fait perdre pied, l'inquiète :

— Comment vous le savez ?

— Des bagues comme ça, j'en ai pas vu des centaines.

— C'est à elle.

— C'est ce que je pensais.

Comme le silence est lourd dans le tintamarre de la cafétéria. Diane fixe la sortie en se demandant quoi inventer pour l'atteindre. Elle entend de loin :

— Qu'est-ce qui est arrivé à Yseult ?

— Pardon ?

— Je vous demande ce qui est arrivé à votre mère.

— Rien... elle est en voyage.

— Non.

281

Comment ça, non? De quel droit cette femme l'observe, se défie d'elle? Qu'est-ce que c'est que ces yeux de dictateur? Une rage subite lui donne des couleurs:

— Non?

— Non. Ça, c'est votre mensonge à Gabriel. Comme j'ai pas voulu qu'il aille talonner Yseult, j'ai confirmé. Mais j'ai essayé de la rejoindre...

— Elle est vraiment en voyage.

— Ça vous met toujours dans cet état-là quand votre mère part?

Là, elle trouve qu'elle exagère. Elle a quand même le droit d'avoir mal au cœur sans s'expliquer. Si elle était enceinte, tout le monde serait ravi et ce ne serait pas mal vu.

— Dites-moi ce qui est arrivé. Je vous le demande parce que ça m'inquiète.

— Rien. Il est rien arrivé! Qu'est-ce que vous voulez qu'y soit arrivé?

— Écoutez, Diane, je travaille avec votre mère depuis presque vingt ans. À intervalles irréguliers, c'est vrai, mais quand même on se connaît, on a nos codes. Quand elle part en voyage, elle m'appelle toujours.

— Elle est pigiste, non? Elle fait ce qu'elle veut.

— Oui, justement. Elle m'avertit toujours de ne pas compter sur elle pour le temps où elle part. Toujours. C'est notre façon de fonctionner.

— Qu'est-ce que vous voulez que je vous dise, elle a dû oublier. Ou partir subitement.

— Qu'est-ce qu'elle vous a dit, à vous?

— Rien.

— Elle a déposé les bagues, elle a dit bonjour et vous l'avez laissée partir?

Muette, Diane se concentre sur son verre de Perrier. Celle-là! Quel pot de colle! Elle avait rien qu'à le voir avant, qu'à s'inquiéter avant. C'est pas sa faute à elle, elle a rien à y voir.

— Laissez-moi tranquille.

Elle se lève, l'autre l'arrête, lui saisit le bras. Elle a l'air très angoissée: «Attendez! Jurez-moi qu'il n'est rien arrivé de grave. Regardez-moi! Jurez-moi!»

Elle a peur maintenant. Elle veut que cette femme arrête de la griffer, de la tenir. Évelyne lui redonne cette terrible peur qu'il soit arrivé quelque chose à Yseult. Elle dégage son bras:

— Lâchez-moi, vous me faites peur!

— Vous aussi vous me faites peur. Qu'est-ce qui vous rend si agressive? Pourquoi ça vous choque tant, mes questions?

— Vous ne vous entendez pas? Vous êtes là à m'accuser comme si j'avais fait quelque chose de mal. Ma mère fait sa vie et elle est bien assez grande pour s'occuper d'elle toute seule. Elle n'a pas besoin de gardienne. Elle est partie sans le dire, c'est tout. C'est son genre, le secret. C'est son genre de laisser tomber les gens sans rien dire. Ça lui donne l'impression d'être libre. Ma mère apprécie beaucoup sa liberté, vous devez savoir ça si vous la connaissez si bien.

— Pourquoi vous vous fâchez comme ça? C'est ça qui vous rend malade? Sa liberté?

— J'ai pas à vous répondre. Mêlez-vous de vos affaires.

— Très bien. Demandez-moi ce que vous vouliez savoir, je vais vous répondre, moi.

Elle reste saisie par l'offre, l'esprit vide. Qu'est-ce qu'elle voulait savoir? Pourquoi est-elle venue jusqu'ici? Pour prouver quoi? Ça lui échappe. Elle a beau chercher, elle ne trouve rien. Rien que le paysage effrayant qu'elle a vu du bureau d'Évelyne Guindon. Le bureau où sa mère allait travailler. Ce paysage qui lui lève le cœur, la révulse.

— Retournez aux toilettes!

L'ordre a claqué, sec. Elle est saisie, emmenée, propulsée derrière la porte. Cette fois, Évelyne reste près d'elle, tient son sac, lui retire doucement son foulard. Elle lui tend un papier humide, le presse sur son front avec une douceur étonnante:

— Venez, on va aller dans mon bureau.

— Non!

Terrorisée, secouée par la nausée, elle tremble, les yeux pleins d'eau et s'accroche à la porte des toilettes.

— O.K. c'est correct, on n'ira pas.

— Laissez-moi sortir d'ici.

Évelyne ne discute pas, l'entraîne vers la sortie, lui glisse sa carte:«Appelez-moi. Je vous en prie, je suis inquiète. »

Elle empoche la carte. Qu'est-ce qu'ils ont tous à vouloir qu'elle les appelle? Elle marmonne un oui et sort. Elle marche très vite, très décidée, sans se retourner une seule fois, elle marche face à l'ouest, déterminée à ne pas le voir, ne pas le regarder. Ce paysage derrière son dos qui l'a assaillie, lui a sauté au visage dans le bureau d'Évelyne, ce pont hideux, ferreux qui tenait tout seul dans les airs, suspendu d'un bord à l'autre de la fenêtre, ce pont comme un affront placé là pour la gifler.

L e téléphone la tire d'un sommeil lourd, pesant. Elle ne veut pas se réveiller, qu'on la laisse tranquille. Si c'était Yseult? Mais c'est Gilbert.

— Je te dérange?

— Non.

— Tu dormais?

— Non.

— Penses-tu être bonne pour faire toute une phrase?

— Ça dépend...

— Qu'est-ce qui arrive, Diane?

— Comment ça?

— T'as marqué que t'appellerais sans faute.

— Ah oui?

— Oui. T'as trouvé ce que tu cherchais?

— Je sais même plus ce que je cherche.

— Ça va bien!

— Pas ma meilleure journée.

— T'as trop bu peut-être. T'as pas dormi beaucoup...

— Je sais plus. C'est pas important.

Un temps où elle l'entend respirer à l'autre bout. Elle le déçoit, elle le sait. Elle ne peut pas être une autre, elle va le décevoir longtemps, il devrait le savoir. Elle fait un effort, parce qu'elle l'aime bien :

— Toi, ta journée?

—J'ai pris congé. J'avais mal à la tête, mal partout.

— Ça a l'air de te réjouir.

— Plutôt... quand c'est pour une bonne cause. Diane...

— Oui?

— Tu veux que je vienne?

— Non.

— Pourquoi tu m'en parles pas?

— J'ai rien à dire.

— C'est elle que tu cherches? C'est elle que t'essayes de retrouver?

— Qu'est-ce que tu racontes, Gilbert?

— Je sais bien qu'elle est morte, mais... ça peut être plus long pour toi de... de l'accepter, non?

— Non.

— C'est fou, j'ai l'impression que c'est à cause d'elle que je t'ai rencontrée et que c'est aussi à cause d'elle que je vais te perdre.

Rien. Elle ne peut rien répondre à cela. Elle trouve les gens bien perspicaces tout à coup. Cette femme tout à l'heure avec ses yeux curieux, Gilbert qui commence à sentir l'étau d'Yseult.

— Tu es là?

— Oui.

Elle a envie qu'il parle encore. Avec sa voix caressante, sa voix qui se soucie d'elle. Elle pose une main sur son ventre, c'est chaud, comme lui :

— Parle encore.

— J'ai peur de te perdre. C'est fou, je ne te possède pas, mais j'ai quand même peur. C'est pour ça que je déteste quand tu me laisses endormi le matin, quand tu pars.

— T'étais fâché?
— Non. Triste.
— C'est plus fort que moi.
— Tu vas me rendre insomniaque... T'as peur que je te retienne?
— Tu pourrais pas.
— Alors... pourquoi t'enfuir?
— Je ne me suis pas posé la question.
— Je te la pose. Pourquoi?
— C'est une raison stupide que tu croirais pas.
— Dis-la. On va voir.
— Non, je suis pas sûre.
— Tu ne veux rien me donner, c'est ça? T'as peur de te faire piéger par moi? Que je t'attache, que je te vole ta liberté?

Il parle d'Yseult, pas d'elle. Il parle d'Yseult qui ne se laisse attraper par personne, pas même par sa fille.

— Non.
— Alors c'est quoi?
— J'ai peur de faire l'amour à jeun avec toi.
— Quoi?
— T'as entendu.
— Mais... c'est insensé! Pourquoi? Quelle différence? Je comprends pas!
— Moi non plus.
— Non?
— Non. Je pense que c'est ça, c'est tout.
— Tu veux qu'on essaie?
— Quoi?
— De faire l'amour à jeun. Y va bien falloir qu'on y vienne un moment donné. Et puis t'as pas

toujours été soûle, pas très soûle en tout cas. Ça tient pas debout, cette histoire-là!
— Peut-être, je dois me tromper.
— Bon, t'as peut-être raison. Mais je suis sûr que c'est pas seulement ça, nous deux. On a une entente qui dépasse le scotch, non? Laisse-moi venir te rejoindre.
— J'étais sûre que tu voudrais venir si je te le disais.
— Qu'est-ce que tu voudrais que je fasse?
— Attendre que je me soûle.
— Très drôle... Je peux te dire quelque chose?
— T'as l'air parti pour le faire...
— Je voudrais être autre chose qu'un bon amant dans ta vie.
— C'est déjà beaucoup.
— Je... tu trouves pas ça incroyable qu'on parle jamais? C'est la première fois que ça nous arrive et c'est au téléphone.
— Non. Quand on est ensemble, on a autre chose à faire que parler.
— Je suis mal à l'aise quand on parle.
— Ah...
— Je... j'ai l'impression de gaffer. Des fois tu te fermes complètement. Même maintenant, j'ai peur de gaffer, que tu me raccroches au nez.
Elle rit:
— Je suis vraiment une terreur!
— Oui. Ça te fait plaisir?
— Un peu. J'ai jamais fait peur à personne. («Tu es tellement excessive. Tu me fais peur.»)
— Y a beaucoup de choses nouvelles depuis que ta mère est morte, je me trompe?

— Bon, je vais te laisser.

— Tu ne veux pas que j'en parle ?

— Non.

— Je veux prendre un risque pareil. J'ai eu une idée effrayante aujourd'hui. Je me suis demandé pourquoi tu voulais rejoindre ces hommes-là, ceux de la vie de ta mère, pour savoir quoi.

— Gilbert, laisse-moi tranquille avec ça.

— Je sais que ça te fâche, mais il faut que je te le demande : as-tu dit à quelqu'un d'autre qu'à moi que ta mère était morte ?

Rien. Le silence au bout de la ligne. Le silence parfait. Il entend la réponse dans le silence de Diane. Il est étonné qu'elle ne raccroche pas.

— Diane... quand est-ce que ta mère est morte ? C'est le 22 novembre, c'est ça ? Tu l'as dit à personne ? Diane, parle-moi !

— Laisse-moi tranquille, Gilbert.

Et cette fois, elle raccroche.

Quand le téléphone se remet à sonner, elle s'enferme dans la salle de bains, fait couler l'eau très fort. Et quand ça recommence dans le silence du loft, elle débranche le fil. Voilà ! Désolée, mais je veux réfléchir. Elle marche comme un animal, sans parvenir à fixer sa pensée pour autant. Elle marche sans arrêt, comme si la moindre pause allait permettre à son sang de se figer dans ses veines. Elle se sent malade comme un chien. Abandonnée, au bord du vide. Elle a un vertige insupportable, elle parvient à peine à s'approcher des fenêtres du vingt-sixième étage. Quelle folie d'avoir voulu un appartement si haut ! Ça sent le marais, ici. Elle respire un bon coup, oui, ça sent le glauque, ça sent la mort.

— Maman ?

Elle ne répondra pas, imbécile, elle est morte ! Elle a sauté. Pourquoi il a dit ça ? Pourquoi il faudrait le dire ? À qui ? Yseult les a quittés. Tous. Qu'est-ce qu'elle leur doit ? Elle ne les aimait pas, personne. Ni elle ni les hommes. Ni sa grand-mère ni tante Méli, personne. Pourquoi prendre la peine de leur dire ? Pourquoi serait-ce encore à elle de faire le sale travail ? Une poubelle, elle n'est qu'une poubelle pour les sales tâches. Un pou qui a le droit de porter les bagues en attendant. Elle

veut que ça cesse! Elle veut du silence, de la paix.
Elle veut ouvrir sa poitrine, arracher la roche qui
l'écrase, éclater le noyau, le broyer, pulvériser
l'amande. Une roche contre cette roche, une
roche contre le mur qui l'empêche de respirer.
(«On respire moins bien, c'est tout.») Une
bombe, elle veut que quelqu'un mette une bombe
dans sa poitrine, qu'elle explose pour toujours,
qu'on en finisse de cette torture. («Dans certains
pays, on étouffe les femmes adultères en les
écrasant sous des pierres, on écrase la vie à coups
de pierres.») Eh bien qu'on l'étouffe une fois pour
toutes, qu'elle cesse d'essayer, de tenir à tout prix,
qu'elle cesse de seulement vouloir tenir. Elle veut
qu'on interrompe le supplice, qu'on renonce,
qu'on l'achève enfin. Oui, elle accepte, ça va, elle
consent, elle ne résistera pas, elle est par terre,
vaincue, oui vous pouvez écraser ce pou, ce petit
pou doux. Finissons-en! Elle se rend. Oui maman,
ça va, je suis là, je suis revenue. Je vais rester avec
toi, tu n'auras pas froid, ferme ta main maintenant,
regarde, regarde, je suis venue, je suis là, donne-
moi ta main, donne...

Elle est accroupie par terre sur le tapis blanc,
elle berce doucement, infiniment, le cadavre de sa
mère qu'elle serre sur sa poitrine douloureuse.
Elle berce sa maman et sa douleur qui ont le
même nom, le même parfum: Yseult.

Combien de temps avant qu'elle entende cette
voix? Combien de temps est-elle restée là dans le
noir à bercer le désespoir? On gratte à la porte,
on murmure son nom. Impossible, elle est à l'abri,
ils doivent passer par en bas, sonner, s'annoncer.

Elle s'approche de la porte. Oui, on frappe. Elle ne savait pas que la mort était livrée comme une pizza. Qu'elle prenait la peine de monter, de cogner. La mort si polie qui vient l'achever. Elle ouvre. La lumière agressive du corridor l'éblouit. Elle cille, c'est Gilbert. Gilbert qui entre, ferme la porte, la prend contre lui. Gilbert qui l'entraîne vers le sofa, l'assoit, s'agenouille devant elle, l'examine en silence.

Elle montre son plexus, y appuie le poing, frappe dessus durement à coups secs. Il attrape son poing, le retient: «Ça fait mal?»

Elle fait oui. Il pose sa main ouverte doucement sur la poitrine meurtrie, sans quitter ses yeux. Il appuie fermement. C'est chaud, c'est tellement, tellement chaud. Elle sent une bulle se détacher du fond de ses poumons, une énorme bulle qui remonte comme un hoquet, ouvre sa bouche. Elle entend quelqu'un sangloter en hurlant: «Aide-moi! Aide-moi!»

C'est à coups de cafés cette fois qu'ils soutiennent leur nuit. Au petit jour, Gilbert tient la liste de Diane et triture les cartes des gens qui attendent encore son appel. Le discours était décousu, mais il espère avoir saisi l'essentiel. Il reprend le sac de plastique, regarde les petits espaces vides qui séparent la ligne continue des anneaux d'or : ont-ils atteint le doigt rigide en sciant la bague ? Ont-ils entaillé la chair raidie ? Il ne connaît pas cette femme, il ne l'a jamais vue mais il frissonne en voyant les petits hiatus sur les bagues, comme si la rupture rappelait le saut. Diane lui retire les bagues des mains : «Je vais les faire réparer pour...» Elle s'arrête, elle allait dire : pour son retour. Gilbert achève la phrase :

— Pour toi ?

— Non... oui je suppose.

— Tu es fatiguée ?

— Non.

— Moi oui. Viens on va dormir là-dessus.

Ils s'installent dans le lit. Tout à coup, Gilbert se lève et revient avec un trousseau de clés : «Si jamais tu veux partir tantôt pendant que je dors, y a les clés de l'auto ici, et celles de mon appartement.»

Elle ne sourit même pas, fixe l'espace bien au-

294

delà de lui. Il dépose les clés sur la table de nuit près d'elle. Il caresse son visage :

— Ne t'en va pas Diane, je vais t'aider, on va le faire ensemble.

— Faire quoi ? Qu'est-ce qu'on peut faire ?

— Enterrer Yseult. La laisser mourir en paix.

— Non ! Je veux pas !

Il la prend contre lui, l'étreint, elle se débat mais il persiste à la garder contre lui : « Chut ! Chut ! Doucement... pas de panique... » Il répète cela jusqu'à ce qu'elle faiblisse, se calme. Elle est brisée. Elle ne pleure pas, respire mal, les poings serrés entre les seins. Il les ouvre, les dépose sur sa poitrine : « Je suis là... dors maintenant, je suis là. »

Elle pense à Yseult et se dit qu'elle serait sans doute ravie qu'elle se soit allié ce nouveau protecteur pour toutes les deux. Gilbert va protéger Yseult, il va l'empêcher d'avoir froid, il va tenir sa main ouverte, détendue, il va la rassurer, c'est sûr. Elle a bien fait d'aller chercher Gilbert pour Yseult, elle aurait dû y penser avant.

Elle s'endort bien avant lui qui, agité, ne cesse de planifier ce qu'il faut faire, ce qu'il faut organiser pour sortir un cadavre de la morgue et l'enterrer.

L e lendemain matin, il devine qu'il ne doit pas pousser, insister : c'est à elle de décider, d'agir. Il est affreusement inquiet, il voudrait être sûr d'adopter la bonne attitude, celle qui ne fera pas empirer les choses. Il ne connaît rien là-dedans, lui. Personne d'important n'est mort dans sa vie. Il ne sait pas ce qu'il faut faire. Mais il est sûr qu'il faut briser les fantasmes, prendre pied dans le réel. Il a beau le savoir, il a peur qu'elle ne le repousse, qu'elle ne le haïsse. Il voit bien qu'elle va se dépêcher de l'accuser de vouloir tuer Yseult, qu'elle va sauter sur l'occasion pour lui faire porter l'odieux.

Il prend le téléphone, le branche, l'apporte sur la table basse : « On commence par qui ? »

Les yeux terrorisés qu'elle fixe sur lui n'indiquent rien de bon. Elle ne bouge pas, observe le téléphone d'un air buté, en se mordillant l'intérieur de la joue. Puis elle sourit, se détend. Elle prend l'appareil, compose un numéro. Il se détend lui aussi, content d'avoir gagné la première manche aussi aisément. Elle lui tend l'écouteur : « Écoute. Écoute, c'est ma mère. »

Et c'est Yseult, la voix d'Yseult, plutôt impersonnelle, sèche, expéditive. Une voix un peu grave qui lui rappelle quelque chose vaguement. Il est trop

déçu pour chercher quoi. Il raccroche. On peut dire que, pour ce qui est du réel, c'est plutôt râté.
— Tu permets?
Il prend l'appareil à son tour. Elle s'affole, l'interrompt :
— Qu'est-ce que tu fais? De quoi tu te mêles?
— Diane, arrête! J'appelle mon bureau. J'appelle pour avoir mes messages et avertir que je prends mes vacances à partir d'aujourd'hui.
— Excuse-moi.
Elle le laisse seul. Il entend la douche couler pendant qu'il parle à sa secrétaire. Il raccroche, s'approche des fenêtres. Une vue impressionnante : Montréal et une partie du mont Royal. Il n'entend plus la douche depuis quelque temps : qu'est-ce qu'elle fait maintenant? Il frappe doucement : la porte s'ouvre d'elle-même. Elle est là, assise au bord du bain, enveloppée dans sa serviette blanche, les deux pieds serrés l'un contre l'autre.
— Tu médites?
— Ouais...
S'il s'écoutait, il partirait en courant. Il déteste ce genre de situation où il est sûr de se tromper quoi qu'il fasse. Il passe au plus simple, referme le couvercle de la cuvette des toilettes : «Tu peux méditer ici? Je prendrais ma douche.»
Elle obéit, va s'asseoir sagement. Il fait couler la douche, tire le rideau, entre. Il se savonne en riant de ses fantasmes : non, ce n'est pas aujourd'hui qu'elle va lui sauter dessus! C'est ce qui s'appelle laisser quelqu'un indifférent!
Elle est toujours là, pensive. Il s'essuie, la prend par la main, l'entraîne dans la grande pièce,

l'assoit sur le lit pendant qu'il s'habille. Devant son absence de réaction, il passe au coin cuisine, refait du café, revient. Au moins elle prend la tasse, boit.

— Diane, je veux te dire une chose ou deux.

Elle le regarde : il a intérêt à être bref. Il plonge « Je ne me mêlerai pas de tes affaires, mais je ne m'en irai pas non plus. Je veux dire... tu fais ce que tu veux et moi je t'aide. O.K.? Si tu décides de ne rien faire, je ne discute pas. Mais je ne te laisserai pas te faire du mal. Ça marche?»

Elle dépose sa tasse sur le tapis :

— Le prix?

— Comment ça, le prix?

— Qu'est-ce que ça coûte, le service de *bodyguard*? T'as peur que je me tue? Inquiète-toi pas, ça serait déjà fait si ça avait à se faire.

Il la battrait avec son petit air supérieur, sa froideur et son prix! Il la fesserait! Il ne connaît pas bien ce genre d'arguments parce que quand une fille lui parle sur ce ton-là, d'habitude, il part.

— Le prix bien sûr, c'est t'obliger à passer la nuit avec moi.

— T'auras rien.

— Je sais.

— Qu'est-ce que ça te donne?

— De l'importance... Je me dis que je vais finir par te convaincre.

— De coucher avec toi?

— À jeun.

— Va chier, Gilbert.

Elle le dit posément : encore une nouveauté pour lui. Il ne sait vraiment pas quoi répondre à cela. Surtout qu'elle retire sa serviette et que, flambant nue, elle cherche ses vêtements, se peigne, se maquille même.

Il s'éloigne mais, dans un loft, c'est difficile de ne pas la voir! Il se réfugie auprès du paysage, face à la fenêtre. Le téléphone l'oblige à se retourner. Ça sonne sans arrêt, six, sept coups. Diane est tout près et lui fait signe que non. Enfin, ça s'arrête. Quand ça recommence, il se dirige vers l'appareil. Il décroche pendant qu'elle l'avertit :

— Je ne suis pas là. Je suis malade.

— Oui?

— Diane Marchesseault, s'il vous plaît.

— Elle ne peut pas répondre présentement, je peux prendre le message?

— Certainement. C'est Évelyne Guindon, je voudrais qu'elle me rappelle, j'ai des choses à lui apprendre à propos d'Yseult.

Il note le numéro et raccroche :

— Elle dit qu'elle a des choses à t'apprendre sur Yseult.

— Du bluff. Elle a compris qu'elle pouvait m'avoir avec ça.

— T'avoir?

— Pas important.

Elle a fini de s'habiller, s'assoit, raide comme la justice :

— Écoute, Gilbert, je pense que j'ai un peu paniqué hier. Mais ça va mieux. Ça m'a fait du bien de te parler. Mais là, j'ai besoin d'être seule. Tu comprends ça?

— Non.

L'éclat de rage qui brille dans ses yeux sombres l'avertit que la lutte sera féroce. Mais il est résolu cette fois.

— As-tu l'intention de m'enfermer ? De me séquestrer ?

— Arrête d'exagérer, Diane. Je suis sûr que tu vas mieux ce matin, mais je sais que si je pars, je te retrouve dans l'état d'hier en... disons, deux jours.

— Pas du tout.

— Tu tournes en rond, Diane, tu fais comme une loutre : un bout en dessous de l'eau, un bout au-dessus.

— Très belle image, très adaptée pour la fille d'une noyée !

Il reste la bouche ouverte :

— Excuse-moi, j'avais pas réalisé.

— C'est ça, c'est ça, excuse-toi !

Elle va à la fenêtre, bras croisés sur sa rage :

— C'est quand même incroyable ! Je te rencontre, on baise un peu et tu te prends pour mon mari.

On baise un peu !... il va finir par la battre !

— Je rencontre une fille, elle se soûle tous les soirs, baise avec n'importe qui y compris moi, s'en souvient pas, manque de se tirer en bas du pont, m'appelle et m'envoye chier.

— C'est tout ce que tu mérites.

— Très bien ! C'est ton avis, je ne suis pas obligé d'être d'accord.

(« Des histoires... Tu te racontes des histoires. Cherche "illusion" dans le dictionnaire, le pou. »)

— Et moi je suis obligée de te supporter ?

— Oui.

—Jusqu'à quand, je peux le savoir?
Elle lui donne envie d'hurler. Le contrôle que
ça lui prend!
—Jusqu'à ce qu'elle soit enterrée. Sortie du
frigo de la morgue et enterrée, c'est-tu assez clair?
— Ça ne te regarde pas! C'est ma mère. C'est
mon affaire!
— T'es en train de capoter, Diane, tu le vois
pas? Tu vas virer folle avec elle. Tu me fais écouter
sa voix au téléphone, te rends-tu compte? Elle est
morte. C'est la voix d'une morte. Tu ne peux rien
y faire. Rien. Fini. Peux-tu accepter ça? Peux-tu te
mettre ça dans la tête?
— Peux-tu te mettre dans la tête que je ne
veux plus te voir, que je veux la paix, que je veux
que tu sortes d'ici? Va-t'en, as-tu compris? Sors
d'ici!
Elle s'approche, le frappe, il saisit ses deux
poignets:
— Tu m'as déjà battu, tu m'as déjà envoyé
chier, change de tactique!
— Tu veux être le champion de quoi, là? Tu
veux prouver quoi? Lâche-moi, le psy, laisse-moi
crever en paix si j'en ai envie. Ça ne te regarde
pas.
— Faux! Ça me regarde.
— On baise avec ça et tout de suite ça vient
te donner des ordres. Pauvre toi! Si tu savais ce
que ça vaut pour moi. Si tu savais ce que j'en fais
des papas de seconde main! Va jouer au papa
ailleurs. Va faire l'important ailleurs!
Elle se dégage avec violence, retourne s'asseoir. Il masse son avant-bras qu'elle a réussi à

atteindre: «Je me doute, oui, que tu as dû en faire chier quelques-uns.»

Elle ricane: «Tu sais pas ce qui t'attend!»

Il hausse les épaules:

— On dirait que t'as dix ans. C'est ridicule!

— M'en fous!

Un silence lourd où chacun reste sauvagement sur ses positions. Un silence enragé, têtu. Puis sa voix calmée, sa voix de femme raisonnable:

— Gilbert, je t'en prie, ne me force pas à être désagréable ou méchante. Je peux, tu sais. Et ça serait dommage qu'on se quitte comme ça. Laisse-moi maintenant. Toi non plus, tu ne peux rien faire, toi non plus tu ne peux pas changer les événements. C'est pas plus possible pour toi que pour moi, comprends-le.

—Je ne veux rien changer, Diane. Je veux juste rester.

—Jusqu'à quand?

—Jusqu'à ce que tu te rendes compte que ta mère est morte.

Elle éclate de rire:

—Vraiment Gilbert! Je le sais, voyons. Tu peux rentrer chez toi si c'est ce que tu attends.

— Très bien. Alors, appelle monsieur Séguin.

Il lui tend l'appareil, ramasse la carte sur la table basse et attend. Elle hésite, prend l'appareil, le dépose. Il lui tend la carte. Elle commence à faire le numéro, patiente, puis raccroche précipitamment: «Qu'est-ce que tu veux prouver?»

Il décroche, lui tend le combiné sans un mot. Elle finit par le saisir, refait le numéro, souffle court, yeux fous : « Monsieur Séguin, s'il vous plaît... »

Ces yeux, ces yeux affolés qu'elle a, qui balaient la pièce à la recherche d'un support, d'une aide quelconque. Maintenant il regrette de la pousser comme ça, il voudrait reculer devant ce souffle précipité, lui reprendre le téléphone.

— Allô, monsieur Séguin ? Diane Marchesseault, la fille d'... oui... Oui, justement je préférerais m'en occuper moi-même... Pardon ?... Ah, j'ai pas fait les démarches... C'est gentil... oui, heu... je peux vous rappeler pour vous le dire ?... Très bien, entendu... Merci beaucoup. Au revoir.

Elle raccroche, humecte ses lèvres, dépose le téléphone, pousse un grand soupir puis le regarde froidement :

— Baise-moi.

— Pardon ?

— Baise-moi.

— Maintenant ?

— Oui. Ici. Sur le tapis.

— Non.

Elle retire son chandail, son soutien-gorge :

— Non ?

— J'ai pas envie de te prouver que ça ne marche plus avec moi. C'est non.

— Tu fais encore ton psy.

— Mettons que j'en ai pas envie.

Elle défait la fermeture Éclair de son jeans :

— Ça peut s'arranger...

— Non, Diane. T'as envie de me clairer, pas de baiser. Tu veux te venger.

— J'ai déjà vu plus dur comme vengeance.

— Pas moi.

Il s'éloigne, il pleurerait tellement il est triste. Cette voix sèche, cette voix dure qu'elle n'a jamais eu pour le désir, jamais. Il comprend qu'il est allé trop loin pour elle, qu'il l'a forcée à faire ce qu'elle ne voulait pas. D'une façon ou d'une autre, il sait bien qu'il est fait, que pour elle il figure dorénavant parmi les ennemis. Il peut rester encore, l'empêcher de remonter sur le pont ou de se tirer devant une voiture ou le métro, mais elle ne le laissera plus la toucher, elle ne le laissera plus l'atteindre. Il n'est pas fou, il a bien vu ce qu'elle pense de ceux qui ont fréquenté Yseult, il commence à comprendre qu'il va le payer cher, que Diane sera sans pitié.

— Il a demandé quelle maison viendrait la chercher.

Il se tourne. Elle s'est rhabillée, s'est assise sur le sofa. Sa voix est hésitante, touchante. Peut-être... peut-être lui reste-t-il une chance :

— Quelle maison ?

— Oui. C'est délicat, tu trouves pas ? Comme si c'était un traiteur pour Noël.

— Tu veux qu'on regarde dans les pages jaunes ?

Elle se lève, va les chercher. Il note les coordonnées des principales entreprises :

— Diane... je peux les appeler si tu veux. Demander les prix, les délais.

— Je suppose qu'ils ne ferment pas pour Noël.

— Non. Tu veux que ce soit comment ?

— Vite.

— Oui, mais... tu veux le cimetière, l'incinération, un service, pas de service? Ils vont me demander tout ça et le prix que tu veux payer.

— Le prix?

— Y a pas de limite là-dedans. *Sky is the limit!*

— Elle serait morte de rire!

— Qu'est-ce qu'elle voudrait, tu penses?

Elle ne dit rien. Elle ne s'est pas posé la question. Jamais. Elle ne s'est pas demandé ce que voulait cette femme qui a cassé le spleen pour toujours. «Je pense qu'elle voudrait vivre. Il n'y avait personne au monde de plus vivant qu'elle. Je suis sûr qu'elle le regrette, qu'elle voudrait revenir, vivre.»

Il prend sa main:

— Même si elle a fait une erreur, elle a choisi. Il faut qu'on s'arrange avec maintenant.

— Je ne sais pas. Brûler, je pense. («Pleurer, quelle perte de temps! Il faut vivre, le pou, fort, vite!»)

Elle marche dans l'appartement, écoute à peine les questions que pose Gilbert au téléphone. Elle s'active, fait la vaisselle, le lit, ramasse les fleurs fanées qui pourrissent dans les vases. Elle jette tout, nettoie, se sent mieux, moins lourde. Gilbert compulse ses notes:

— Bon. À mon avis, c'est Delanney le mieux. Si tu t'occupes toi-même des cendres, tu peux avoir le tout pour sept cent vingt dollars.

— M'occuper des cendres? Comment?

— Acheter une place dans un cimetière spécial, un colombarium qu'ils appellent ça ou une case. Partir avec et en disposer plus tard. Ça a l'air que tu ne peux pas les jeter n'importe où, mais je suppose que si tu dis que tu vas les enterrer au printemps dans un cimetière, tu devrais pouvoir faire ce que tu veux avec, y compris les disperser.

— Ah.

— Elle avait de l'argent?

— Qui?

— Yseult.

— Comment veux-tu que je sache ça?

— Elle a peut-être une assurance qui paie pour ça. Il faut savoir aussi si elle a fait un testament, si elle a exprimé ses volontés, je sais pas...

— Tu penses qu'elle a écrit ce qu'elle préférait qu'on fasse?

— Peut-être.

— Où?

— Dans une lettre. D'habitude...

Il hésite, se tait. Elle finit sa phrase:

— D'habitude les gens laissent des lettres avant de se suicider. Mais pas elle. Elle fait pas comme tout le monde. Jamais. Elle n'y a pas pensé, j'en suis sûre. Et puis elle n'a pas d'assurances, c'est une pigiste, elle n'a jamais appartenu à personne.

— Mais elle travaillait à Radio-Canada?

— Oui.

— Y a un syndicat dans cette boîte-là?

— Je le sais pas, Gilbert. Elle s'en fout, j'en suis sûre.

— Y a deux choses que tu pourrais faire pour le savoir.

Il lui explique qu'elle peut appeler Évelyne Guindon, lui poser des questions, tenter de savoir ce que sa mère aurait voulu. Et elle peut aussi prendre la clé et aller fouiller l'appartement.

Elle ne dit rien. Il se doute bien qu'aucun de ces choix ne lui semble invitant.

— On ne pourrait pas faire juste comme ça : on prend Delanney, on paye et on laisse faire pour le reste ? J'ai l'argent. Y a pas de problème.

— Qu'est-ce que tu fais des autres ?

— Quels autres ?

— Ses amis, sa famille.

— C'est moi qui l'ai reconnue. J'ai dit que j'étais sa seule famille. Tu veux quand même pas que j'emmène Méli et Roger à la morgue et que je m'excuse ?

— Non. Mais avertir ta tante, il va bien falloir.

— Quelqu'un peut m'obliger ?

Il réfléchit, il ne sait pas. Il doit y avoir une loi, mais il ne connaît rien là-dedans.

— Gilbert, écoute : on fait ça tous les deux, on s'arrange pour que ça se fasse vite. Demain si possible. On avertira les autres plus tard. Pas maintenant. O.K. ? Je suis prête à bouger mais pas à affronter tout en même temps. Pas la famille. («Mélo est née au troisième acte : quand c'est simple, il faut que ce soit dramatique.»)

— Demain ? C'est samedi.

— Tu penses qu'ils n'incinèrent personne la fin de semaine ?

— T'es sûre ? Sûre que tu veux aller aussi vite ? Elle fait oui.

— Sans le dire à personne ?

— Personne.

— On passe ça comme ça à la morgue : pas de famille sauf toi ?

— Qu'est-ce que ça peut faire ? Du moment

qu'ils ont leurs papiers signés. Du moment qu'on les débarrasse...

— ... du corps.

— Ouais, c'est ça.

— J'appelle Delanney?

Mais le téléphone sonne avant. Gilbert le prend. C'est encore Évelyne qui ne perd pas de temps à demander à parler à Diane : « Évelyne Guindon. Je sais qu'elle ne voudra pas me parler, je veux seulement vous dire que je quitte le bureau pour les vacances de Noël, je veux vous laisser mon numéro personnel. Si elle a des questions, elle pourra me les poser. Dites-lui que je n'en ai aucune, qu'elle ne s'inquiète pas. Voulez-vous noter? »

Il s'exécute, il va parler mais elle enchaîne : « Deuxième chose : je lui aï fait parvenir par messager les cassettes de l'émission de sa mère sur les poètes. Je suis sûre qu'elle ne l'a pas entendue et je suis sûre que c'est important qu'elle le fasse. Si vous voulez bien lui transmettre ça. Et... excusez-moi, mais j'espère que vous restez avec elle, ça m'éviterait de trop m'inquiéter. Je pense qu'il y a eu assez de dégâts comme ça. »

Gilbert murmure :

— Oui, je reste, ne vous inquiétez pas pour ça.

— Merci, merci beaucoup.

Elle raccroche. Gilbert est un peu sonné :

— Qu'est-ce que tu as dit à Évelyne Guindon?

— Rien.

— J'ai l'impression qu'elle le sait.

— Impossible.

— Elle m'a demandé si je restais près de toi.

— Je te l'ai dit, j'ai été malade devant elle.
Qu'est-ce qu'elle voulait?
— Laisser son numéro personnel. Elle t'envoie aussi les cassettes de l'émission de ta mère.
L'émission sur les poètes.
— Elle a fait ça?
— C'est ce qu'elle a dit. Par messager.
— T'as peut-être raison... elle, elle l'a peut-être deviné.
— J'appelle la maison?
— Ouais... appelle le traiteur.
Ils constatent que ces gens-là sont très organisés, très civilisés. Tout est prévu pour épargner le moindre souci à la famille, aux proches. Ils offrent d'appeler eux-mêmes la morgue, de s'arranger avec le tout. Il n'y aura qu'à se présenter à cette adresse à quatorze heures, demain. On ne désire pas d'embaumement? Souhaite-t-on revoir la morte? Voir le cercueil? Une petite cérémonie peut-être? Quelle religion? Pas de religion, pas de problème. Un proche désire parler, faire une petite allocution de circonstance? Une musique alors? Non? Très simple. Entendu. Sobriété et simplicité, la maison Delanney s'occupe onctueusement de tout.
Ne restera qu'à cueillir les cendres.

É velyne Guindon va prendre le verre de l'amitié avec ses collègues. Ce n'est pas à proprement parler un party de Noël, mais il y a un brouhaha intense sur l'étage. Elle avale péniblement une bouchée qu'on lui a mise dans les mains, termine un effort de conversation avec un réalisateur déjà ivre, passe dans son bureau prendre son sac, son manteau. Elle regarde les reflets du soleil couchant sur le trafic du pont Jacques-Cartier. La ligne du pont se détache dans la lueur intense. Qu'est-ce qui peut rendre quelqu'un malade là-dedans? Qu'est-ce qui peut lever le cœur d'une jeune femme de trente ans dans ce paysage? Le spectre de la vérité trop dure?

Elle soupire, ferme à clé et sort en consultant sa liste de cadeaux de Noël. Elle en a pour la soirée!

Au centre-ville, la foule est dense, la musique trop forte. Elle se bat pour payer ses achats, sortir du magasin. Elle s'engouffre dans le nouveau Centre Eaton: un arbre de Noël dégouline de lumières depuis le plafond; un enfant hurle, assis par terre, terrorisé à l'idée de s'approcher du père Noël, complètement sourd aux appels lénifiants de sa mère. Personne à part Évelyne n'entend le «Silent Night» qu'un chœur anglais entonne.

Pourquoi avoir le cœur serré pour ça ? C'est Noël, c'est censé être heureux. Sur la liste, elle biffe ce qui est acheté, se dirige vers le comptoir de bijoux pour les anneaux de sa filleule. Une mélancolie terrible l'étreint. Une femme âgée lui barre le chemin, l'empêche d'avancer à son rythme. Elle va tellement lentement, courbée, les mains serrées sur son sac, les bas disgracieux mais chauds qui recouvrent ses chevilles, le manteau usé. Elle avance à petits pas serrés, si seule à travers la foule indifférente. Pourquoi cette femme est-elle allée faire ses courses à une heure pareille ? Pourquoi Évelyne est-elle saisie de l'envie terrible de la bercer, de la sauver de la misère, de la médiocrité alors qu'elle ne demande rien, qu'elle s'en contente peut-être ? Évelyne la laisse prendre de la distance parce que, sinon, elle va se précipiter sur elle stupidement pour l'aider, lui donner de l'argent qu'elle ne réclame même pas, l'humilier. Une pauvre vieille femme qui a peut-être seulement envie de se mettre dans l'ambiance de Noël et qui profite de la foule pour s'extirper de sa solitude. Évelyne reste là, bousculée par ceux qui foncent, immobile dans le désordre, le cœur lourd. Quelqu'un arrache presque son sac en passant, elle fait quelques pas pour dégager vers le comptoir, le fixe sans le voir. Cette musique... cette musique qui lui tord le cœur... elle baisse la tête : le scintillement des pierres... l'éclat d'Yseult sous ses yeux, juste là... Yseult qui est morte, elle le sait, Yseult la grâce faite femme qui est morte maintenant, peu importe comment, peu importe la date exacte, Yseult et sa voix qui descend pour parler des choses graves, les mains d'Yseult si belles, qui dansent sur sa voix, bougent sur la musique de sa voix avec ses bagues... « Dans le ciel, l'astre luit... » Le chœur reprend en français maintenant, comme pour l'achever. Les yeux qui luisent sous la lampe ocre de son bureau (« La seule lampe humaine de toute la bâtisse, la seule lumière chaude ! »), les yeux d'ambre qui expliquent, s'exaltent à l'idée d'un projet. Ses larmes tombent sur la vitre, elles doivent faire un son mais Évelyne n'entend que ce cantique infiniment nostalgique: « Ô nuit d'amour... »

Yseult est morte ! Il n'y aura plus de nuit d'amour, plus de rire, plus de confidences voilées. Yseult est morte, je l'ai vu dans les yeux noirs, violents de sa fille.

— Je peux vous aider, madame ?

La vendeuse touche sa main, y glisse un mouchoir de papier délicatement. Elle lève les yeux : vingt ans à peine, les joues trop rondes, les yeux rapetissés par un maquillage excessif, les yeux pleins d'eau de la vendeuse : « Pleurez pas, madame. » Elle a une moue de bébé pour essayer de contrôler sa peine. Qu'est-ce qui peut attrister une si jeune fille à la veille de Noël ? Si misérable derrière son comptoir. Elle s'appelle Élise, une plaque l'indique clairement sur son sein gauche. Élise vous sert. Mais Élise a de la peine, Élise doit être bien seule à servir cette foule avec le cœur écrasé de chagrin. Évelyne se mouche, murmure un « merci ». Elle tousse pour se donner contenance, la petite semble attendre quelque chose d'elle, un signe d'apaisement, de retour à la normale. Elle le lui offre parce que ses yeux supplient trop : «Je pense que je vais aller m'offrir un café.» Élise sourit bravement, hoche la tête «Allez-y! Lâchez pas, là!» Évelyne reçoit l'encouragement comme un appel au secours. Elle serre la main potelée aux ongles rongés et pourtant vernis : «Lâchez pas vous non plus, Élise.» Elle a ce petit «sûr!» à peine audible qui s'écorche sur sa peine, ce brave sourire plein de broches qui rapetisse encore ses yeux, elle a tant de bonne volonté qu'Évelyne s'en va encore plus accablée.

Dehors, il neige serré comme un rideau. Les gens se pressent, mécontents, les pieds gelés dans leurs bottes détrempées par la slush. Évelyne renonce, attrape un taxi et va se réfugier dans un café près de chez elle. Si elle rentre, on va lui parler, la vouloir disponible, en forme. À la maison, elle ne pourra pas penser. Sa fille est déjà arrivée de Trois-Rivières avec son bébé, son fils arrive demain de New York et Henri doit s'occuper de l'arbre. Qu'on la laisse tranquille, qu'on la laisse avec Yseult.

Est-ce qu'on se dit toujours : «J'aurais dû m'en douter»? Est-ce un passage obligé? Avant que le beau Gabriel (encore un qu'elle ignorait dans le parcours d'Yseult) ne surgisse dans son bureau, elle avait eu des doutes... Non, maintenant ça s'appelle des doutes, à l'époque c'étaient des agacements, des inquiétudes. De petits avertissements. Pourquoi Yseult n'appelait-elle pas pour discuter de l'émission? Pourquoi n'avait-elle pas réagi à l'envoi des photocopies de lettres d'auditeurs toutes élogieuses pour une fois? Et ce message qu'elle lui a laissé pour lui raconter les échos de l'émission dans la boîte et qu'Yseult n'a pas commenté comme d'habitude par un interminable message qui prend toute la cassette de son répondeur? Pourquoi n'a-t-elle pas insisté, tenté de la voir? Pour respecter ses sacro-saintes périodes de réclusion? Respecter le blues d'après l'effort?

C'était son idée à elle, son projet. Elle avait travaillé comme une folle, une recherche phénoménale, un souci méticuleux du détail, de la perfection. Elle avait demandé à assumer l'assistance à la réalisation pour arriver à contrôler entièrement le produit, le mener avec elle à la perfection espérée. Évelyne avait accepté avec joie, enchantée de travailler sur tout le projet avec Yseult. Bien sûr... tout était prêt, mesuré, rythmé. Tout était déjà réalisé sur papier. Quatre demi-heures, quatre petites merveilles d'émission. Savait-elle alors que c'était son dernier travail? Évelyne avait un nouveau projet pour Yseult. Elle avait essayé de la joindre et s'était dit qu'après Noël... il n'y aura pas d'après Noël, pas de fin d'année, ni de nouvelle année pour Yseult Marchesseault. Évelyne aurait voulu arracher l'émeraude des doigts de cette furie. Elle aurait voulu la battre, la tuer, cette Cassandre même pas capable d'ouvrir la bouche pour annoncer ses mauvaises nouvelles. L'émeraude d'Yseult... la seule folie qu'ait faite dans sa vie Évelyne Guindon, le seul véritable risque qu'elle ait pris. Une émeraude hors de prix, un aveu franc, coûteux de courage plus que d'argent. Elle aimait Yseult. Tout simplement. Ce n'était ni sordide ni vulgaire, c'était limpide. Elle avait eu peur de la perdre en le lui disant, peur qu'elle ne se méprenne, ne la méprise ou, pire, ne l'éloigne peu à peu, comme par hasard. Dix ans qu'elles se fréquentaient alors. Dix ans à parler de certains problèmes à fond et pas du tout de certains autres. Elle avait eu besoin de le lui dire, besoin de l'avouer pour qu'elle sache bien à qui elle avait affaire. Ce n'était pas sexuel... quoique, si Yseult avait coulé dans ses bras, elle aurait trouvé quoi faire, aurait tremblé probablement du plaisir de la tenir, de la ployer. Yseult était la première femme qui l'attirait et elle serait sans doute la seule. Ce n'était pas le sexe, c'était la personne. Yseult avait une manière de saisir la vie, de la secouer, de la mettre en péril qui la forçait à sortir de sa torpeur. Yseult était une électricité, une tension blonde, directe, perverse d'intelligence. Un haut voltage dont on ne s'approchait pas sans risques. Yseult avait ses secrets, ses territoires intouchables, ses réserves et il fallait les respecter, mais ce qu'elle donnait l'était sans réserve, généreusement, sans aucune parcimonie.

La première fois qu'Yseult était entrée dans son bureau il y a vingt ans, Évelyne avait été éblouie par tant de jeunesse et d'énergie. Elle avait vingt-neuf ans, ce n'était plus une jeune fille. Et pourtant... elle riait, s'exaltait, explorait le projet avec l'ardeur d'une débutante enthousiaste. Comme elles avaient eu de bons moments! Quel délice de travailler avec quelqu'un qui comprend avant qu'on parle, qui saisit tout à l'instinct («Tu vois ce que je veux dire Yseult?» «Non, mais je vais le voir, tu vas voir!»), qui travaille avec ce talent fou («Il faut que tu écrives, Yseult, tu as trop de talent pour seulement le mettre au service des autres.»), ce sens inouï de la parole. Elles formaient un équipe étonnante. Pas un projet d'importance qui n'ait été offert à Yseult en priorité. C'est elle qui décidait de s'engager ou non, elle qui tenait au coup par coup, à sa sacro-sainte liberté, à ses échappées. Évelyne se souvenait de ce départ précipité, sans avertissement, où elle avait failli mettre la police à ses trousses tellement elle était inquiète. C'était presque au début de leur collaboration, pas plus de trois ans après. La crise qu'elle lui avait faite à son retour, l'engueulade qu'elle lui avait servie! Jamais de sa vie elle n'avait fait une telle colère, issue d'une telle inquiétude. Jamais. Elle se souvient d'Yseult en tailleur noir, élégantissime dans sa blondeur nacrée, elle se souvient de ses yeux incrédules, de son sourire à peine retenu pendant sa harangue. Et ce mouvement léger, raffiné, pour saisir son dossier et partir en laissant tomber: «Appelle-moi quand tu seras revenue de tes émotions. On trouvera un mécanisme pour t'éviter la crise cardiaque.» Elle était restée stupide, la bouche encore pleine de reproches, le cœur fou: Yseult la traitait comme ces hommes collants, opiniâtres, qu'elle ne supportait pas. Yseult la traitait comme les autres, les jaloux, les ombrageux, ceux qui tentaient de la freiner, d'arrêter sa course. Et elle avait eu raison. Évelyne était jalouse. Jalouse de ceux qui allumaient ses yeux, détournaient son regard, l'éloignaient d'elle. Jalouse de ceux qui la possédaient si totalement, si follement, même si c'était peu de temps. L'extrême abandon d'Yseult à ces fulgurantes passions, l'or en fusion qui coulait loin d'elle, oui elle en était jalouse. Pour elle, c'était un insupportable enfer. Elle ne se laisserait plus prendre à ce piège. À ce moment-là, elle savait qu'Yseult était plus qu'une amie, plus qu'une excellente collaboratrice, Yseult était ce que, faute de meilleur mot, elle appelait un amour. À partir de ce moment, Évelyne n'avait plus jamais questionné Yseult ou critiqué ses absences. Elles étaient les respirations de leur relation. Elle avait appris à les tolérer, puis à les accepter pour finalement en venir à les souhaiter. Yseult avait besoin de ces séjours tourmentés au fond de la passion, dans son « mouvement de l'âme ». («Tu sais d'où vient le mot "passion"? "Souffrance", Évelyne, et quelquefois "mouvement de l'âme", mais surtout souffrance, souffrance du corps, je suis maso, mais... te dire l'atroce plaisir qu'il y a au cœur de l'ardeur amoureuse, l'impression de décoller, de m'envoler enfin, de prendre la voie royale de la vie.») Et royale, elle l'était. Cette étoile filante qui laissait tant de lumière sur sa trajectoire, qui déchirait le ciel de la médiocrité, balafrait la face des inertes, cette étoile qui laissait éblouis et presque aveuglés ses pauvres admirateurs. («L'admiration béate est la chose la plus pesante qui soit, Évelyne, crois-moi, la plus morne et la plus morte. Les contemplatifs ne prennent pas de risque. Ils vivent dans les marges de la page.») Yseult la rieuse qui se moquait d'elle. («Tu vas vivre cent ans toi, Évelyne! Ça va te prendre ça à la vitesse que tu vas!») Yseult qui payait le prix de ses «mouvements de l'âme» sans rechigner, avec dignité. («Il y a des gens qui meurent sans se froisser le cœur une seule fois dans leur vie, quel intérêt? J'aime autant payer, mais vivre.») Mais le prix, le prix de cette volonté fanatique, le prix de ces abandons, comme elle avait payé! Sans commentaire, impassible et avec l'interdiction absolue d'aborder le sujet. («Je ne souffre pas, Évelyne, je suis un peu ralentie, c'est tout. Ne me parle pas de ma supposée souffrance, le cœur me lève.») Alors Évelyne se taisait et la regardait se débattre en silence. Et c'étaient les pires moments avec Yseult. Faire comme si la souffrance était incluse dans le contrat, non négociable, non discutable. Faire comme si l'or altéré de ses yeux était supportable. («Tu voudrais quoi, Évelyne? Que la vie ne te fasse pas mal? Traverser l'océan sans mouiller tes pieds, prudemment, mesquinement? T'as encore oublié que ça finit la vie, et que, seulement ça, ça représente une bonne secousse pour les romantiques comme toi. Tu me fais penser à ma fille qui enlève les croûtes de chocolat sur les Whippets et qui s'étonne à chaque fois de trouver la guimauve qu'elle déteste tant cachée en dessous. Elle me redonne le paquet blanc en disant: "C'est pas ça, c'est pas bon." Mais à chaque fois elle recommence, certaine de trouver un jour du chocolat en dessous du chocolat: du plaisir infini.») Cette façon de balayer la détresse d'un mouvement de main. De secouer la tête doucement, presque tendrement. («Ne pousse pas, Évelyne, ça se pousse tout seul, le chagrin.»)

Yseult qui lui avait appris à ne pas se débattre contre l'inévitable, à laisser couler ce qui ne se tarit pas et à se battre follement contre ce qui est modifiable. Yseult qui fuyait la pitié comme le poison («J'ai une sœur qui est née au troisième acte et une fille qui attend des dommages et intérêts de la vie depuis sa naissance, ça me suffit comme candidates à la pitié.»), qui cultivait le silence comme un art suprême et qui jamais ne suppliait. Yseult qui avait l'orgueil impitoyable et le commentaire caustique. Pas de décorum pour emballer les tristes réalités, un sens aigu du brutal qui ne lui attirait pas que des sympathies. Ses opinions tranchées, ses critiques justes mais si peu diplomates qui mettaient sur leurs gardes tous les collaborateurs, les rendaient paranoïaques ou méfiants. («Qu'est-ce qu'ils ont à me craindre? Ils savent bien ce que vaut ce travail, non?») Cette fausse naïveté qu'elle brandissait quand elle refusait que ce soit si minable, si pauvre. («Dis-leur, Évelyne, je vais les terroriser, les pauvres petits robots qui aiment tant leur travail.») Cinglante, terrifiante avec son exigence perpétuelle, fascinante à voir se relever, repartir à l'assaut. Combien de fois Évelyne avait-elle pensé: «Cette fois, elle va écraser, elle ne s'en relèvera pas»? Mais elle revenait, écorchée mais vivante, mutilée mais vivante, altérée mais vivante. Toujours belle malgré cette blessure au fond des yeux, cet éclat dur qui éteignait l'or quelquefois, statufiait le visage, immobilisait la bouche gourmande, tendait la peau sur la mâchoire devenue acérée. Yseult immobile, tendue dans un «mouvement de l'âme», attentive à sa voix intérieure, comme pour ne pas la perdre, Yseult toujours battante, jamais vaincue qui avait dû murmurer un «c'est tout» sec avant d'en finir sans même se désoler.

La serveuse vient lui offrir de remplacer son café froid et intact. Évelyne fait oui distraitement. Elle voudrait retrouver Yseult, qu'on la laisse s'envahir d'elle, de son parfum. Qu'on la laisse s'emplir de son souvenir, l'étreindre enfin comme elle le désirait tant. «Tu me voles un "mouvement de l'âme", Évelyne?», voilà ce qu'elle disait quand elle se penchait trop près d'elle pour étudier un dossier et capter un effluve au passage.

La bague avait été une idée folle dont elle n'arrivait pas à se débarrasser. C'était un printemps, il y a si longtemps maintenant, elles marchaient toutes les deux dans l'ouest de la ville vers un cinéma. Yseult s'était arrêtée devant la vitrine, avait pointé la bague. («Regarde : la couleur de tes yeux, Évelyne, tu devrais porter ça.») Elle avait ri, troublée, avait exhibé ses mains trop grosses pour ces délicatesses et avait déclaré que l'émeraude lui irait beaucoup mieux à elle. Yseult avait fait un clin d'œil : «Trop fragile pour moi. L'émeraude est la pierre précieuse la plus fragile. Je suis plus dure que ça.»

Pour lui offrir, elle avait écrit... combien de lettres, de brouillons? Ça variait des déclarations les plus détaillées aux plus stupides. Elle s'embourbait, s'expliquait, cherchait à se justifier. Puis, à bout d'arguments, elle avait griffonné un «pas si dure que ça» et expédié le tout dans son casier, trop gênée pour assister à la surprise d'Yseult.

Elle avait eu le message par sa secrétaire : rendez-vous habituel à huit heures. Jamais elle n'avait eu si peur de rencontrer Yseult, jamais elle n'avait été si énervée, si humiliée d'avance. Yseult l'avait regardée longtemps avant de parler. Elle tournait le petit écrin doucement sur lui-même, puis elle l'avait poussé vers elle : « Mets-la. » Évelyne avait obéi, parce qu'elle ne savait pas quoi dire. Même sur ses mains trop robustes, la bague conservait son éclat. (« Garde-la, c'est pour toi, l'émeraude. ») Évelyne avait fait non, retiré la bague, l'avait remise dans l'écrin sans un mot. Yseult l'observait, attendait quelque chose d'elle, mais Évelyne ne savait pas parler, ne savait pas quoi faire de cet amour si inhabituel, presque choquant pour elle. Elle avait failli partir tellement elle était gênée, mal à l'aise. Elle voulait lui dire que ce n'était pas grave, pas la fin du monde, enfin sans conséquence, qu'elle l'aimait beaucoup, c'est tout. Mais ça, c'étaient ses petits mensonges à elle, elle ne pouvait pas offrir ça à Yseult. Yseult qui ne la quittait pas des yeux, avec cette douceur inaccoutumée.

Évelyne avait finalement balbutié : « C'est ça. C'est tout. » Yseult avait beaucoup ri. La première fois de sa vie qu'une femme lui faisait une déclaration et ça se résumait à un « C'est ça. C'est tout » accompagné d'une bague trop coûteuse. Évelyne avait finalement osé la questionner :

— T'as déjà aimé une femme ?

— Ma fille.

— Non, je veux dire... d'amour autre... comme un homme.

—Je l'aime plus qu'un homme, mieux probablement. Je l'aime comme personne d'autre.

—Je t'aime aussi comme personne d'autre. Je ne sais pas comme quoi, j'ai pas de référence pour ce genre de sentiment.

Yseult la regardait en silence. Belle, infiniment douce tout à coup, fragile. À ce moment-là, elle eut la certitude qu'Yseult voulait principalement sauver leur complicité sans la blesser de refuser son amour. Et pour une fois que la lucidité lui venait, Évelyne en avait profité : « Je sais que tu ne m'aimes pas comme ça. Je ne veux même pas en discuter. J'avais besoin d'établir le fait, de le révéler, de prendre le risque. Je voudrais que ça ne change rien d'autre que le fait de le savoir. Savoir que j'ai fait preuve de courage en dealant avec une sorte de menace inconnue pour moi, une sorte de sentiment trop fort pour être nié, mais trop mystérieux pour être intégré dans la vie de tous les jours. Comprends-tu ? »

Oui, Yseult comprenait.

—Je ne sais pas quoi faire de cet amour-là. Peut-être seulement le ressentir, me réchauffer avec. Je n'ai pas besoin que tu le partages avec la même intensité que moi, Yseult. J'ai besoin que tu l'acceptes sans te sentir obligée de t'éloigner. Sans te demander de t'y associer.

Yseult réfléchissait, sans un mot.

—Je ne veux ni te perdre ni te gagner. Je veux te le dire, c'est tout.

—Je le savais déjà, Évelyne.

— Toi oui, mais pas moi...Comment tu savais ?

— Ta crise de jalousie, y a... sept, huit ans ? Ta crise de possessivité effrayante.

Elle avait ri, horriblement intimidée :

— C'était pas ça, c'était le désagrément de ne pas pouvoir te rejoindre pour le travail.

— T'es aussi menteuse que ma fille. Et aussi jalouse qu'elle.

— Plus maintenant.

— C'est vrai. Tu t'es calmée, dieu merci.

— Pas ta fille ?

— Oh... pas sûre. Mais c'est une autre histoire.

Évelyne entendait l'avertissement sous-jacent : défense d'entrer sans permission. Elle n'avait pas insisté, Yseult l'en avait d'ailleurs empêchée :

— Et le désir ? T'en fais quoi ?

— Le désir ?

— Y en a pas ? Tu ne sens pas de séduction, d'attrait physique ?

Une plongée dans les profondeurs glacées de la vérité. Elle n'était pas prête d'oublier cette soirée. Elle avait patiné : « Bien... n... non... enfin... »

Yseult était morte de rire :

— T'es pas à veille de me sauter dessus en tout cas ! T'es même pas capable de l'avouer.

— C'est différent, je te dis.

— Mon œil, Évelyne ! Si tu prends des risques, prends-les tous. Je sens ton désir exactement comme je sentirais celui d'un homme. Comme une main qui me descend dans le dos, aussi précisément, aussi nettement qu'avec un homme. Le désir de me posséder est aussi violent chez toi que chez n'importe quel homme. Je ne dis pas que tu saurais t'arranger avec si t'avais la possibilité de le satisfaire, je te dis qu'il est là.

— C'est vrai.

— Bon! Alors, t'en fais quoi?

— Rien.

— Fantasmer, rêver?

— Oh écoute, ça ne te regarde pas.

— Oui. Parce que j'ai pas envie de te voir me regarder comme un petit chien en pénitence. J'ai pas envie de ménager tes sentiments en cessant de parler, de rire avec toi et de te raconter mes aventures. J'ai pas envie de me censurer. J'ai pas envie de te traiter comme une porcelaine recollée qui va se casser au moindre souffle.

— Aie pas peur. Je serais bien embêtée moi-même si tu me désirais.

— Tais-toi, tu me tentes: j'ai envie de te dire oui juste pour te voir la face.

La sorcière, l'enjoleuse avec ses lèvres gourmandes, avec ses narines palpitantes à l'idée de bousculer l'ordre, la troublante avec son appétit carnassier.

— Yseult, brise pas tous mes fantasmes, j'ai beaucoup de plaisir avec.

— C'est vrai? Du vrai plaisir, du plaisir pas triste, pas victime?

— Certainement pas!

Elle avait passé la langue sur ses lèvres, rapidement, petite chatte alléchée, excitée presque:

— Attention, Yseult, ça t'excite.

— J'ai pas besoin de faire attention. Je serais ravie de coucher avec toi si j'en avais envie. Ravie d'y goûter à condition que ce soit un vrai désir, pas un mensonge. Ce qui m'excite présentement, ma chère, c'est ton désir, pas le mien.

— Enchantée de voir que je ne te dégoûte pas.

— Aucune chance! J'aime trop séduire pour être dégoûtée par le désir que j'allume. La seule chose qui me désole, c'est de te laisser en plan avec. Sincèrement, je ne l'ai pas fait volontairement.

— Je te crois. Moi non plus, tu sais.

Comme elles avaient ri! Quel plaisir que cette soirée. Contrairement à son habitude, ce soir-là Yseult ne portait aucune bague. Elle avait finalement glissé l'émeraude à son doigt, posé ses deux mains à plat sur la table et murmuré : «Tu es la seule personne au monde de qui j'ai accepté un témoignage d'amour sans lui rendre un peu de cet amour, en sachant parfaitement bien que je lui en serai pour toujours redevable, parce que je profite de cet amour désintéressé.»

Elles étaient sorties très tard du bar. Très soûles. Yseult avait glissé son bras sous le sien : «Ouf! J'ai eu peur, tu sais!» et elle avait serré son bras en avouant : «Moi aussi.»

Aucun regret, elle n'avait jamais eu aucun regret d'être allée aussi loin qu'elle pouvait avec cet amour. Aucune amertume non plus. Seulement aujourd'hui la solitude infinie de demeurer inutile, impuissante à l'aider, horriblement isolée par son geste. Quel intérêt de savoir comment, pourquoi? Quelle importance, maintenant? Elle ne rirait plus, ne serrerait plus son bras, ne la regarderait plus avec ces yeux qui attendent une réponse de toute urgence, confirmation ou contestation, peu importe. Yseult ne répliquerait plus jamais sèchement. Fini.

Quand Gabriel était arrivé, effaré, exigeant des détails sur Yseult, Évelyne n'avait pas cru une seconde que sa fille s'amusait à le torturer. Elle avait calmé Gabriel, mais avait conservé ce doute vrillé au fond de l'estomac : sa fille n'inventerait pas sa mort, sa fille ne ferait pas une telle horreur sans raison.

Quand elle l'avait vue, cette belle noire aux yeux défaits, au teint crémeux, cette affolée qui portait l'émeraude et le diamant d'Yseult, elle avait su. Et si la petite ne s'était pas précipitée aux toilettes à la seule vue du pont, c'est elle qui serait allée vomir. Diane, le plus grand secret d'Yseult, l'intouchable, la protégée à vie, la seule à être exclue de son implacable ironie. («Mon esclavage consenti, Évelyne, le seul.») Diane, la difficile fille qui avait torturé Yseult («C'est foutu pour nous, je sais seulement la blesser.»), l'avait acculée à l'échec, l'avait poussée à bout. («Je n'ai aucune patience, Évelyne, et elle me force à faire semblant, à supporter sa loi, ses exigences.») Évelyne savait que le sujet était tabou, sauf quand Yseult, rendue folle d'angoisse, lui posait ses questions faussement sibyllines. («Si tu sais que quelqu'un que tu aimes va commettre une erreur terrible, mais que si tu lui dis, elle va la faire encore plus vite, as-tu d'autre choix que celui de te taire, disparaître jusqu'à ce qu'on te demande ton aide?») Réponse incluse, murmurait Évelyne qui comprenait que Diane allait passer à l'action. Dans ses meilleurs jours d'ironie mordante, Yseult avait une définition bien précise de Diane : «C'est Vénus tout entière à sa proie attachée» et quelquefois, elle allait jusqu'à parodier Racine en lui faisant dire : «C'est Diane tout entière à son rêve attachée.»

Diane qui avait probablement trouvé Yseult et compris enfin... quoique cette rage, cette colère... non, ça n'augurait rien de bon. Cette fille qui possédait fort peu de l'apparence d'Yseult mais tout de son intensité. («Elle s'acharne à occulter comme je m'acharne à dévoiler. Deux trains qui foncent en sens contraire.») Diane avait-elle gagné? Avait-elle réussi à anéantir sa mère? Évelyne sourit, s'excuse presque auprès d'Yseult d'avoir un réflexe aussi banal de déculpabilisation. Yseult possédait ce don rare d'assumer totalement ses responsabilités, de n'accuser personne, de ne jamais déléguer, refiler la faute aux autres. Elle l'entend l'avertir sévèrement: «Ne me retire pas la paternité de mes gestes, je veux mon copyright là-dessus.» Non, Yseult n'était la victime de personne, ni de Diane, ni d'elle, ni des autres qui avaient traversé sa vie, l'avaient si souvent meurtrie mais jamais contrôlée. Yseult revendiquerait sa mort comme sa vie, sous le signe du libre arbitre. Et l'aimer voulait probablement dire ne pas contester cette terrible exigence, ne pas discuter.

Évelyne soupire, considère son deuxième café intact. Il faudrait rentrer, il faudrait reprendre le fardeau de la vie sans Yseult, du travail sans sa collaboration, sa ténacité, le fardeau de Noël avec la famille qui s'agite, exige son lot de célébrations. Elle n'est plus sûre de tenir toute seule.

— Qu'est-ce qui ne va pas, Évelyne?

La serveuse est debout près d'elle et l'observe. Qu'est-ce qu'elle peut dire? Pourquoi tout le monde se soucie-t-il d'elle ce soir? Est-elle si transparente, si évidemment désespérée? («Tu es limpide, Évelyne.») Elle soupire, repousse son café :

— Rien, je suppose qu'il faudrait que je rentre.

— Vous pouvez rester, je vais faire ma caisse tranquillement. On partira ensemble tantôt.

Évelyne prend son sac, la serveuse l'arrête : «Franchement, vous ne les avez pas bus, vous allez pas les payer!»

Et elle la laisse seule avec Yseult. Évelyne fixe la banquette rouge vin devant elle. Oh mon dieu, elle donnerait cher pour la voir assise là, avec cette cigarette qui lui écorche les poumons, ce mouvement de la tête, cette façon de fermer les yeux pour réfléchir, s'abstraire du réel, plonger en elle, cette façon de rendre sa bouche souveraine dans ce visage où l'éclat des yeux est enfin mis en veilleuse... Quand Yseult fermait les yeux, Évelyne savait exactement quel était son visage dans l'amour, la suprématie de la bouche sensuelle sur l'acuité du regard enfin évanouie, absorbée par le grondement du plaisir. Pour la première fois depuis vingt ans, elle s'avoue qu'elle désirait follement, sans aucun égard pour la prudence ou la décence, follement fermer les yeux d'Yseult et faire vibrer sa bouche. Et une terrible révolte l'étreint, une envie d'hurler, de trépigner, de s'opposer formellement à la mort d'Yseult. L'envie de la battre, de la secouer, de lui jurer n'importe quoi pour qu'elle revienne, qu'elle rie encore une fois. Encore une seule fois. Qu'elle pose ses mains blanches et nues sur la table, bien à plat et qu'elle accepte encore une fois son amour.

C'est un cognac qui est posé devant elle, au lieu des mains d'Yseult. Un cognac offert par la serveuse : «C'est pas de café que vous avez besoin, c'est de ça.»

Évelyne avale d'un trait, sourit : «En effet!» Elle se sent suffisamment fouettée pour se lever, ramasser sa vie et ses paquets de Noël sur la banquette et sortir sans vérifier si Yseult reste là. Comme cette fois si terrible où Yseult lui avait carrément demandé de partir, de la laisser seule avec cet homme qui la brûlait des yeux. Cette fois où elle est partie la tête haute, mais humiliée comme si elle avait été une entremetteuse. «Ça ne pouvait pas attendre, Yseult?» Ce visage dur, fermé pour lui marteler un non sec. Sa rage à elle. «Ça ne te gêne pas de te débarrasser des gens comme ça? De les balayer comme des indésirables?» La réponse froide, excédée d'Yseult : «Ça ne te gêne pas de te conduire comme une addict? La vie privée, tu sais que ça existe?»

Oui, elle sait. Oui, elle part, elle va la laisser derrière elle. Seule, brûlante ou brûlée, au cœur de son privé tellement revendiqué, au cœur de sa vie si jalousement gardée, si férocement protégée. Avec cette fille plantée dans la poitrine plus solidement qu'un couteau. Cette fille qui porte une émeraude dont elle ne saura jamais rien. Comme on porte un brillant. Comme on porte un amour de pacotille. Notre secret est intact, Yseult. Personne ne peut plus le divulguer.

Sur la table de l'entrée, dans la maison silencieuse, Henri a laissé le message : « URGENT — DIANE MARCHESSEAULT — N'IMPORTE QUELLE

HEURE. » Il est deux heures du matin, mais Évelyne n'hésite pas. C'est l'homme qui lui passe Diane. Sa voix est calme maintenant, presque semblable à celle d'Yseult, le ton en moins.

— Madame Guindon... je veux m'excuser pour hier.

— Inutile, c'est moi qui appelle tard.

— Je ne dormais pas. Je veux vous remercier pour le cadeau... les cassettes de ma mère.

— Je savais que c'était important pour elle que vous les ayez.

— C'est vrai?

— Oui.

— Elle l'a dit ou vous l'avez deviné?

— Je l'ai deviné.

— Elle est morte.

— Oui.

— Comment vous le saviez?

Évelyne ne peut pas lui dire : parce que je l'aimais et que vous portiez l'émeraude que je lui ai donnée. Elle sait peu de choses de cette fille, mais elle est sûre que l'amour d'une femme pour sa mère serait choquant et probablement salissant à son point de vue. Elle murmure :

— Votre attitude et... les bagues.

— Vous étiez son amie?

La question! Qui était l'amie d'Yseult? Qui peut se vanter d'être proche du feu et de n'avoir jamais reculé?

— Un peu, oui.

— Je... j'ai besoin d'aide pour savoir à qui sont les bagues.

— À elle.

— Non, je veux dire...

Comme elle a le souffle court, cette enfant, comme elle respire comme sa mère quand une lame l'avait traversée. Évelyne ne supporte pas d'entendre ce sifflement:

— Oui, j'ai compris. Je ne peux pas vous aider pour ça.

— Personne? Vous ne connaissez personne dans sa vie?

Elle réfléchit très vite, très inquiète:

— Yseult ne désirait pas qu'on sache cela. C'est sa vie privée, je crois qu'il faut la respecter.

— Mais c'est ma mère!

Et bien sûr elle pleure. Elle sanglote sans parler, dépossédée d'une parcelle d'Yseult. Bien sûr, elle veut récupérer la vie d'Yseult, elle veut savoir ce que n'importe quelle torture n'aurait pas arraché à sa mère. («Si tu savais comme elle est possessive. Une tigresse. À côté d'elle, les hommes sont des anges.») Évelyne prend sa voix la plus douce:

— Oui, c'est votre mère, mais elle avait ses secrets. Si elle les a gardés pour elle, c'est qu'elle voulait le faire. Vous savez bien qu'Yseult vous aurait dit ce qu'elle désirait que vous sachiez.

— J'étais pas là! Ça fait sept ans que je lui ai pas parlé.

«Et tu as maintenant l'éternité devant toi pour t'en vouloir...» Pauvre petite fille noire et jalouse. Comment la consoler de l'irréparable, comment arrêter cette exécution?

— Yseult... elle ne vous a pas laissé quelque chose, un mot?

Silence impeccable à l'autre bout.

— Diane?

— Oui, je suis là...

— Vous n'avez rien eu avec les bagues?

— Non.

Ça ressemble à Yseult ce non abrupt. Ça ressemble à du camouflage. Évelyne décide de se donner du temps:

— Je peux vous rappeler? Je vais essayer de réfléchir, de voir ce que je peux trouver?

— Je... j'avais un nom, je ne me rappelle pas, c'est Gabriel qui me l'a donné. Il dit que c'est vous qui savez...

Évelyne l'entend fouiller, chercher, elle l'interrompt:

— Jocelyn Maltais?

— Oui! Est-ce que c'est vrai qu'il est mort?

Bonne recherchiste en tout cas, tu serais fière, Yseult. Qu'est-ce que je fais maintenant avec ta tigresse? Je te trahis, je l'aide, je l'achève?

— Pouvez-vous me donner le temps?

— Le temps de quoi? Il est mort ou non?

— Oui.

— Comment?

— Diane, laissez-moi rassembler tous les éléments. Je vais chercher, promis. Je vous rappelle... demain soir?

— Non, pas demain.

— Dimanche alors?

— S'il vous plaît.

— Je vais faire ce que je peux. Avez-vous écouté toutes les cassettes?

— Juste le début... C'est elle? C'est sa voix pour Rimbaud?

— Oui, c'est elle. (Comme elle a la gorge serrée, comme tu me manques, Yseult.)

— Je... j'ai pas pu.

— Prenez votre temps.

Elle entend le rire cassé à l'autre bout : «Ouais... y a rien qui presse maintenant. À dimanche.»

Et elle raccroche. Oui, cette dérision blessée... c'est bien la fille d'Yseult. Elle va s'asseoir au salon, brisée. Ça sent le sapin. Elle s'installe près de la fenêtre, dans la pénombre et tente de décider ce qu'elle doit faire.

— Elle veut pas! Elle veut rien dire!

Diane repousse le téléphone comme s'il était responsable.

— Peut-être qu'elle ne le sait pas?

— Voyons Gilbert, elle le sait très bien, elle veut le garder pour elle, c'est tout!

— C'est quoi, dimanche?

— C'est le jour où elle doit me dire qu'elle peut rien me dire. C'est ça, dimanche. Qu'est-ce que ça lui coûterait de me renseigner? Rien. Madame doit être froissée parce que je l'ai plantée là hier.

Elle marche comme une enragée, ramasse une cigarette au passage dans le paquet de Gilbert qui la regarde aller. Elle est jalouse! Il n'en revient pas. Il prend un ton raisonnable, il est quand même deux heures du matin et il n'en peut plus, lui:

— Elle t'a rappelée, c'est déjà ça.

— Elle voulait juste savoir si elle était morte.

— Tu sais que ce n'est pas vrai. Tu m'as dit qu'elle l'avait deviné.

— Bon, O.K.

— Pourquoi t'attends pas dimanche, tout simplement?

— Parce que je ne peux pas, Gilbert! Parce

que j'ai besoin de savoir, besoin de connaître ces hommes-là, de mettre un nom sur chaque bague, chaque amant.

— Pourquoi?

Elle s'arrête en plein milieu de la pièce, hausse violemment les épaules, comme s'il ne proférait que des stupidités et va écraser sa cigarette. Il insiste malgré la tension qu'il sent dans l'air:

— Pourquoi t'as besoin de savoir ça? C'est peut-être quelque chose que ta mère voulait garder pour elle?

— C'est ça, dis comme l'autre!

— C'est ce qu'elle dit?

— Si tu savais comme j'haïs ce genre de phrases raisonnables et sensées. Le genre qui sait ce qu'il faut faire, ce qu'il faut respecter, ce qu'il faut préserver. Ma mère a-tu pensé à moi, là-dedans? Elle a respecté ma vie peut-être, ma tranquillité? Elle a préservé mon équilibre aussi? Et maintenant il faudrait que je dise: très bien, je ne comprends pas mais c'est pas grave, c'est privé? Je respecte ça, maman. Toi tu te fous de moi, de mes sentiments, de ma vie privée, mais moi je vais être parfaite et te laisser te tirer en bas du pont sans rien demander. Moi, je peux devenir folle de ne pas savoir, du moment que sa maudite vie privée est intacte? Du moment que la porte de la chambre reste fermée! Elle est morte, pourquoi on la protégerait encore? Pourquoi ce serait encore elle qui gagnerait?

— Peut-être que c'est toi qu'on protège.

— Merci beaucoup mais j'ai trente ans et je ne suis plus une petite fille fragile. Si elle voulait

me protéger, elle n'avait qu'à ne pas se tirer en
bas du pont !

Il soupire. Comment endiguer toute cette
rage ? Il faut qu'elle dorme. Demain, ce sont les
funérailles d'Yseult, si elle veut être capable de se
rendre au bout de la journée, il faut qu'elle se
repose. Il la regarde tourner en rond, se demande
comment faire.

— Va te coucher, Gilbert. T'es vanné. T'es pas obligé
de rester là à me regarder m'enrager. Va te coucher.

— Tu fais quoi, toi ?

— Je vais finir tes cigarettes, faute de scotch.
Je vais m'asseoir ici et réfléchir.

— Viens réfléchir avec moi dans le lit.

— Non.

Il s'approche d'elle : elle a les yeux cernés,
rougis d'avoir pleuré mais brillants de fureur. Sa
bouche tremble un peu :

— Viens avec moi, Diane, tu vas t'épuiser pour
rien.

— Je m'endors pas.

— Non, mais t'es fatiguée.

— Pas grave. Va te coucher.

Qu'est-ce qu'il peut faire ? Il a besoin de sommeil, lui, si elle peut s'en passer. Il se dit qu'aller
se coucher est peut-être la meilleure façon de
l'aider à arrêter de se tourmenter, arrêter de
tourner en rond. Il caresse sa joue doucement :
« Tu vas me réveiller, promis, s'il y a quelque chose
qui ne va pas ? »

Elle le regarde avec tendresse, passe son ongle
sous le renflement de la lèvre, redessine sa bouche
avec le doigt : « Promis. »

Il sait que ce n'est pas le bon moment, mais il a une envie terrible de l'embrasser. Il s'éloigne pour dévier le mouvement qui lui vient et va se coucher. Il sombre presque tout de suite dans un sommeil pesant.

Diane allume une autre cigarette, replace la cassette au début. Sans musique, sans présentation, la voix grave d'Yseult :

> *Mais, vrai, j'ai trop pleuré! Les Aubes sont*
> *navrantes.*
> *Toute lune est atroce et tout soleil amer :*
> *L'âcre amour m'a gonflé de torpeurs...*

Elle arrête la bande. Cette voix comme dans son enfance, cette voix brisée qui dit des mots graves comme s'ils étaient simples. Cette voix qui ne pleure jamais mais qui fait pleurer, qui ne gémit jamais mais pousse à implorer. Son amour brisé, âcre comme elle dit, son amour cassé, émietté par toutes ces mains d'hommes inconnus qui l'ont broyée, elle, sa fée. Ce n'est pas le fleuve qui a gonflé ton visage, maman, c'est l'âcre amour... Elle savait qu'elle allait se tuer, elle le savait très bien et c'est pourquoi elle a fait cette émission. Les poètes, ses poètes (« Mes amis, ceux qui te tiennent solidement dans la vie.»), ceux qu'elle ne cessait d'aimer, ceux qu'elle gardait près de son lit. Elle leur avait fait ses adieux : quatre demi-heures. Diane savait déjà qu'elle entendrait ce poème de Rilke qu'Yseult lui répétait souvent : « Ce n'est pas tant que la vie soit hostile, mais on lui ment... («T'entends, mon petit pou, *on lui ment?*») ... enfermé dans le bloc d'un sort immobile.»

«Elle ne vous a pas laissé quelque chose?» Oui, madame Guindon, des poèmes, des poèmes qui pleurent pour elle, implorent à sa place. Oui, de la littérature, mais pas de mot, non. Ma mère n'écrivait pas sauf des lettres d'amour à des hommes qu'elle chassait pourtant. Des lettres d'amour écrites à l'encre violette et violente. J'en ai lu une un jour et je n'ai pas recommencé. Pas à cause d'elle («Quel manque total de dignité! Quelle bassesse! Ma pauvre, comme tu dois te sentir humiliée!»), mais à cause des mots dans la lettre, des mots crus, francs qui illustraient des élans dont je n'avais même pas l'idée. Des phrases brutales et pourtant envoûtantes, sans aucune concession de pudeur et qui dépassaient quand même le graveleux des licences et des débauches évoquées. La puissance évocatrice des mots, l'absolu de l'abandon m'avaient saisie à la gorge. Non, je ne relirai jamais ces lettres même si on me les tendait maintenant, je déteste cet étalage impudique, provocant. Ce serait comme de la trouver encore étendue dans le champ de bleuets. («C'est Émile qui nous a surpris, pas toi.») Mais c'est tout comme, c'est pareil. («T'entends, mon petit pou, *on lui ment?*») Je ne vous ai pas trouvés, mais j'ai eu honte pour toi, maman, voilà.

Elle se lève, éteint l'ampli, va se brosser les dents, regarde Gilbert dormir.

J'ai eu honte de ton désir, maman, de ton rire, de ton appétit charnel, honte de cette fureur qui t'habitait et te déchaînait et qui m'emplissait de

LE POIDS DES OMBRES

jalousie. Et je ne sais pas comment libérer cela en moi. Je ne sais pas comment fermer les yeux de la pudibonde qui voulait déchirer ta lettre d'amour. Je ne sais pas comment, sauf avec le scotch.

Elle s'étend contre Gilbert, se colle contre son dos, ses fesses, s'installe en cuillère, lovée contre son corps chaud, le visage enfoui dans sa nuque qui dégage une odeur un peu musquée, mélange de peau et cheveux, mélange de sucré et poivré. Elle respire profondément cette odeur d'homme et s'endort très vite.

P our une fois, il se réveille avant elle. Il se glisse hors du lit et se réfugie sous la douche. Il a peur. Il est vraiment nerveux : il n'a jamais été à une crémation, il espère que ce n'est pas trop morbide, que Diane va tenir le coup, qu'il va savoir quoi dire, quoi faire. Il finit la douche à l'eau froide uniquement, en se répétant que ce n'est pas le moment de bander, qu'il n'est certainement pas question de faire l'amour aujourd'hui.

Il n'ose même pas faire de café au cas où le bruit du moulin la réveillerait. Il se promène dans le loft plein de lumière, le mont Royal est tout gris et blanc, comme si les arbres étaient en aluminium. Il se dit qu'il devrait appeler sa mère, la prévenir qu'il ne sera probablement pas là à Noël ou alors qu'il y sera mais accompagné d'une drôle de fille qui agit bizarrement parce qu'elle vient de perdre sa mère. Il va vers le lit, regarde la fille bizarre dormir : l'oreiller par-dessus la tête, la cuisse hors des draps, elle ne bouge pas, respire à peine. Inquiet, il se penche : il voit son sein se soulever dans un petit creux de drap, elle dort profondément.

Il reste là, à la contempler, ignorant son estomac qui réclame son petit déjeuner. Il vérifie l'heure : à onze heures, il va aller faire du café et la réveiller, il lui accorde encore une demi-heure.

Elle bouge, s'enfonce encore plus sous les couvertures, tire la couette sur elle, la cuisse si attirante est recouverte, ne restent exposées que son épaule gauche et une courbe du cou jusqu'à l'oreille que les cheveux noirs crayonnent. Juste ce petit espace de peau pour nourrir son désir... juste ça et tout ce qui, enfoui sous le drap, enfoui dans sa mémoire exaltée, le fait piaffer d'impatience. Combien de temps encore avant de pouvoir la mordre, la baiser à son goût, la rouler sur lui et tout oublier ? Il voudrait être un homme délicat, subtil. Il essaie de penser à cette femme morte, mais il ne peut pas s'inventer de compassion, il ne la connaît pas. Il ne connaît que sa fille, sa très belle fille si surprenante, qui fait l'amour avec un appétit redoutable et qui le remue et qui le rend complètement idiot de désir.

Il donnerait cher pour qu'elle l'aime. Il donnerait beaucoup pour qu'elle le voie et considère sa présence dans sa vie comme autre chose qu'un support temporaire pour traverser le deuil ou qu'un garde-fou particulièrement efficace contre ses désirs suicidaires. Il n'apprécie pas beaucoup l'histoire du scotch, l'histoire de ses nuits de soûlerie.

Il n'aime pas non plus la recherche déterminée des hommes d'Yseult. Il a peur qu'elle ne veuille se les taper. Tous. En ligne, systématiquement, complètement soûle. Voilà, il se l'est dit, avoué : il n'a pas envie qu'elle parte à l'aventure et se sente obligée de marcher sur les pistes vacillantes de sa mère pour aboutir encore sur le pont. Il voudrait bien que ça s'arrête à lui. Il ne détesterait pas tout recommencer à neuf une fois Yseult en cendres. Il sait que c'est sordide, mais il est vivant, lui, il veut vivre et non pas faire brûler des lampions pour une beauté couverte de bijoux qui s'est tirée dans le vide sans appeler au secours !

Il regarde la masse duveteuse bouger mollement dans le lit, irritante masse dont il connaît la douceur moite de certains creux et il est loin de se douter que c'est comme ça, affamé, les yeux pétillants de désir, qu'il aurait plu à Yseult.

À six heures du matin, Évelyne n'a pas bougé de son fauteuil. Le petit matin d'hiver est noir comme la nuit. Elle entend l'escalier craquer.

Henri arrive, chiffonné de sommeil :

— Évelyne ? Qu'est-ce qu'il y a ? Ton party de bureau a fini tard ?

— Non.

— Tu médites ?

— Yseult est morte.

Il s'approche d'elle, met la main sur son épaule en silence. Que sait Henri sinon qu'Yseult est sa très grande amie ? Il y a dans son silence tant de respect qu'elle se demande si son mari ne s'est pas toujours douté de quelque chose. Il murmure :

— Tu veux parler ou rester toute seule ?

— Je ne sais pas.

— Suicide ?

— Oui.

— Je vais faire un peu de café.

Il va à la cuisine. Elle entend les gestes quotidiens, rassurants du matin. Même ça, Yseult... même ça c'est fini pour toi. L'odeur du café, la lumière un peu jaune dans la cuisine avant l'aurore, le lait chaud... la vie dans la première tasse de café du jour, brûlant et fort.

Henri lui tend sa tasse, fait un peu de feu, peut-être seulement pour voir son visage sans allumer. Il s'assoit en face d'elle, inquiet :

— Ça te fait beaucoup de morts en un an.

— C'est ça vieillir, je suppose.

C'est une phrase d'Yseult, ça. Cette conscience de la mort irrémédiable qui trace ses sillons dans le visage des survivants. (« Il n'y a qu'une seule véritable rupture, Évelyne, c'est la mort. Le reste c'est... pas très important, des remous de vie. Des ruptures qui ne rompent rien finalement. »)

Henri n'insiste pas, il boit son café silencieusement, tisonne le feu, attend.

— Je peux faire quelque chose pour toi, Évelyne ?

Il est trop gentil, trop doux, ça va la faire pleurer. Elle décide qu'elle doit encore prendre une décision avant de s'abstraire dans le chagrin :

— Oui, peut-être. Y a sa fille qui s'est mis en tête de savoir tout ce que sa mère a vécu pendant les sept ans où elle a refusé de lui parler.

— Elle te demande de lui dire ça ?

— Non. Elle me demande de lui expliquer ce qui est arrivé avec Jocelyn.

— Ah bon...

Il boit, semble réfléchir et elle se demande ce qu'il ferait, lui, dans une situation pareille. Henri n'a pas beaucoup d'imagination et cela lui procure un pragmatisme bien utile quand les événements veulent s'exciter. Il l'observe tranquillement :

— Tu le sais, toi ?

— En grande partie, oui.

— Et ça peut la blesser, sa fille ?

344

— Ça peut.

— Mais Jocelyn ne s'est pas tué, quand même ? C'était bien un accident ?

— Je pense que oui. En tout cas, laissons les apparences intactes.

— Les apparences ? Il y avait trois autos d'impliquées... Tu doutes maintenant ?

— Je ne sais plus.

— Tu penses que c'est l'histoire avec Jocelyn qui a poussé Yseult à se tuer ?

— Non... c'est plus compliqué que ça.

Il réfléchit à tout ce qu'il ignore de cette histoire, cherche à aider Évelyne sans l'obliger à révéler ce qu'elle ne souhaite pas dire.

— Pourquoi apprendre à sa fille ce qu'Yseult gardait pour elle ?

— Pour l'aider.

— À quoi ? À s'en sortir ?

— À voir la vérité... Yseult disait que c'est ce qui l'empêche de vivre.

— Ouais... Pourquoi tu ferais le travail que la mère n'a pas fait ? C'est un gros défi, tu ne trouves pas ? Es-tu en état d'entreprendre une bataille comme ça ? Et si tu lui révèles des choses qu'elle refusait, qu'est-ce qui te garantit qu'elle ne finira pas à la même place que sa mère ? Ou qu'elle ne t'enverra pas promener toi aussi ?

Les questions planent dans le silence pesant. Évelyne termine son café, pose sa tasse.

— Je ne sais pas, Henri... probablement que j'essaie de faire quelque chose pour Yseult. Je me fais accroire que je peux encore faire quelque chose, alors qu'elle ne m'a rien demandé.

— C'est ça le pire ?

— C'est ça.

Elle cache ses yeux derrière sa main, respire à fond pour contrôler les larmes qui l'étouffent. La voix d'Henri lui parvient comme s'il était très loin :

— Évelyne... est-ce que tu te reproches quelque chose ? Je ne sais pas... de lui avoir présenté Jocelyn par exemple...

— Je ne lui ai pas présenté Jocelyn, je ne voulais pas qu'ils se rencontrent d'ailleurs ces deux-là. C'est un hasard s'ils se sont connus par moi.

— Pourquoi tu ne voulais pas les faire se rencontrer ?

— Je me doutais bien qu'il arriverait ce qui est arrivé, que le feu prendrait tout de suite.

Elle revoit leurs visages dans son bureau devenu trop étroit tout à coup. Leurs yeux qui ne se lâchaient plus une fois qu'ils s'étaient croisés. Jocelyn était passé lui laisser un livre qu'elle cherchait, Yseult était venue lui dire bonjour par hasard alors que jamais, en dix-huit ans, non, dix-sept, jamais ça ne lui était arrivé. Mais ce jour-là, elle était passée.

— Tu sais Henri, ils étaient pareils, deux excessifs, deux passionnés incapables de se fixer, incapables de rester tranquilles. Si tu savais comme je me suis sentie de trop la fois où ils se sont rencontrés : leur attirance prenait toute la place ! J'ai eu peur d'être obligée de sortir du bureau pour les laisser baiser en paix.

— Ils faisaient une belle paire en tout cas.

— Oui... ils faisaient une très belle paire. On

aurait dit les deux parties d'un même objet qui se trouvaient enfin réunies.

Ils s'encastraient parfaitement. Pas un espace de libre entre eux deux. Yseult l'avait regardé sortir, s'était assise en face d'elle : «Pourquoi tu le gardais caché, celui-là?» Elle se souvient d'avoir murmuré, gênée: «Il est pris, Yseult, il est avec une fille depuis cinq ans.»

Le rire d'Yseult! Ses dents voraces, brillantes, ses yeux, ah ces yeux, ce doré qui perlait comme des larmes : «Pris? Il est pris? Oh Évelyne, franchement!»

Elle avait demandé ce qu'il faisait et avait immédiatement décidé d'entreprendre une recherche sur les maladies modernes. Elle avait eu ce ton sarcastique qui l'humiliait tant : «Tu me donnes son numéro ou tu me laisses chercher? Le résultat sera le même, Évelyne, ta jalousie ne m'arrêtera pas.»

Paf! En pleine face, pas de détours. Sans un mot, Évelyne avait inscrit le numéro et l'avait tendu à Yseult. La perverse s'était contentée de murmurer, du rire plein le regard : «Je ne lui ferai pas mal, tu sais.» Voire...

— Évelyne, qu'est-ce qui n'a pas marché dans leur affaire, alors?

Elle revient à Henri, surprise de le voir là, au milieu de ses souvenirs: «Rien. Tout a marché. Si j'avais à définir la passion, ce serait eux que je décrirais. J'ai pratiquement perdu deux amis le jour où ils se sont rencontrés tellement il n'y avait plus de place pour autre chose qu'eux-mêmes. Deux exilés qui viennent de se trouver une patrie.»

Deux proscrits qu'une loi autorisait à brûler de nouveau. Jocelyn ne l'appelait plus, ne lui parlait plus. Yseult... courant d'air doré qui traversait son bureau, légère, insaisissable comme du mercure. C'est Évelyne qui se sentait l'exilée tout à coup. Cette exclusivité physique qu'ils dégageaient, comme s'ils étaient détenteurs d'une félicité dont eux seuls avaient le secret. Cette électricité entre eux quand ils discutaient, ces échanges de phrases ironiques, gorgées de sous-entendus qui ne faisaient qu'exacerber l'impression d'assister à un accouplement faussement intellectuel, quelque chose de physique qui transitait par l'esprit. Et puis ces silences soudain, quasi obscènes de densité sexuelle. Ces silences où elle entendait presque leurs souffles farouches s'entrechoquer, où elle en venait à espérer qu'ils partent, qu'ils aillent se livrer à cette convoitise avide ailleurs, qu'ils la laissent finir son apéro tranquille au moins, qu'ils ne l'obligent pas à assister à ce duel acharné, prémices joyeuses de leur volupté.

— Ça a duré quoi, combien de temps le bonheur parfait?

— Oh... un peu plus d'un an et demi. Tu sais comment était Jocelyn? Ça devait être le premier homme d'Yseult capable de continuer à s'absorber dans sa recherche, à se passionner pour son travail tout en se passionnant pour elle.

— Ça l'a rendue jalouse?

— Elle? Non... impossible de rendre Yseult jalouse, c'était pas dans ses cordes. Ça ne l'a jamais effleurée, je pense.

«Sais-tu ce que c'est que la jalousie, Yseult? Peux-tu faire l'effort de comprendre ce que je res-

sens?» Comme elle avait été folle de lui dire cela!
Yseult avait seulement jeté: «Non. Je ne sais pas ce
que c'est que cette envie démoniaque de posséder
les gens. On ne possède personne, Évelyne, jamais.
Ôte-toi ça de la tête!» Elle était partie, la plantant
là. Évelyne se souvient honteusement d'avoir hurlé:
«Lui, tu le possèdes!» Son regard glacé, presque
méprisant quand elle s'était retournée: «Non...
non, Évelyne. Lui *se* possède. Pour une fois, je fré-
quente quelqu'un qui se possède et n'a aucune
envie de posséder quelqu'un ou de l'être lui-même.
J'ai enfin rencontré un être humain libre, pas un
esclave, Évelyne. Médite là-dessus.»

Henri respecte son silence, attend patiemment qu'elle poursuive. Comme rien ne vient, il
insiste:

— Qu'est-ce que tu ne peux pas dire à la fille
d'Yseult là-dedans?

— Rien. En dehors du fait qu'elle ne com-
prendra pas la nature des liens qui unissaient sa
mère à Jocelyn, rien. C'est après que ça la
concerne. Quand Yseult a rompu.

— Pourquoi?

— J'ai pas compris sur le coup. Pas du tout
même. Au bout de seize ou dix-huit mois, elle
décide d'en finir du jour au lendemain sans
explication, rien. Elle l'annonce à Jocelyn et part.
J'ai jamais pu lui faire avouer ses raisons. Jamais
un mot là-dessus. Rien.

— Jocelyn, lui, il te l'a dit?

— Il ne le savait pas lui-même, le pauvre.

Jocelyn défait, exsangue de désespoir. Jocelyn
sans Yseult, retourné à l'exil, à l'errance, rejeté

dans le néant, privé du soleil, Jocelyn défiguré de chagrin, dépossédé. Évelyne aurait bien voulu montrer à Yseult que oui, elle avait possédé cet homme, il n'y avait qu'à le voir se traîner, animal blessé, furieux de souffrir et qui mordait toute main compatissante. Comme elle, exactement comme elle !

De la même manière qu'Évelyne avait été exclue de leur passion, elle l'avait été du désastre de leur rupture. Aucun rapprochement dans cette détresse, au contraire. Deux continents farouches qui dérivaient dans leur tourmente personnelle, sourds à toute amitié, consumés par leur propre déréliction. Deux lèvres de la même plaie qui se déchiraient, s'éloignaient dans un craquement atroce.

Évelyne n'avait pu que se taire, assister impuissante à l'immolation de cet amour. Attendre qu'un des deux s'aperçoive enfin de son existence.

— Et puis Jocelyn est mort.

— Oui... Jocelyn est mort.

C'est elle qui avait été l'annoncer à Yseult. Elle qui l'avait regarder blêmir, chercher son souffle. Elle qui l'avait écoutée se taire infiniment, achevée par cette disparition. Yseult glacée dans ce salon immaculé. Yseult debout à la fenêtre, immobile pendant des heures. Et elle, comme un bibelot dérisoire, comme un simulacre de relation humaine après ce qu'avait été leur amitié. Elle qui craignait de devoir enterrer deux amis aux funérailles de Jocelyn.

Yseult n'avait dit que quelques phrases d'un ton sec, sans réplique. Elle avait insisté : « Un

accident ? C'est sûr ?» et elle avait conclu durement, dos à elle, en fixant la nuit par la fenêtre :
«Je me suis trompée, c'est tout. Pas de rachat
possible.» Évelyne n'était même pas sûre d'avoir
bien entendu et elle ne comprenait pas, mais elle
n'avait pas posé de questions. Elle était demeurée
là, c'est tout. En silence, en retenant ses larmes
parce qu'Yseult n'aurait pas supporté cela. Yseult
qui fixait un horizon intérieur, rigide, le visage figé
comme un masque livide. Impénétrable. Elle
s'était tenue comme ça aux funérailles, droite,
impériale de maîtrise, inatteignable.

— Elle n'est plus jamais revenue comme
avant.

— Tu penses qu'elle l'aimait encore ? Qu'elle
regrettait de l'avoir laissé ?

— Je pense qu'Yseult regrettait infiniment de
l'avoir abandonné, de ne pas avoir vécu cet amour-
là tel qu'il était, de l'avoir contraint, oui, Yseult
regrettait terriblement. La mort de Jocelyn a été
comme une punition, un châtiment inacceptable
pour elle.

— Pourquoi ?

— Parce que c'était définitif. («Aucune autre
rupture que la mort qui rompe vraiment quoi que
ce soit.») Je pensais naïvement qu'Yseult ne
regrettait jamais rien, ne se trompait jamais. C'est
moi qui me trompais.

— Elle était moins parfaite que tu ne pensais.

— Non, moins parfaite que je voulais la croire.
Yseult se débattait dans ses contradictions comme
tout le monde. C'est moi qui ne l'ai pas vu, qui
n'ai pas voulu le voir. Si j'avais été plus fine, j'aurais

pu l'aider, l'empêcher de s'en aller si loin. Si j'avais cessé de penser à moi, j'aurais pu faire quelque chose pour eux.

— Tu pouvais empêcher l'auto de foncer sur Jocelyn? Tu pouvais empêcher Jocelyn de mourir dans un accident stupide?

— Je ne sais pas, Henri. Je sais, je pense que je sais qu'Yseult a toujours cru que Jocelyn avait été distrait à cause d'elle, à cause de son chagrin. Qu'il avait perdu une sorte de réflexe vital, son attachement à la vie, je ne sais pas comment dire. Elle pensait que Jocelyn aurait peut-être eu le bon réflexe si elle avait été près de lui dans la voiture.

— Pure spéculation!

— Peut-être... mais je le pense aussi.

— Qu'est-ce que ça change de se rendre responsable d'un accident auquel on ne peut rien? Qu'est-ce que ça donne à Jocelyn?

— Rien. J'essaie de comprendre Yseult.

— Tu penses qu'elle s'est tuée six mois après la mort de Jocelyn parce qu'elle se sentait coupable?

Non, elle ne pouvait pas dire ça, ce n'était pas vrai même si c'était plausible. Même coupable, Yseult vivait. Même coupable, elle était attachée à cette vie dérisoire et si peu généreuse. Non. Mais c'était la rupture avec Jocelyn qui était le premier échelon de cette descente vers le néant, de cet enfouissement vers le silence. C'était son «pas de rachat» qui était important. Yseult aurait dû lui parler avant la mort de Jocelyn, ça aurait peut-être pu s'arranger.

— Évelyne... réponds-moi : Yseult se sentait coupable à cause de Jocelyn ?

— Tu te souviens de la Saint-Jean, cette année ? De la fête où on est allés ensemble ?

— Moi oui, mais je pensais que, toi, tu étais trop soûle pour te rappeler de quoi que ce soit.

— Tu te souviens qu'Yseult s'est soûlée et que je suis allée la reconduire ?

— Et que tu es revenue en taxi six heures plus tard complètement soûle, oui.

— Peu importe. Ce soir-là, Yseult m'a dit pourquoi elle avait laissé Jocelyn.

Soûle, Yseult était encore plus sèche, plus expéditive. La seule personne que la boisson accélérait au lieu de la ramollir. C'était un exploit de suivre Yseult soûle. Et il ne fallait pas être soûl, parce qu'alors c'était foutu. « Tu veux savoir pourquoi je l'ai laissé ? » Évelyne avait compris qu'elle parlait de Jocelyn tout à coup. « À cause de la fille. » Évidemment, rendue là, Évelyne n'avait plus rien compris. Quelle fille ? Jocelyn n'avait pas d'enfant ! Yseult s'était mise à hurler comme si elle l'avait répété mille fois déjà : « La fille ! La petite pitié qui était avec lui depuis cinq ans ! La fille qui avait l'âge de ma fille. C'est sa fête ce mois-ci. Elle a eu trente ans. J'en avais dix-neuf. Une belle idiote ! »

Évelyne n'avait pas cherché à savoir laquelle des trois était idiote. Elle patinait très vite pour comprendre l'essentiel :

— Ta fille a eu trente ans ?

— Ouais... Le 15 juin, mon petit pou a eu trente ans. Adulte, majeure et malheureuse comme l'autre. Ça empile les erreurs comme d'autres empilent l'argent. Pis ça rêve. Pis c'est de ma faute! Évelyne détestait l'entendre rire comme ça. Ce rire plus râpeux que tous les cris. Elle avait opté pour le silence, se disant qu'elle avait plus de chances de comprendre en laissant Yseult partir dans son délire. Elle avait débouché une autre bouteille et rempli les verres. Yseult jouait avec ses bagues, les retirait, les alignait sur la table, en excluait deux : « Toi et lui. Drôle que t'étais son amie... mes deux préférés. » Elle glissait le diamant magnifique, collait l'émeraude dessus. « Regarde comme tu l'aimes, comme tu t'entends bien avec lui. Regarde tes yeux, Évelyne, comme ils brillent près de lui. » Évelyne ne regardait pas, la douleur d'Yseult était comme un fouet sur son visage, qui claquait sans cesse, la lacérait.

— Comment peux-tu me pardonner ça ? Comment peux-tu ?

— J'ai rien à pardonner, Yseult. Tu l'as dit : il était libre.

— T'oublies la petite pitié. La pitié pitoyable que je lui ai renvoyée, que je lui ai foutue dans les pattes et qui s'est traînée jusqu'en dessous des roues. La petite revenante. Si tu savais comme j'haïs ma mère de m'avoir appelée Yseult. Elle l'aurait jamais su.

Évelyne ne comprenait plus rien. Mais Yseult avait pris son élan :

— Au téléphone, je ne voyais pas. Mais pour me parler de Diane, t'aurais refusé, toi ?

— Quoi ?

— De la rencontrer! Pas moi. Diane avait peut-être un message pour moi. Je t'ai dit que je l'ai vue un soir au *Globe*? Belle et rageuse. Gênée et toujours aussi humiliée. Mais belle... mon petit pou est pas doux, il y a du sauvage en elle. Plus que dans la petite pitié.

Il y avait eu un grand silence et Évelyne avait fini par demander:

— La petite pitié, c'est pas Diane quand même?

— Quand même! Elle voudrait bien, mais elle a moins de talent que Mélo. La petite pitié, elle, elle accotait Mélo. La dépassait, même!

— Elle voulait quoi, la petite pitié?

— Lui.

On aurait dit un rugissement sourd. Elle s'était emparée de la bouteille, avait traversé le salon en vidant un verre. Elle était revenue se placer devant Évelyne, la bouche sanguine comme une blessure tordue par la douleur, la voix devenue caverneuse: «Lui!... Jocelyn... le beau corps écrabouillé dans une Toyota en fer-blanc, le beau corps qui s'est tordu tout seul dans une auto... Elle n'a même pas été capable de le tenir, de le ramasser! Elle l'a laissé se vider dans une rue sale, sur de l'asphalte dur, la tête brisée, la voix brisée, les yeux brisés, lui... lui qui savait rire, brisé! Brisé le rire! Fini. On ramasse, on met ça dans une tombe. La petite pitié a gagné. La petite mort a gagné. Tassez-vous, on va balayer!»

Elle avait refait le tour du salon en vidant un autre verre, était revenue devant Évelyne. Elle ne titubait même pas, glacée comme le jour de la mort de Jocelyn : «Trahi... Trahi le seul homme digne que j'ai rencontré dans ma vie. Ça, c'est une phrase digne de Mélo!»

Le rire encore, ce rire qui donnait envie de hurler et le silence après, pire que le rire finalement. Et cette marche furieuse et sa façon de se retourner, violente : «Tu m'aimes?»

Pourquoi Yseult lui demandait-elle cela en hurlant comme si elle disait : «Tu me détestes?»? Sans laisser aucun temps pour une éventuelle réponse, elle avait enchaîné : «Je ne suis pas mieux que les autres. *Frame-up!* Un *frame-up!* Pas plus libre, Évelyne. Pas plus fine, pas plus lucide, juste un peu plus minable. Trahi. Je me suis trompée et c'est lui qui a payé. Lui! Lui que j'ai brisé, troqué pour rien. Une illusion stupide. Pas de rachat. Diane dirait que je m'arrange pour gagner encore. Mais là, c'est elle qui a gagné. Elle m'a eue. Non... elle a eu Jocelyn. Normal, c'est lui qu'elle visait. Elle n'a jamais pu les sentir. Même les minables. Même les *cheaps*. T'as gagné, le pou. Tu m'as eue! Bravo.»

Le vin avait giclé quand elle avait déposé la bouteille pour applaudir. C'était insupportable. Évelyne l'avait attrapée, hors d'elle, à bout d'endurance :

— Quoi? Qui a gagné? Qui a joué qui?

— Moi, Évelyne, tu peux m'haïr... Moi, je lui ai donné Jocelyn.

— À Diane?

— À la pitié...

— Mais pourquoi? Tu l'aimais encore?

Yseult s'était éloignée en riant. Évelyne l'avait poursuivie, secouée, ivre de rage, ivre tout court :

— Tu l'aimais et tu l'as laissé là? Tu l'as quitté en l'aimant? Tu l'as abandonné? Pourquoi? Réponds! Réponds-moi!

— Pour elle... pour Danielle.

— Pourquoi? C'est qui, ça?

— Son amie. Sa seule amie. La seule qui l'a aidée.

— Mais j'étais là, moi! J'étais son amie!

— Non, à Diane! Réveille, Évelyne! Danielle, la petite qui était avec Jocelyn, la petite pitié, c'est elle qui a aidé Diane à divorcer de son vieux mari. C'est elle qui était là. Quand elle a su mon nom, elle m'a appelée. Combien y a d'Yseult Marchesseault à Montréal, tu penses? Elle voulait sa chance. Elle avait l'âge de Diane. Qu'est-ce que je pouvais faire? Je me suis tassée. Tassez-vous! On va balayer. Tassez-vous, la mort va passer!

Là, Évelyne avait compris. Cette fille, Danielle, cette compagne de Jocelyn qui s'était battue comme une furie pour ne pas le perdre. Cette fille qui avait alerté la ville entière, harcelant toutes les connaissances de Jocelyn pour obtenir qu'il reste avec elle. Cette fille de trente ans, trop jeune pour lui, qui s'était accrochée, avait menacé, supplié. Cette fille était donc cette amie que Diane avait étroitement fréquentée à l'époque de son divorce, des années auparavant. Et Danielle avait fini par connaître le nom de la méchante qui avait ensorcelé «son» homme. Et cette femme était la mère de celle qu'elle avait aidée autrefois. Danielle avait frappé sa rivale au seul endroit vulnérable: Diane. Et Yseult avait marché. Yseult qui avait confondu ses créanciers. Elle s'était donc inclinée devant

Danielle. Cette fille, comme un coup bas du destin, cette fille précisément. Et personne n'avait rien gagné, sauf la mort.

Évelyne n'avait rien dit, écrasée par l'ampleur du désastre. Elle se souvenait de cette phrase terrible à la mort de Jocelyn : «Je me suis trompée. Pas de rachat.» Elle n'avait rien à dire. Jocelyn était mort, Yseult vivait à peine, on aurait dit davantage une blessure qui palpite qu'un être humain qui vit. Insupportable souffrance sèche. Le visage ravagé d'Yseult dont les yeux bougeaient sans cesse, cherchaient, fébriles, une issue à cette torture. Yseult traquée, poursuivie par cette solitude hurlante, à l'affût d'une réparation qui ne viendrait jamais. Pas de rachat, pas de pardon pour Yseult l'exigeante. En perdant Jocelyn, Évelyne avait perdu Yseult. Elle ne l'avait retrouvée que pour concevoir cette émission, ce spécial sur la poésie. Yseult avait alors repris sa détermination, sa vitalité. Évelyne reconnaissait avec soulagement son amie batailleuse, perfectionniste, maniaque du détail. Elle avait cru naïvement, stupidement, que c'était son adieu à Jocelyn, son acceptation de cette mort impossible à accepter. C'était son adieu. Tout simplement.

Il n'y a que les sanglots d'Évelyne dans le salon. Ses sanglots contre la robe de chambre d'Henri. («Pleurer, quelle perte de temps!») Mais elle n'est pas Yseult, elle. Elle est seulement quelqu'un qui l'aimait, une femme désertée, laissée là avec sa compréhension tardive, sa peine, son inutile amour qui ne sauve jamais personne, qui aide à peine, qui ne fait que creuser l'abîme au fond du ventre, l'abîme qui se nourrit de nos larmes. Elle pleure parce qu'elle ne sera jamais autre chose qu'un être humain faillible et désolé. Un être humain à peine capable d'aimer et impuissant à préserver la précieuse vie de ceux qui partent, la laissant seule à constater l'effroyable vide.

— Si elle avait parlé... si elle m'avait dit... j'aurais pu empêcher ça, j'aurais pu les aider.

Henri la berce sans essayer de faire cesser les larmes ou de raisonner. Il la berce en sachant que c'est tout ce qu'il peut faire, tout ce qu'il peut lui offrir, la constance de ses bras pour pleurer l'irréparable, la constance de son amour, bien pauvre, bien mince mais vivant.

Ça ressemble davantage à un bureau de dentiste qu'à un salon funéraire, c'est la première idée qui lui est venue. Assez peu inquiétant, somme toute. Il aurait été là pour une transaction financière, ça n'aurait pas été moins cordial. Le responsable discute avec Diane et lui s'est discrètement éloigné. Elle se retourne, l'appelle : « Gilbert... le cimetière avec lequel on a des arrangements, c'est lequel ? »

Il la regarde, stupéfait ; le responsable enchaîne très délicatement :

— Vous comprenez, avant de vous les remettre, nous devons indiquer sur le formulaire où iront les cendres. Comme c'est l'hiver, ça va nécessairement attendre au printemps...

— Nécessairement... c'est la raison pour laquelle on n'a pas conclu tous les arrangements.

— Bon alors, j'inscris « à déterminer ».

— Parfait !

— Voulez-vous signer ici ?

Qu'est-ce que c'est encore que ce regard terrorisé ? Gilbert ne comprend pas, il prend le stylo tendu par l'homme, le donne à Diane en indiquant la ligne : « C'est pour certifier qu'on t'a bien remis les cendres. » Elle chuchote :

— Signe, toi.

— Voyons, Diane, c'est ta mère, c'est toi qui dois signer.

— En effet, ce serait préférable, madame. À moins que monsieur ne soit votre époux...

Gilbert a presque envie de mentir devant l'air catastrophé de Diane, mais il craint les représailles : « Diane... qu'est-ce qu'il y a ? »

Elle saisit le stylo, forme un « Diane » très rapide et un amoncellement de cercles qui peuvent passer pour n'importe quoi y compris un nom de famille. Elle s'empare ensuite de la boîte de métal, tend la main en vitesse : « Merci beaucoup » et elle sort. L'homme a à peine le temps de détacher l'exemplaire du formulaire, de le tendre à Gilbert qui se précipite vers la sortie.

Diane marche nerveusement, la boîte serrée contre elle. Il l'entraîne vers la voiture sans un mot. Il a beau faire soleil, on gèle.

— Ça va ?

— Oui.

— Tu veux aller prendre un café ?

— Non.

— Qu'est-ce qu'il y a, Diane ?

— As-tu un papier ?

Il lui en déniche un, elle sort un stylo. Elle dépose précieusement la boîte sur la banquette arrière et essaie de signer son nom. Le « M » est péniblement tracé puis, lentement, comme une paralysée qui retrouve ses facultés, elle forme des lettres tremblotantes.

Étonné, Gilbert la voit s'appliquer, se concentrer

pour réussir à compléter un informe et très approximatif «Marchesseault». Elle lui tend la feuille :

— C'est ça qu'il y a! Et encore, c'est un progrès notable! Il y a trois semaines, je ne pouvais même pas faire le «M». Demande-toi ce que j'ai pensé quand il a fallu que je signe.

— Incroyable!... Pourquoi?

— C'est son nom, je suppose. Un blocage primaire, tellement évident que c'est gênant.

— Peux-tu écrire «maman» ?

Elle prend le papier, essaie. Sa main consent à inscrire le substantif après un début un peu cafouilleux.

— Essaie mon nom.

Elle l'écrit sans difficultés. Il soupire :

— Ouf! J'ai eu peur de faire partie de tes blocages. Au moins t'as réussi à écrire «Marchesseault», non?

— Très consolant : les premières lettres de la paraplégique! On s'en va.

Il démarre. Ils s'arrêtent chez lui pour prendre des effets. Diane se laisse tomber sur le lit, le regarde faire son sac :

— T'aimerais pas mieux avoir la paix un peu? Arrêter de jouer au garde-malade?

— Tu veux que je te laisse tranquille, toi?

— Non.

— J'ai pas envie de rester ici à me morfondre. J'aime mieux être avec toi.

— Tu te morfondrais pourquoi?

— Pour toi, ma chère!

— Peur que je me tue?

Il s'arrête: il y a quelque chose de provocant et de sec dans le ton. Il ne sait pas bien ce qu'elle cherche. Il décide d'être honnête puisqu'elle a l'air de vouloir jouer avec lui:

— Entre autres.

— Quoi d'autre?

— Que tu te désespères, que tu renonces, que tu partes te soûler, que tu trouves un homme qui te fasse l'amour mieux que moi, et cætera.

— Et cætera?

— Ouais! As-tu essayé d'écrire ton nom soûle?

— Non.

Elle se retourne sur le ventre, le regarde se débattre dans le tiroir de sous-vêtements.

— Pourquoi t'es jaloux?

— Parce que tu ne me préfères pas, je suppose.

— Je te préfère, je suis là.

Il se retourne vers elle:

— Parce que, quand tu baises, c'est pas important que ce soit avec moi. Un autre ferait l'affaire.

— Tu le sais pas.

— Oui, justement. Tu l'as dit. Et là-dessus, je te crois.

— Là-dessus?

— Ouais. Qu'est-ce qu'il y a, Diane? Pourquoi tu me provoques? Qu'est-ce que tu veux exactement?

— Rien. Je m'intéresse à toi. Pour une fois qu'on lâche mes malheurs.

— Non, Diane: on s'intéresse à toi à travers moi. Qu'est-ce que tu veux?

Elle se lève, met son manteau: «On s'en va?»

Il la tuerait! Il l'arrête, lui retire son manteau:

— Diane... qu'est-ce que tu cherches avec tes questions? T'as envie de te battre?

— Rien. Lâche-moi!

Elle se dégage, sort de la chambre. Il la suit dans le salon:

— Qu'est-ce que j'ai fait?

— Rien.

— Qu'est-ce que j'ai dit? C'est parce que c'est vrai?

— Veux-tu je te dise? Je me sens comme elle. Comme ce que j'haïssais d'elle: sa manière d'abuser des autres, de les laisser l'aimer sans rien donner, sans rien offrir. Sa façon égoïste de profiter des gens sans rien rendre.

— Comment tu le sais?

— Elle l'a fait avec moi!

— Elle t'a volée, dépouillée de quelque chose? Elle a abusé, elle ne t'a rien donné?

— D'une certaine manière, oui.

— Je peux t'assurer d'une chose: tu ne me voles rien. Ce que je fais pour toi, je le fais sans arrière-pensée, parce que j'en ai envie. Je n'attends rien en retour.

— Menteur! Le bon Samaritain, oui!

— Tu vas encore me sortir que j'ai envie de baiser avec toi et que j'espère avoir mon tour sous peu?

— C'est pas vrai?

— Moi je pense que c'est toi qui as envie de baiser et que tu ne sais pas comment avoir ton tour. Si tu veux en parler, parlons-en, mais arrête de mettre ça sur le dos de ta mère.

(« C'est forçant, la vérité, mon pou. Pauvre petit pou qui se bat contre l'évidence! »)

Elle s'assoit près de la fenêtre, découragée. Il se laisse tomber sur le sofa, pas fier de lui. Le silence est bien épais soudain. Il soupire : «Écoute, pour être très honnête, je trouve ça dur de te voir étendue sur mon lit et de ne pas pouvoir te sauter dessus.» Un beau silence, impeccable. Puis elle murmure :

— Écoute, pour être très honnête, je trouve ça dur d'avoir la chienne à chaque fois que j'ai envie de te toucher et de finir par m'en empêcher.

— T'en as envie ?

— Disons que, même soûle, ma mémoire travaille bien. J'ai des flashs... substantiels !

Il s'approche, l'œil réjoui :

— T'en as envie ?

— Sors le scotch !

— Diane... on a dit qu'on faisait plus ça.

— Y a les cendres de ma mère sur le bord de la porte, j'ai signé lamentablement mon nom, je trouve que j'ai ma journée. J'ai pas envie d'être héroïque. Sors le scotch !

Il la prend dans ses bras :

— On pourrait au moins essayer avant. Juste pour voir.

— J'aime autant pas voir ça ! Ma mère disait que je ne saurais jamais vivre sans illusions. À soir, j'en ai pas et j'ai pas envie d'en entretenir : sors le scotch !

C'est en taxi qu'ils sont rentrés chez elle. Diane en serrant d'une main les restes de la bouteille de scotch et de l'autre la boîte contenant les restes de sa mère. Dès leur arrivée, elle tient à descendre au sous-sol dans le casier-débarras, pour déposer la boîte. Ils descendent donc, à trois heures du matin, trouver une place pour Yseult.

— Tu vas les laisser là jusqu'à ton prochain déménagement?

Elle ricane:

— Je ne déménage pas, moi.

— Tu vas les enterrer au printemps?

— Je le sais-tu!

— Pauvre elle! Dans le sous-sol à côté des vidanges...

— C'est mieux que dans le fleuve au mois de décembre. *Anyway*, ça y fait plus rien!

— Ça me fait plaisir de t'entendre dire ça.

— J'ai pas dit que ça ne *me* faisait plus rien.

Il se déshabille, s'écrase dans le lit, fourbu, éteint la veilleuse.

— Scotch?

Jésus-Christ! Elle a l'air en forme, elle! Il essaie de garder les yeux ouverts:

— Non. Pour être franc, j'ai ma dose.

— Tu vas pas dormir?

La menaçante s'approche, l'œil insolent. Il rit, lève les deux bras : « Pas d'attaque sournoise, Diane, j'en peux plus. »

Elle écarte les draps d'un geste large :

— Ça, c'est pas sournois?

— J'ai froid!

Elle pose le verre sur son ventre : « Tu veux que je te réchauffe? »

Il refuse en riant. Elle laisse couler un peu de scotch dans son nombril, se penche, le lape. Il comprend qu'il ne pourra pas dormir tout de suite.

—Oui, allô?

Il murmure pour ne pas réveiller Diane. Il essaie de manœuvrer pour traîner le téléphone dans la salle de bains, fermer la porte.

— Évelyne Guindon... je vous réveille?

— Heu... un peu, mais c'est pas grave.

Un silence. Il se secoue, réagit:

— Je m'appelle Gilbert, excusez-moi mais... il est quelle heure?

— Midi. Je peux rappeler plus tard si vous aimez mieux.

— Non. Je sais que Diane veut vous voir.

— Elle dort?

— Oui... voulez-vous attendre un peu?

— Écoutez, convenons plutôt d'une heure ensemble... quatorze heures trente, ça irait?

— Oui, je pense que oui.

— Je ne vous offre pas de venir chez moi, mes enfants sont arrivés pour les Fêtes, on n'aura pas la paix.

— Ici, si vous voulez.

— Entendu... je peux vous demander quelque chose?

— Oui.

— Quelle date? À quelle date c'est arrivé?

—Je ne sais pas exactement... je pense que Diane est allée à la morgue le 22 novembre, mais ça ne doit pas être la date de...

— De la mort d'Yseult.

— Oui. Vous préférez que je le lui demande?

— C'est pas important... C'est un détail, je suppose, une façon d'essayer de comprendre... C'était le pont?

— Oui.

— Bon... à tantôt.

Il raccroche en se demandant quel visage peut aller sur une voix aussi tendue, aussi nerveuse.

P our Évelyne, le loft ressemble un peu à Yseult :
à part les couleurs, même si elles sont pâles,
le type d'espace, les fenêtres sans rideaux, la
lumière d'hiver qui fait scintiller les bagues devant
elle sur la table basse, tout cela rappelle Yseult. Elle
se dit que, de toute façon, tout lui rappelle Yseult
en ce moment. Tout. Même cette jeune femme
trop mince, trop noire... qui marche avec la grâce
féline d'Yseult. Elle a ses seins, sa taille, ses reins,
mais pas ses jambes et, bêtement, Évelyne en est
ravie, sourdement heureuse : pas les jambes
longues, racées de sa mère. Ce ricanement intérieur lui indique qu'elle n'a pas vraiment la
disposition d'esprit souhaitable pour aider la fille
d'Yseult. Elle l'observe et tente de l'aimer un peu.
Elle essaie de réveiller le sentiment d'Yseult pour
sa fille. Mais c'est trop difficile, trop mensonger
finalement. Elle sait bien qu'elle lui en veut, la
trouve infantile, futile, égocentrique. Et puis la
main qui tend la tasse de café porte encore les
deux bagues préférées d'Yseult : diamant et
émeraude, Jocelyn et elle. Le diamant peut briser
l'émeraude, savait-elle cela, Yseult ? La résistance
d'une pierre est mise à l'épreuve par une autre
pierre et l'échelle est constituée à partir de la
pierre qui brise l'autre. L'émeraude est fragile. Le

diamant les domine toutes, le diamant qui a la puissance dix et qui peut briser toutes les autres. Ce diamant magnifique qu'il n'a pas acheté. («C'est celui de sa mère, Évelyne, il l'a fait remonter pour moi.») Jocelyn, fils unique de cette petite femme énergique qui avait parcouru le monde, curieuse de tout, se moquant de l'opinion d'autrui. Comme elle aurait aimé Yseult! Et celle-ci, fille unique de la femme qu'il adorait, celle-ci qui porte son diamant sans ressentir le poids d'amour et de misères que ses carats soutiennent.

— Vous connaissez bien ma mère?

— Oui. On travaillait ensemble depuis vingt ans.

— Mais elle ne travaillait pas seulement avec vous?

— Non.

Non, ma chère, Yseult avait ses infidélités avec moi aussi, si cela peut te faire du bien.

— Gabriel m'a parlé d'un certain Jocelyn, un de vos amis à ce qu'il paraît...

Pourquoi avait-elle dit cela à Gabriel? Il fallait qu'elle soit bien bouleversée pour laisser échapper ce nom.

— Oui.

Diane dépose sa tasse sur la table de verre:

— C'était laquelle?

— Pardon?

Elle indique les bagues sur la table: «Laquelle?»

Évelyne a un haut-le-cœur, elle lève les yeux vers ce petit visage impérieux. De quel droit? De quel droit ce monstre réduit-elle Jocelyn à un brillant scié? De quel droit fouille-t-elle l'amitié et l'amour avec des mains aussi sales, aussi malsaines? Pour qui se prend-elle avec son autorité sèche, avec ses questions bêtes? Évelyne baisse les yeux sur sa tasse pour que Diane ne voie pas la haine qui la traverse.

— Vous ne savez pas? Il ne lui en a pas offert?

— Je peux vous poser une question?

Le petit visage se ferme, elle n'est pas contente: « Oui. » La contrainte incarnée.

— Pourquoi? Pourquoi voulez-vous savoir cela?

— J'ai mes raisons.

Oui, j'imagine. Tu veux nourrir quelle haine, quels griefs? Tu veux savoir cela pour la haïr, la mépriser un peu plus? Je ne t'aiderai pas à la détruire plus que tu ne l'as fait. Certainement pas.

Elle dépose sa tasse assez fort pour faire trembler les bijoux, se lève: «Je m'excuse. Je n'aurais pas dû venir. Je ne peux pas vous aider. Pas comme ça. »

Diane est debout, déjà furieuse:

— Ah non? Vous voulez le faire comment?

— Je pense que je ne peux pas vous aider.

— Laissez-moi décider de ça. Dites-moi ce que vous savez, je m'arrangerai pour trouver le reste.

— Non.

Elle met son manteau, se dirige vers la porte pendant que Diane la précède, se place devant elle, bloque le passage: « Qu'est-ce qui vous prend? Vous saviez que je voulais vous parler de cet homme-là? Pourquoi vous refusez maintenant?»

Évelyne hésite puis, très posément, presque tout bas, elle la fixe pour lui dire:

— Parce que vous ne comprendriez pas.

— Ah non? Je suis trop stupide, je suppose? C'est ma mère qui vous a dit ça? Ma mère avait une très haute opinion de moi. Tellement haute qu'elle ne me disait jamais rien. Tellement haute qu'elle vous a convaincue de ne rien me dire. Pensez-vous vraiment que je vais la laisser me faire ça sans rien dire?

— Vous faire quoi?

— Me jeter son suicide en pleine face et me laisser m'arranger avec! Me laisser me débrouiller avec ça!

— «Ça» quoi?

Les yeux de Diane brillent de rage, elle est muette d'hostilité, muette de haine. Évelyne répète : « "Ça" quoi? Vous cherchez un coupable? Un homme? Un bel écœurant qui va prendre tout le blâme sur son dos et vous débarrasser de la culpabilité? Vous ne trouverez pas ça avec moi. Je ne peux pas vous aider, Diane.»

Gilbert s'avance, il prend Diane par les épaules, tendrement: «Diane... n'insiste pas, elle a raison... laisse-la partir.»

Elle le repousse, se réfugie vers la fenêtre, butée: «C'est ça! Pars donc avec elle. Vous allez pouvoir en parler ensemble.»

Gilbert regarde Évelyne, désolé.

Évelyne ouvre la porte, se retourne: «Tout ce que je peux vous dire d'intéressant, c'est qu'Yseult vous aimait.» Elle sort.

Elle a à peine le temps d'appuyer sur le bouton de l'ascenseur que Gilbert la rejoint: «Je vous en prie, revenez. Fâchez-vous pas, elle est

373

agressive parce qu'elle est inquiète. Mettez-vous à
sa place.»

Elle soupire, elle a trop de chagrin pour affronter celui des autres, même celui qu'elle voit
dans les yeux inquiets de cet homme sympathique :
«Je ne peux pas me mettre à sa place. Si je le
faisais, je pense que je me tuerais.»

L'ascenseur arrive, il la retient :

— Vous voulez dire que c'est sa faute?

— Non... Oh mon dieu, c'est la faute de personne. C'est la décision d'Yseult, c'est tout. C'est...
c'est toute la vie, c'est la faute de ce qu'on veut.
Il faut vivre avec, ça finit là. Dites-lui d'arrêter de
chercher, de faire sa vie.

— Je le lui ai dit, qu'est-ce que vous pensez?

Les portes de l'ascenseur se referment. Elle
fixe le tapis beige pâle du corridor, voit le triangle
de soleil là-bas, là où la porte est entrouverte.
(«J'avais dix-neuf ans, Évelyne.») Oh Yseult,
pourquoi me demander ça? Pourquoi me mettre
cette enfant sur les bras? («C'est Diane tout entière
à son rêve attachée.») J'ai déjà tellement, tellement
de mal à vivre avec ma peine et ma culpabilité.

Gilbert murmure : «La date... la date que vous
cherchiez, c'est la mi-octobre.»

Comme ils t'ont trouvée tard, Yseult, comme
tu as dû avoir froid!

Parce qu'il lui a dit ça, parce qu'il a cette
bouche charnue qui rappelle celle d'Yseult, parce
qu'il est si touchant, elle prend son bras : «Venez!
On va essayer de l'aider.»

Parce que c'est ta fille, Yseult.

Elle lui raconte la passion de Jocelyn et d'Yseult

comme elle avait décidé de le faire, en omettant les parties excessives: l'excès de passion, l'excès de désespoir. Elle met fin à leur idylle à la mort de Jocelyn, comme dans un beau roman à la fin tragique et acceptable.

— Un accident?

— Oui: collision frontale.

— Elle n'était pas dans l'auto?

Évelyne se dit que oui, qu'elle devait être là, sous les yeux de Jocelyn, dans sa poitrine que le volant avait écrasée, qu'il a même dû croire un instant que sa tristesse le suffoquait, que c'est d'elle qu'il mourait:

— Non, elle n'était pas là.

— Elle ne s'est pas remise de sa mort, c'est ça? Elle l'aimait pour vrai?

— Yseult aimait toujours pour vrai.

Le sourire moqueur de Diane, sa façon de dire: «Ça dépend...», tout l'irrite.

— Pourquoi vouloir juger de ce qui est vrai ou non dans les amours de votre mère? Vous avez besoin de ça pour mesurer sa façon de vous aimer?

— Ma mère ne m'aimait pas tellement.

Même elle, en le disant, ne se croit pas vraiment. Mais elle a envie de le dire, elle a envie de le croire.

— Vous l'aimiez, vous?

— Moi?

— Oui... Je pensais qu'Yseult avait une fille qui lui avait demandé de ne plus la voir et non pas le contraire.

— J'avais mes raisons.

— Elle les a respectées, non?

— Oui.

— Vous appelez ça comment?

Coincée, Diane se tait. Elle tourne les bagues autour de son doigt. Comment a-t-elle su qu'elles allaient ensemble? Qu'elles devaient se coller comme Yseult les a toujours portées après la mort de Jocelyn? («Regarde comme tu t'entends bien avec lui. Regarde tes yeux, Évelyne, comme ils brillent.»)

— Le diamant, c'est qui?

— C'est lui.

— L'émeraude?

— Lui aussi.

— Les deux?

Étranglée de chagrin, Évelyne fait oui. Gilbert la regarde, désolé. Il prend la main nerveuse de Diane pour qu'elle cesse de triturer les bagues: «C'étaient ses amis, Diane.»

Diane le regarde, elle entend mais n'a pas envie de comprendre:

— C'est ma mère.

— C'était. C'est ça qui est vrai et c'est tout. C'était mon amie, c'était votre mère. C'était la femme de Jocelyn. Elle n'est plus là, Diane. Elle ne sera plus jamais là. Ni pour vous aimer, ni pour vous pardonner. Il va falloir le faire toute seule.

Diane s'obstine dans sa mauvaise foi:

— Pourquoi vous pouviez pas me dire tout ça au téléphone?

— Parce que je venais d'apprendre la mort d'Yseult. Ça m'a pris plus qu'une heure à l'accepter.

— Vous aviez parlé de rassembler des éléments... lesquels?

— Aucun.

— Il y a quelque chose que vous ne me dites pas?

— J'ai dit ce que je savais.

— Elle aimait ce gars-là, il s'est tué dans un accident, elle n'a pas pu se consoler de sa mort, c'est ça? Elle s'est tirée en bas du pont pour lui? Pour le rejoindre, vous pensez? La jalouse, l'obsessive, la mauvaise à gratter, gratter la plaie! Évelyne est à deux doigts de hurler, mais elle fait un terrible effort:

— Tirez vos propres conclusions. Si Yseult ne vous a pas laissé de mot, c'est qu'elle n'avait pas de raison à vous donner.

— Qu'est-ce qu'elle vous a dit, à vous?

— Rien.

— Vous étiez son amie, elle a dû vous parler.

— Pas de ça. Yseult ne parlait pas de la mort de Jocelyn.

— De quoi elle parlait alors?

— Pas de vous si c'est ce que vous voulez savoir.

— Vous ne m'aimez pas?

Évelyne hésite, puis, parce que c'est plus fort qu'elle:

— Non.

— Vous m'en voulez parce qu'elle m'en voulait.

— Non. Je vous en veux parce qu'elle ne vous en voulait pas. Je vous en veux de fouiller sa vie sans jamais penser à elle, comme si vous aviez encore quinze ans. Vous en avez trente, c'est le temps de devenir une grande fille, vous ne pensez pas?

— C'est elle qui vous a dit mon âge?

— Oui.

— Vous avez dit qu'elle ne parlait pas de moi.

— Pour qui vous vous prenez? L'Inquisition? Qu'est-ce que vous voulez? Que je vous dise quoi? Que c'est de votre faute? Certainement que ça l'est! Vous l'avez usée, tourmentée, comme les autres. Vous vouliez votre part, vous aussi, bien mesurée, comme les autres. La garder pour vous, l'empêcher de vivre, l'empêcher d'être libre, comme les autres. Pas mieux. Pas pire. Jalouse, possessive et égoïste. Comme les autres. Vous pouvez toujours essayer de mettre un nom sur chaque bague, vous allez toujours trouver la même chose: des jaloux, des petits, des égoïstes!

— Sauf Jocelyn, je suppose.

— Exactement! Sauf lui.

— Et vous aussi, bien sûr?

— Non. Moi je fais partie des petits, des jaloux, des égoïstes. Moi je fais partie de la masse pesante qui n'a pensé à rien d'autre qu'à elle-même. Et je ne suis pas plus capable de vous aimer que vous n'êtes capable de comprendre l'amour de votre mère. Excusez-moi, je vais m'en aller.

— Qu'est-ce que vous savez de l'amour de ma mère? Pour qui vous vous prenez?

Évelyne fonce sur elle, blême de colère: «Tu l'as traitée de putain, tu l'as traitée d'égoïste, de vicieuse, de saleté. Tu as craché dessus, tu l'as repoussée, ignorée pendant sept ans sans te poser une seule question. Tu n'as pas eu le cœur de te demander une seule fois ce que ça lui faisait et aujourd'hui tu veux que je te prenne dans mes bras pour t'assurer que ce n'est pas de ta faute et que tu l'as aimée malgré tout? Je te tuerais! Je voudrais qu'elle ait été assez dure pour que je puisse te dire de sa part que oui, c'est de ta faute, que oui, tu as été aussi injuste et cruelle que tu le penses, que oui, tu n'es qu'une enfant gâtée qui berce ses malheurs. Ce n'est pas elle qui t'a abandonnée, c'est toi. C'est toi qui l'as repoussée parce qu'elle ne vivait pas selon tes normes de petite bourgeoise égoïste. Tes normes de femme normale. Tes petites normes méprisables qui te permettent de mépriser. Tu peux bien chercher les hommes de sa vie! Cherche! Fouille, gratte! N'arrête pas. Tu ne trouveras jamais pire que toi, jamais plus cruelle, plus méchante, plus pitoyable. Mais je te fais confiance, tu vas trouver le tour de trafiquer son suicide, d'arranger ça pour te réconforter, blâmer quelqu'un d'autre. Tu bénéficies d'un abri que ta mère n'avait pas: tu es capable de ne pas voir l'évidence, capable de te mentir. Je ne t'envie pas et je peux te dire une chose: tu ne la mérites pas.»

Évelyne sort avant de lui sauter dessus et de la tuer à coups de poing.

Henri l'attend, anxieux. Comment a-t-il manœuvré pour qu'ils soient seuls, que le bébé dorme, que tout le monde soit sorti? Comment a-t-il réussi à rendre la maison si paisible un 23 décembre?

— Ça a été?

— J'ai failli la tuer!

— Oh... tu lui as sorti toute l'histoire, alors?

— Non, je lui ai seulement mis ses mauvais coups à elle en pleine face.

Le téléphone maintenant. Henri s'en charge, revient : « Un certain Gilbert pour toi. » Elle hésite, se décide à y aller : il ne sait pas ce qu'il doit à la forme de sa bouche, celui-là :

— Oui?

— Je voulais savoir si vous alliez bien, si vous étiez O.K.

— Oui... Merci.

— Bon... Je m'excuse.

— Pour qui?

— De... de vous avoir dérangée.

— Vous êtes où?

— Dans une cabine.

— À la porte, vous aussi?

Il rit, navré :

— Un peu.

— Consolez-vous, ça a l'air d'être sa façon de dire aux gens qu'elle les aime.

— Je ne suis pas sûr d'avoir la résistance de sa mère.

— Laissez-la réfléchir un peu.

— Mais...

— Vous avez peur qu'elle se tue?

— Elle n'est vraiment pas bien vous savez. Elle le prend très mal.

— Je comprends!

— C'est vrai pour les sept ans? Pour... pour ce qu'elle a dit?...

— Oui. C'est une dure, vous savez. Elle a de bonnes défenses.

— Ouais... je commence à m'en apercevoir. Je vous remercie en tout cas.

— De quoi? De l'avoir engueulée?

— Non, de me parler. Je peux vous demander quelque chose d'intime?

Elle n'aime pas ça :

— Oui?

— Sa mère... elle... elle était très libre, c'est ça?

— Oui, très. Très libre et très belle. Pas une putain si c'est ce que vous voulez savoir.

— Et heu... excusez-moi mais... étiez-vous amoureuse de Jocelyn?

Il a saisi l'amour mais il s'est trompé de cible, elle sourit :

— Non, pas amoureuse... je l'aimais, c'est tout. C'étaient vraiment des gens très bien, vous savez, des gens rares.

— Oui. Merci. Je ne vous dérangerai pas plus longtemps.

— Bonne chance.

— Je vais en avoir besoin, je pense.

Elle revient au salon :

— Elle a mis son tchum à la porte.

— Elle m'a l'air secouée.

— Oui, une vraie petite porcelaine !

— Henri?

—Mmm?

Il aurait pourtant juré qu'elle dormait. Il se retourne, jette un coup d'œil au réveil: quatre heures. Lui, en tout cas, a dormi.

— C'est difficile d'entrer chez quelqu'un sans la clé?

— Ça dépend... Tu veux aller chez la petite ou chez Yseult?

— Chez Yseult.

Il réfléchit. Inutile de lui dire que c'est déraisonnable. Il soupire:«Demande à Richard comment il ferait, lui. Il habite New York...»

Elle rit. Quel raisonnement! Leur fils vient d'arriver et il a beaucoup impressionné Henri avec le récit de ses aventures dans la grande ville. Elle se dit que l'idée n'est pas folle, finalement.

— Ça peut attendre à demain, Évelyne?

— Oui... quoique un 24 décembre, ça doit quand même être surveillé, les maisons.

— Écoute, je veux pas avoir l'air conventionnel, mais pourquoi tu n'appellerais pas le propriétaire? Tu trouves une excuse et il te donne la clé, tout simplement.

— Moui... Rendors-toi, je vais y penser.

Il se retourne, essaie de se rendormir. Évidemment, le sommeil s'est enfui.

— Je peux te poser une question?

— Oui, Henri, demande-moi pourquoi.

— Pourquoi?

— Je pense que c'est impossible qu'Yseult n'ait rien laissé pour sa fille. Elle aurait laissé un mot, elle n'aurait pas fait ça sans...

— ... la rassurer?

— Oui.

— Et comment la petite se serait retrouvée chez sa mère si ça faisait sept ans qu'elles ne se voyaient plus?

— Je ne sais pas... je me dis qu'il y a quelque chose qui n'a pas marché dans le plan d'Yseult.

— Tu sais, peut-être qu'elle n'avait pas de plan. Peut-être que tout ça est arrivé très vite. Une sorte d'impulsion.

— Non.

— Pourquoi t'en es si sûre?

— L'émission, Henri. Yseult s'est tuée à la mi-octobre. La première émission était le 17.

— C'était peut-être ça son message à sa fille, non?

— Non. Elle l'avait même pas écoutée.

Un temps où il entend presque les neurones d'Évelyne fonctionner. Il se lève, allume, passe une robe de chambre:

— Qu'est-ce que tu dirais d'un café?

— Pauvre Henri! Je te fais des nuits courtes.

Il s'approche d'elle, s'assoit au bord du lit, caresse tendrement son visage:

—Je m'en fais pour toi, Évelyne, et je ne peux pas être utile à grand-chose en dehors des petits détails comme le café. Laisse-moi t'offrir ce que je peux.

—Tu me donnes plus que ça.

—Je ne peux pas t'aider beaucoup. Je ne la connaissais presque pas. Tu la gardais pour toi, celle-là.

S'il savait comme il dit vrai!

—Je connaissais mieux Jocelyn.

—Qu'est-ce que tu pensais d'elle?

—Sincèrement?

—Oui, vas-y!

—Elle me faisait un peu peur.

—Yseult?

—Oui! À côté d'elle, je me sentais pataud, lourd d'esprit comme de corps. Je ne me sentais pas à la hauteur, j'avais peur qu'elle me juge, qu'elle me trouve niaiseux.

—T'es pas le seul homme à qui elle a fait cet effet-là.

—Je m'en doute!... mais je dois dire que la fois où je l'ai vue avec Jocelyn, au party du nouvel an, tu sais, la fête qu'on avait donnée, je dois dire qu'elle m'avait fait une autre impression. Peut-être à cause de Jocelyn...

—Ah oui? C'était comment?

—J'ai trouvé que c'était une femme attirante, désirable au possible. Une maudite belle femme.

—T'es pas le seul non plus à avoir pensé ça.

Il rit: «Mais quand même pas une femme pour moi.»

Il descend. Elle se lève, enfile sa robe de

chambre, brosse ses cheveux en repensant à Yseult à cette fête. Oui, elle était belle! Dangereusement belle. Elle se souvient que Jocelyn était venu la rejoindre dans la cuisine, l'avait serrée dans ses bras, en silence, puis l'avait entraînée dans un coin du salon: «Regarde-la, Évelyne... regarde c'est quoi un ange venu de l'enfer.»

À cet instant, Yseult se penchait pour allumer une cigarette, se redressait. Évelyne voyait son dos nu dont la blancheur était accentuée par la robe noire, les cheveux dorés qui caressaient ses épaules et cette chute de reins... Un ange oui, un ange venu pour les damner tous les deux. L'ange s'était alors retourné... et n'avait vu que lui.

C'était l'année 1989 qui commençait. Un an plus tard, à la même fête, Jocelyn était resté assis, taciturne, sombre et il était reparti à minuit dix, tout de suite après les vœux.

Cette année, il ne sera pas question de célébration pour le 31. Pas chez Évelyne en tout cas.

Henri l'interrompt: «Tu médites ton mauvais coup?»

Elle prend son café:

— Le mieux, c'est de dire la vérité au propriétaire: Yseult est morte en voyage, je dois faire le tri de ses affaires.

— C'est sans doute le plus simple. Écoute...

Le bébé s'est réveillé. Évelyne va dans la chambre à côté, prend sa petite-fille dans ses bras, saisit une couche propre, murmure à sa fille qu'elle s'en occupe et retourne dans sa chambre avec son petit paquet moelleux et gigoteux serré contre son cœur. Yseult, si tu savais le bonheur qu'une petite-fille peut donner... Yseult, comme je regrette que tu n'aies pas celui-là, ni tous les autres que la vie donne chichement mais qu'elle donne quand même.

Quelle étrange sensation de célébrer Noël à travers un deuil. Évelyne a beau faire des efforts, ses pieds se traînent, son cœur résiste. Tout l'entraîne vers Yseult, vers sa chute à elle.

Le propriétaire de l'immeuble où habitait Yseult a dit au téléphone qu'il allait revenir le 26. Il était désolé : une femme si jeune. Yseult était censée être en voyage : Évelyne avait donc raison, rien n'avait été improvisé.

— Tu sais Henri, je suis presque sûre que le jour où elle m'a parlé de l'émission, c'était décidé.

— C'est possible, oui.

Évelyne termine la décoration du gâteau en se répétant qu'il est inutile de jouer à la ronde infernale des « si ».

— Évelyne... pourquoi elle ne t'a pas laissé de mot à toi ? Je trouve ça surprenant, pas toi ? Après ce qui est arrivé à Jocelyn, elle aurait pu penser au choc que ce serait...

— Je me dis que si elle avait pensé à moi, elle aurait peut-être pu me parler et on aurait évité...

— Tu penses que quelqu'un pouvait arrêter Yseult Marchesseault ?

— Jocelyn.

— Voilà ! Donne-moi ça.

Elle lui tend l'enveloppe de saumon fumé

qu'elle est en train de massacrer. Elle fixe les doigts agiles qui séparent les tranches presque translucides tant elles sont minces, les étalent. Elle réfléchit, cherche... où Yseult lui aurait-elle laissé quelque chose?
— Évelyne? T'hallucines?
— Non. Y faut que je retourne au bureau!
— Un 24 décembre? Pourquoi?
— Tu as raison, Henri, elle m'a écrit quelque chose, je ne l'ai pas trouvé, c'est tout.

À Radio-Canada, dans son bureau, Évelyne respire mieux. Elle a l'impression d'être près d'elle, près d'Yseult. Elle fouille ses filières, épluche méthodiquement tout ce qui est dans le casier «Émission poètes», ouvre les boîtes des bandes. Rien.

Elle ne peut pas croire qu'Yseult, même désespérée, ait oublié de protéger sa fille de la brutalité de sa mort. À la morgue, a dit Gilbert... elle l'a donc identifiée à la morgue... le 22 novembre, presque un mois après...

Évelyne va à la fenêtre, fixe le pont, l'arc de métal d'où Yseult a sauté. Folle, folle Yseult qui n'a pas vu que j'étais là, que je pouvais la tenir le temps que le mal cesse de brûler. S'il cessait... L'ange venu pour me damner, damner Jocelyn, se damner elle-même. Il n'y a que cette fille qui ne le sera pas. Cette protégée ingrate qui ausculte son malheur et ne pense pas à l'ange doré qui ne renversera plus la tête avec cette voracité pour la vie. Yseult... pourquoi suis-je certaine que c'est ce pont, celui-là? Parce que je suis sûre qu'avant, tu es passée ici. Tu es venue dans le bureau, tu as caché

quelque chose pour moi, pour ta fille, ici, certaine
que je le trouverais, certaine que j'épargnerais à ta
fille la tâche de te reconnaître. Tu as sûrement
voulu la mettre à l'abri... et qui, si ce n'est moi, qui
pouvait faire ça? Elle s'assoit, réfléchit. Rien. Sa tête est désespérément vide, creuse. Elle griffonne sur son sous-
main, fait des cercles, des flèches. Yseult faisait toujours ça... Il fallait continuellement changer le
papier buvard quand elles travaillaient ensemble,
Yseult le remplissait de notes, de dessins, de bouts
de phrases volés au hasard de la conversation. Elles
avaient souvent considéré ensemble l'œuvre d'art
qui soldait une émission : très barbouillée, la feuille
témoignait d'un travail d'équipe excellent. Elles se
donnaient des cotes comme ça... Les «poètes»
avaient obtenu un 10 avec deux feuilles pleines,
tellement elles avaient discuté. La feuille ! La
feuille des poètes ! Évelyne se précipite, fouille la
filière, rien. Elle sort, va au casier d'Yseult, le mal-
mène : vide, désespérément vide ! Elle n'a pas jeté
ça, quand même ! Qu'a-t-elle fait, où as-tu mis ce
message, Yseult? Parle ! Dis-le ! Mais Yseult ne
répondra plus. Évelyne retire le collant de
plastique bleu indiquant le nom d'Yseult sur le
casier. Elle retourne à son bureau.

Il faut se mettre à sa place, voir avec ses yeux,
penser avec sa logique. Évelyne regarde le pont...
la mi-octobre. Elle vérifie au calendrier sur le mur :
la première émission avait été diffusée un mercredi. Ça devait être le soir, le bureau devait être
désert comme maintenant, silencieux ou presque
avec la vibration de la ventilation qui sature

sournoisement l'oreille. Yseult a regardé le pont, a touché le sulfure, gros caillou translucide contenant un vrai galet, cadeau de Jocelyn, a écrit très vite un mot et l'a mis... où? Évelyne n'est pas pour saccager tous les tiroirs, elle n'a qu'à se servir de sa tête.

Elle prend le sulfure, le presse contre sa joue... Jocelyn? Elle aurait mis le papier sur ou dans quelque chose à Jocelyn? Certaine que je secouais mes reliques de temps en temps? Évelyne sort de sa bibliothèque chaque livre de Jocelyn, les secoue, les examine, rien. Elle fait la même chose avec les livres de poésie. Mais elle sait qu'elle se trompe, qu'elle pense comme «après», qu'elle réfléchit comme quelqu'un qui sait ce qu'il cherche. Il faut reprendre le raisonnement d'Yseult, le vivant, le bon. Elle a l'impression de se débattre contre l'évidence. Elle se secoue: bon, quel est l'endroit où, elle, elle aurait laissé quelque chose à Yseult? Son casier? Non. Là où elle aurait été sûre qu'Yseult le trouverait et vite... Le prochain projet! Celui sur lequel elle travaillerait après. Voilà! C'est là qu'il faut aller. Qu'est-ce que c'était, où, de quoi ça parlait?

Elle s'agite, remue nerveusement les papiers sur son bureau, cherche l'agenda, l'échéancier d'octobre et de novembre. La semaine du 15 octobre, elle travaillait sur la fin novembre. Une émission sur quoi? Où est sa programmation? Elle la trouve enfin et, en mettant le doigt sur «La drogue et les jeunes», elle se souvient qu'ils ont reporté le projet pour s'attaquer à une mise en ondes des différents points de vue sociologiques sur la crise du Golfe. La guerre qui menaçait, le ton qui montait sans cesse avaient évincé les jeunes et la drogue. Elle se précipite sur sa filière, elle a bien sûr rangé le dossier sans le rouvrir, sans rien y noter. Tu ne savais pas, Yseult, tu ne pouvais pas savoir que les grands impuissants de ce monde toucheraient à ta mort. Voilà! Elle tient la chemise: REPORTÉ, DATE INDÉTERMINÉE, le 19 octobre 1990, à la réunion de production où elle a entendu tant d'éloges sur l'émission d'Yseult.

Elle tient la chemise et hésite à l'ouvrir. Elle a peur. Elle rabat la couverture: là, sur le dessus, l'enveloppe intacte, cachetée — oui, Yseult avait pensé à protéger sa fille.

Elle prend l'enveloppe, s'assoit. La lumière jaune de la lampe fait paraître l'encre presque pâle. « ÉVELYNE » écrit très gros et «PERSONNEL» en dessous, plus petit mais souligné.

Elle l'ouvre: une clé tombe sur ses genoux. C'est très bref.

JE N'AI JAMAIS SU DIRE ADIEU CONVENABLEMENT. J'AI DÉCHIRÉ TON MEILLEUR AMI. JE VOUDRAIS T'ÉPARGNER CECI. IMPOSSIBLE. MA FILLE, DIANE... CHEZ MOI, SUR MA TABLE, IL Y A DES PAPIERS POUR ELLE. TU PEUX FAIRE ENCORE CELA POUR MOI? JE T'EMPORTE AVEC MOI, N'AIE PAS PEUR. J'EMPORTE TON REGARD VERT SERRÉ DANS MA MAIN, AVEC LE SIEN. INUTILE DE DRAGUER LE FLEUVE. TU SAIS, COMME RILKE, QUE «J'AI MON CONTENT». ÇA SUFFIT.

Ce «Y» qui balafre la page, ce «Y» bref, droit, ambitieux, ce «Y» qui met enfin de l'ordre dans la confusion: Yseult avait donc protégé sa fille, Yseult lui avait, à sa manière, dit adieu.

Elle caresse la feuille où la large écriture prend généreusement l'espace, elle passe sa main infiniment dessus: inutile de draguer le fleuve, tu es revenue toi-même, tu as appelé toi-même, tu t'es débrouillée sans moi Yseult. Comme toujours. Tu as joué avec les hasards et, encore une fois, encore une terrible fois, je l'ai su trop tard. Comme pour Jocelyn. Comme pour ta fille. Comme pour la pitié. Peut-être que tout l'amour du monde n'aurait pas su te protéger. Peut-être que tu étais venue pour me damner, me rappeler sèchement qu'aimer soutient mais ne sauve pas. Pas de rachat. Tu aurais pu écrire cela, Yseult, pas de rachat...

Évelyne relit encore une fois la page: elle la sait déjà par cœur cette lettre où les trois liens d'Yseult dominent: Jocelyn, Diane et les yeux verts. Pas de date, seul signe de son trouble. Pas d'excuses, pas de regrets, pas de plaintes: ÇA SUFFIT.

Oui, Yseult, je comprends cela. Quelquefois, en effet, ça suffit. Quelquefois il faut mettre la clé dans la porte, le point à la ligne, le trait sur l'horizon.

Elle ramasse la clé, la lettre, éteint la lampe, jette un dernier coup d'œil à l'arc de métal qui tranche le ciel noir: elle va demander qu'on la change de bureau.

Elle ne peut pas rentrer. Elle ne peut pas pleurer. Elle traîne dans les rues de Montréal qui se vident. Cinq heures le 24 décembre, il ne reste dehors que les retardataires à la recherche du dernier cadeau et les solitaires, ceux qui n'ont personne à qui offrir quelque chose. Elle avait donné ce qu'elle pouvait à Yseult, elle l'avait aimée et Yseult l'avait aimée aussi. Elles avaient eu vingt ans de rire, de tendresse, d'obstination. Vingt ans à parler, à se soutenir et à ne pas se plaindre. Vingt ans à se refuser aussi. Qu'avait eu Jocelyn? Ces miettes de vingt ans réunies en une explosion, un flamboiement de dix-huit mois? Cette fulgurance de vie à côté de laquelle tout était devenu sec, terne, comme foudroyé par son passage?

Elle frissonne, entre dans une église. Tout est éclairé: que dorures et fleurs rouges. La chorale répète le même chant indéfiniment, la même introduction. Évelyne s'approche du chœur, regarde la crèche et ses personnages de plâtre figés dans l'attente de cet enfant pour lequel on a prévu un petit nid de vraie paille. Comme elle voudrait croire! Comme elle aimerait se réfugier dans une miséricorde, une sorte de pardon infini. Elle allume un lampion pour Yseult, parce que c'est joli et parce qu'elle a besoin de produire un peu de beauté en sa mémoire. Voilà. Le chant est entonné correctement, les voix enflent, prennent de l'ampleur. La petite flamme Yseult vacille parmi les autres anonymes dans leurs gobelets rouges. Noël et l'église n'exaltent que sa nostalgie. La nostalgie d'une enfance où on demandait tout à Dieu, où on s'en remettait à lui pour tout, où, si on accomplissait le bien, justice serait faite. Des rêves d'enfant. Des mirages de sécurité, un endroit où aller quand la mort survient. Voilà, la mort est venue et le petit joufflu qu'on déposera sur la paille véritable à minuit ne sera qu'une poupée de plâtre coloré et la majesté de l'orgue qu'un peu de bruit sur des sanglots secs. La mort est passée, il n'y a nulle part où aller. («Pas de rachat. Tassez-vous! On va balayer!») Elle étrangle délicatement la mèche du lampion, l'éteint. Adieu Yseult. Adieu, ma déchirure. Oui, ça suffit, je vais laisser passer la mort, je vais me pousser encore une fois et la laisser fendre ma vie, démolir mes jours. Adieu, Yseult, je n'accepte pas, je comprends et je t'aime. Je ne supporte pas de n'avoir pas eu le talent de te retenir, la force d'empêcher ton élan. Yseult, jure-moi que tu n'as pas crié. Tout le long de ta chute. Jure-moi que, jusqu'au bout, tu n'as pas changé d'avis et appelé mon nom. Condamne-moi à mon impuissance, je t'en supplie.

Un sanglot coupe son souffle. Elle jette un dernier regard à la petite famille parfaite à genoux dans la ouate à attendre le rejeton divin, murmure un «menteurs» et sort.

Pour faire exprès, comme dans les Noëls de son enfance, il s'est mis à neiger.

J amais le repas de Noël ne lui a paru si long, si morne. Gilbert essaie de répondre avec courtoisie à tous ces gens qui s'inquiètent de sa santé, de son moral et qui constituent sa famille. Mais il ne parvient qu'à murmurer des demi-réponses excédées et à revoir en accéléré ce qu'il a fait depuis deux jours.

Au bout de vingt-quatre heures, il n'en pouvait déjà plus d'attendre. Il avait roulé toute la nuit dans les rues de la ville, traversant le pont à intervalles réguliers, écumant tous les bars qu'il connaissait. Diane n'était nulle part. Puis il s'était assis à côté du téléphone, luttant contre l'envie de l'appeler, de la harceler. Il s'était finalement décidé à «la laisser réfléchir» comme avait dit Évelyne. Il avait failli l'appeler elle aussi. Mais pour lui dire quoi? Qu'il était malheureux? Elle avait ses problèmes elle aussi et elle ne les faisait pas porter aux autres. Il s'était donc rendu dans sa famille faire de faux sourires et dire des mercis contraints. Il fêtait Noël en attendant de se désespérer totalement.

Il fume sans arrêt, comme sa mère déteste tant le voir faire. Mais la famille lui épargne toute remarque aujourd'hui. Il doit vraiment être pitoyable! Il se lève, va dans le boudoir, compose le numéro. Il voit l'appartement plongé dans le noir où le téléphone sonne. Il voit le lit, les fenêtres, le sofa. Il raccroche avant de voir Diane étendue morte quelque part.

— Gilbert, si tu veux y aller avant la fin du repas, on va comprendre.

Comprendre quoi ? Il regarde sa mère s'asseoir près de lui, lui tapoter le bras, intimidée tout à coup :

— Je suppose qu'on ne peut rien faire d'autre ?

— Non.

— Tu ne veux pas en parler ?

— Non. Y a rien à dire. Je te remercie, mais t'as raison, je vais y aller.

Aller où ? Une fois dehors dans la neige, dans le froid, il se cherche un but. Retourner sur le pont ? Faire le tour des bars cette nuit encore ? Se morfondre dans son appartement à côté du téléphone ? Il s'assoit rageusement dans sa voiture. Si elle n'était pas déjà morte, il la tuerait cette femme blonde qui lui enlève Diane.

Il roule dans la ville déserte et illuminée. Derrière chaque fenêtre, il y a un Noël qui se célèbre, un Noël dont il se sent si loin et si exclu.

Il finit par céder et appelle encore une fois : toujours la sonnerie interminable qui exaspère son angoisse. Alors, parce que c'est Noël, parce qu'il n'en peut plus, il appelle Évelyne : « Excusez-moi, c'est Gilbert. »

Il entend du bruit derrière, des conversations : il la dérange en plein souper de Noël.

— Oui ?

— Je... avez-vous eu de ses nouvelles ?

— Non. Vous êtes encore dehors?

— Ben oui...

— Sans nouvelles?

— Aucune depuis avant-hier.

Le silence stupide s'installe. Qu'est-ce qu'il peut dire? Trouvez-la? Aidez-moi? Il s'excuse encore. Elle l'interrompt: «Venez. Venez ici, on va réfléchir ensemble à ce qu'on peut faire.»

Et parce qu'il n'a pas d'autre solution, qu'il est si inquiet, il se précipite chez cette inconnue, comme s'il avait enfin trouvé un refuge.

— Vous êtes sûr qu'elle n'est pas chez elle ?
— Évelyne, vous pouvez me dire « tu », vous savez. Non, je ne suis pas sûr. Ça m'enrage ! Elle sourit. Il est vraiment sympathique avec son air têtu et cette violence du refus dans l'œil. Elle ne sait pas à quoi elle s'est attaquée, Diane. Elle ne s'en débarrassera pas comme ça. Évelyne comprend à peine qu'on tienne tant à une hystérique égoïste comme Diane, mais elle a l'honnêteté de se reconnaître fort peu objective.

— Tu n'as pas la clé ?

Hou ! le regard ! Comme il est mécontent de lui-même !

— Écoutez, aussi bien vous le dire : je l'ai rencontrée le 1er décembre. Ça fait à peine un mois qu'on se connaît.

— Ah bon... la semaine après qu'elle a appris...

— Oui. Elle a comme une tendance au scotch depuis.

Il fulmine ! Il l'imagine toujours soûle à rouler dans des appartements sordides, des bras vicieux, il l'imagine sans cesse en train de prendre son plaisir ailleurs, loin de lui, pour le punir, pour se punir.

— Ça veut dire quoi, une tendance?

— Ça veut dire se soûler, s'éclater pour ne pas se rappeler. Le black-out! Pas savoir ce qu'on a fait.

(«Une rêveuse qui ne veut pas fréquenter la réalité.») Tu peux faire cela encore pour moi? Pas folle, Yseult, tu savais que je ne le ferais certainement pas pour elle.

Henri est fatigué. Maintenant que tout le monde est couché, il se demande vraiment ce que donne ce conciliabule. «Pourquoi on n'appelle pas la police? On va en avoir le cœur net, on va pouvoir aller se coucher en paix.»

Évelyne rit: «O.K., va te coucher, Henri. Gilbert et moi, on s'occupe de la police.»

Henri résiste à son congédiement: «Je veux savoir moi aussi.»

Évelyne le conduit à l'escalier: «S'il y a du neuf, je t'avertis. Tu es mort, Henri, couche-toi. Moi, de toute façon, je ne dormirais pas.»

Il soupire, l'embrasse: «Fais pas exprès, Évelyne. Fatiguée, tu ne pourras plus lutter contre ta peine.» Elle l'expédie, revient vers Gilbert: «O.K., on appelle la police.»

Rien! Les ponts sont tranquilles, les urgences n'ont reçu aucune noyée, aucune suicidée non identifiée. Pas de trace nulle part d'une femme de trente ans désespérée ou soûle. Néant.

Gilbert fait pitié à voir. Il se ronge d'impuissance. Elle cherche ce qu'elle pourrait bien faire pour l'aider:

— Reste un endroit.

— Où? Quoi?

— Yseult. Son appartement.

— Ah oui, la clé avec les bagues.

— Quelle clé? Avec quelles bagues?

— Les petits sacs de plastique dans lesquels il y avait toutes les bagues, ses effets, il y a avait une clé. Probablement celle de son appartement.

Évelyne se dit que non, c'est elle qui a la clé. L'autre clé n'est pas la bonne, ou alors c'est celle de son bureau. Peu importe, Gilbert est déjà habillé: «On y va?»

Il y a encore des lumières de Noël allumées, des appartements où les gens s'amusent. Aucune lumière chez Yseult. Gilbert laisse le moteur tourner, se penche:

— C'est là?

— Oui. Deuxième étage.

— Elle m'a emmené ici un soir. Elle a voulu marcher jusqu'ici. On avait été manger rue Laurier.

— Elle n'est pas montée?

— Non. Je pense qu'elle avait peur d'y aller.

— Elle n'y est jamais allée? Elle n'a pas essayé sa clé?

— Je ne pense pas, non. Elle ne me l'a pas dit et, vraiment, je pense qu'elle m'a raconté tout ce qu'elle savait la nuit où j'ai été chez elle.

Évelyne descend de la voiture, regarde la neige sur les marches, intacte. Aucune trace. Non, ce n'est pas ici que Diane est venue errer ce soir. Peut-être ce matin ou hier? Comment savoir? Il faudrait qu'elle entre et qu'elle aille voir sur la table. Mais elle veut y aller seule, sans Gilbert. Elle veut revoir Yseult seule.

Elle revient dans la voiture: «Écoute, j'ai la clé, moi. Je peux entrer, aller voir.»

Il la regarde, stupéfait:

— Mais...

— Je pense que la clé de Diane est celle de mon bureau. Yseult y est passée ce soir-là. Je suppose que c'est cette clé qu'elle avait dans ses poches... en tout cas, c'est pas important.

Il coupe le moteur, éteint les phares:

— On y va?

— Non.

Il est prêt à contester, elle pose la main sur son bras:

— Je veux y aller toute seule, Gilbert. C'était mon amie. Pour toi, c'est juste la mère de la fille que tu aimes, pour moi, c'est beaucoup plus. J'ai besoin d'y aller seule, sans témoin.

— O.K. Je vous attends.

Elle ne sait pas combien de temps ça va lui prendre. Elle a tellement hésité, tergiversé depuis hier, incapable de faire face à l'appartement désert, incapable de s'obliger à affronter son vide à elle. Gilbert l'observe:

— Vous savez ce que je vais faire? Je vais essayer d'aller chez elle. Je vais rentrer comme l'autre soir, en attendant qu'un locataire passe et ouvre la porte d'en bas. Prenez votre temps. Je ne reviendrai pas avant deux heures.

— Donne-moi une heure. Reviens dans une heure.

— Une heure et demie?

— Merci, Gilbert.

D ans le noir, la lumière du répondeur clignote. Évelyne allume la lampe rose achetée à Boston. («Du rose, c'est de l'indulgence pour les murs et pour le teint.») Elle hésite, se sent si indiscrète. Elle sait qu'Yseult voulait que ce soit elle qui vienne ici, mais malgré sa permission elle se sent importune dans le silence de son appartement. Elle ne veut pas violer ses secrets. Elle n'est même pas sûre de vouloir les partager sans elle. («Les morts appartiennent à tout le monde. Des tiroirs ouverts où chacun plonge pour en extirper son butin.») Ce visage qu'elle avait eu aux funérailles de Jocelyn, à observer tous ces gens pleurer, se désoler, cette phrase sèche et vraie: rien de plus public que ce cadavre dont chacun s'empare, que chacun s'empresse de posséder enfin. Si Évelyne avait su, elle aurait mieux regardé cette Danielle qui devait bien pleurer cet homme qui, même et surtout sans Yseult, n'avait jamais plus voulu d'elle.

Tout est si calme, si paisible. Le salon où un ordre parfait, presque glacial, règne. Tout ce blanc, ce luxe pâle qui faisait chanter sa blondeur, exaltait la lumière. Elle s'assoit sur le sofa creux et revoit Yseult, jambes ramenées sous elle, qui discute âprement, critique sans ménagements une émission. Elle revoit la main de Jocelyn qui couvrait son genou, s'arrondissait, s'infiltrait, diminuait à elle seule le volume d'Yseult, la réduisait à un filet murmurant et finissait par la faire capituler dans un éclair d'or qui le fixait. Yseult qui prenait sa main en souriant, l'immobilisait dans la sienne, revenait à Évelyne : « Qu'est-ce qu'on disait ? Tout le monde n'a pas l'air intéressé. »

Les coussins n'exhalent plus son parfum. Disparaît-on si vite ? L'odeur s'évanouit, ne reste qu'un vague souvenir. (« Ouvrir la gueule de la mort avec mes deux mains, le sortir de là, le respirer une fois, juste une fois encore ! »)

Cette nuit du 24 juin, les murs en ont gardé les ondes, Évelyne en jurerait. Cette voix, ce « lui » qui venait du fond du ventre ouvert, la seule fois où Yseult avait laissé couler un peu de cette détresse. Il lui semblait si évident maintenant qu'elle se tuerait. Qu'un jour ou l'autre, elle fracasserait sa carcasse, broierait l'enveloppe. (« Tous fous d'un emballage. Ma fille peut bien être en publicité ! ») Ce n'était pas que Jocelyn, pas que Diane ou le rachat — (« J'ai mon content. ») —, Yseult n'était pas de ces gens qui laissent les autres tirer la ligne. Son trait est brutal, net et définitif.

Elle fait le tour du salon, voit la table de la salle à manger, s'approche : une ancienne boîte de chocolats Laura Secord en carton posée sur une enveloppe blanche portant le nom, l'adresse, le numéro de téléphone de Diane. Elle n'est donc pas entrée ici. Tout comme Yseult le souhaitait :

inviolé, préservé. Elle pousse la boîte, un cliquetis, un mouvement d'objets qui roulent à l'intérieur: ses bagues. Les bagues d'Yseult, les témoignages de ces hommes si amoureux qui se cristallisaient sur ses mains. Sa passion pour les pierres. («Une gemme, le mot le dit, c'est fait pour l'amour, pour parler, témoigner de l'amour.»)

Elle repose la boîte sans l'ouvrir: oui, Yseult, je peux faire cela pour toi.

Elle hésite, se dirige vers la chambre. Une chambre austère, vide à part le lit tendu de blanc. Elle s'assoit dessus. Sur la table, elle allume la lampe, l'indulgence rose ici aussi. Rilke ouvert, posé là, à son intention. À la bonne page. Elle sait déjà que dans ces *Cahiers de Malte Laurids Brigge*, elle va trouver la phrase. Non, elle s'est trompée, le passage qui est souligné, c'est: *l'on contenait sa mort comme le fruit son noyau.* Je sais, Yseult. J'avais compris cela tantôt dans le salon. Mais ça ne me fait pas moins mal. Comme la mort de Jocelyn ne t'a pas fait moins mal. Comme toujours la mort des autres. Merci quand même, Yseult. Elle dépose le livre qui, de lui-même, s'ouvre à la page qu'Yseult a choisie. Elle tire doucement le tiroir, gênée de fouiller la vie si privée d'Yseult. Une photo de Jocelyn en train de lire, complètement absorbé, la bouche esquissant une drôle de moue, comme s'il doutait de la justesse de sa lecture. Diane, bébé noir bouclé aux yeux de feu essayant de tirer vers elle le visage de sa mère qui regarde vers l'objectif. La petite main potelée qui tire si fort que la joue d'Yseult se plisse. Comme elle rit! Comme le visage de Diane est contrarié! Quel âge avait-elle ? Quatre ans ? Cinq peut-être... Le même mécontentement jaloux, la même colère encore à trente ans. (« Tu es jalouse comme ma fille. ») Oui, Yseult, ça aurait pu te guérir de l'instinct de possession pour le restant de tes jours si tu y avais eu la moindre propension. Et cette femme grassouillette près d'Yseult, un peu poseuse, mal à l'aise et pourtant bravement souriante ? Elle tourne la photo : Méli 1968. Sa sœur... Mélo.

Il y a d'autres photos de Diane, une splendide photo d'Yseult, nue jusqu'aux reins, de dos, la nuque découverte par sa main dans un abandon total, célébrée par le soleil qui trace une ligne claire sur son dos. Le grain de la peau, la pureté de la ligne, cette esquisse de la mâchoire racée : Yseult à trente ans, peut-être moins... Évelyne se souvient que Jocelyn en avait une semblable ou de la même série qu'il avait fait agrandir et placée dans sa chambre. Elle retourne la photo. D'une écriture fine, inconnue, calligraphié avec soin à l'encre noire, elle lit : « ET LES YEUX FERMÉS, JE M'OFFRAIS AU SOLEIL, DIEU DE FEU » et encore plus bas « SI J'AI DU GOÛT, CE N'EST GUÈRE / QUE POUR LA TERRE ET LES PIERRES », Rimbaud, *Une saison en enfer.* En plus petit, la main avait ajouté à l'encre verte cette fois : FIN D'UNE SAISON EN YSEULT 1972.

Le photographe, Évelyne ne se rappelle plus son nom. Elle avait vu l'exposition qu'il avait faite de cette série de photos. Les nus d'Yseult, arbre parmi les arbres, dune parmi les dunes. Comment s'appelait-il ? C'est vrai qu'il était passé vite. Un des premiers de qui elle avait été jalouse. Un des seuls dont Yseult avait, pour cette raison, cessé de lui parler. «Une saison en Yseult», c'était quand même plutôt bien quand on savait la passion qu'elle vouait à Rimbaud. Elle sourit: Diane n'aimera pas cette photo. Petite folle! Elle la pose sur le lit, ouvre la garde-robe: les vêtements d'Yseult pendent, désolés. Elle s'enfonce dans l'espace étroit, avance jusqu'aux vêtements. Là, enfin, l'odeur a persisté. Yseult est là, Yseult frémit dans les tissus, l'odeur exquise est ici, au cœur des fibres qui l'ont tenue, caressée, célébrée. Yseult! La gorge serrée, Évelyne respire son passé. Très vite, le parfum s'estompe, s'enfuit, évanescent. Était-ce la seule mémoire? La seule vue des robes qui a suscité l'odeur fugitive d'Yseult?

Elle referme la porte. Elle se rend à la cuisine, la traverse, atteint le bureau. Les livres sont là. Le sous-main barbouillé de scribouillages, cette chaise où elle s'assoyait pour discuter avec elle, assise dans le fauteuil confortable. C'est ici leur lieu, ici qu'elles ont eu leurs meilleurs moments avec les livres et la musique. Toutes ces conversations interminables. Combien de sujets d'émission ont-elles faits? Impossible à déterminer. Beaucoup. Cette litho au-dessus du bureau, cadeau pour son trente-cinquième anniversaire. Tu n'auras jamais cinquante ans, Yseult, et moi qui vais en avoir soixante sans toi. Les lunettes de presbyte qu'Yseult détestait tant, posées sur le bureau, clament une absence insupportable. Elle ne les a pas prises avec elle, bien sûr... («Comme c'est insultant cette façon qu'a le corps de se retourner contre nous avec l'âge.») Ces lunettes qui la faisaient grogner et qu'elle avait choisies noires («Allons-y franchement!»), ces lunettes qu'adorait Jocelyn — «Mets tes faiblesses.»

Cette photo d'Évelyne avec Yseult en studio à Radio-Canada. Prise... il y a huit ans déjà. Évelyne s'assoit dans le fauteuil, tourne la tête vers Yseult. Plus là, la soucieuse qui réfléchissait ou qui crayonnait. Tous les livres sont là, eux, les livres aimés, les vrais amis. Évelyne prend le Rimbaud, « *Mais, vrai, j'ai trop pleuré*», comme elle le disait ce vers, elle qui ne pleurait jamais, comme elle le disait... À quoi sert la beauté alors? À consoler de l'âcreté de l'amour? Toute cette beauté dans tes mains, Yseult, toute cette poésie ne t'a donc consolée de rien? La beauté des mots n'apaise rien, ne lénifie rien?(«Du sucre sur de la pourriture.») Ne mens pas, Yseult, il est si tard, je suis si fatiguée et si triste de te perdre. Il faut bien qu'il y ait une rédemption quelque part pour les pauvres sans-abri que nous sommes. La beauté, la volupté, le plaisir... ça ne rachète rien? Dans l'épaisseur de la vie, aucune légèreté, tu crois? Il reste si peu dans nos mains à la fin d'une vie, si peu... il doit bien y demeurer un peu de cette beauté qui console, quelques grains de sable échappés du sablier impitoyable, quelques grains de sable qui s'incrustent dans les lignes de la main. Yseult que mes mains n'ont pas retenue, Jocelyn que mes mains n'ont pas empêché de se fracasser, mais mes enfants aussi et cette petite fille dodue qui sourit infiniment, ravie de tout et Henri... peut-être que les grains ne sont que ceux qu'on a tenus, aimés, ceux qu'on a bercés contre son cœur désolé et pour qui on peut si peu. Ceux qu'on échappe en cours de route ou qui s'échappent, roulent loin de nous, nos amours rétives qui se cabrent. Peut-être que tout ce qui reste dans les mains usées qui se croisent à la fin d'une vie, ce sont les traces de ceux que l'on a réussi à aimer, même sans leur apporter de paix, même sans réprimer la vague violente qui vient régulièrement les assaillir. La beauté n'est pas un leurre, Yseult, c'est la pause de la violence, l'apnée de la charge sauvage de la douleur, la beauté solide, rassurante du jour qui se lève, de la joue d'un bébé, des mots denses d'un poème qui nous précipitent d'un trait au cœur de la souffrance qui nous habite. Rien ne sert de nier. La souffrance est toujours là, vigile inflexible, pompe du cœur, la douleur d'être au monde et de le savoir si inapte à calmer l'appétit qui nous vient avec la vie. Oui, tes mains ont martelé la vitre qui empêchait ta vie de s'envoler. Oui, Yseult, tes ongles ont massacré la terre molle et servile qui retenait tes élans. Peu de gens savent vivre comme tu le savais, avec une rage indestructible, avec cette farouche volonté de remettre chaque jour le compteur à zéro, avec cette souffrance aussi que personne n'a niée autant que toi. Mon orgueilleuse qui n'a pas écrit parce que les poètes existaient avant toi. («À chacun son chant, Évelyne.») Tu as pourtant dû le faire quelque part, tu ne pouvais pas t'en empêcher.

Évelyne fouille les tiroirs du bureau. Là, sur le dessus, bien en évidence, une enveloppe marquée «POÈMES 1975-1985» et une autre «1985-1990» — vides.

Ces enveloppes vides, plus que tout le reste,

achèvent Évelyne. Ce refus est encore plus cruel que le suicide. Là est la deuxième mort d'Yseult. Deux enveloppes béantes, sans le chant d'Yseult, sans la beauté qui suture les plaies de la vie. Deux enveloppes vidées par l'orgueil, l'incapacité d'accepter de se tromper. Laissées là exprès, pour lui éviter de chercher inutilement.

« Ça, Yseult, je ne sais pas si je pourrai jamais te le pardonner. Et je suis sûre que toi, tu ne te l'es pas pardonné. »

Elle ramasse Rimbaud, la photo d'Yseult sur le lit, celle de Jocelyn, l'enveloppe et la boîte de carton, éteint... la lumière du répondeur clignote toujours inlassablement dans le noir. Évelyne pousse le bouton, un dernier éclat rouge : non, elle ne vous rappellera pas aussi vite que possible. Elle n'appellera plus personne.

G ilbert a refusé de dormir chez Évelyne. Il l'a ramenée en silence, désemparé. Évelyne s'était mise à pleurer, le visage enfoui dans sa main. Il ne pouvait que conduire sans rien dire, en cherchant des mots qui ne venaient pas, en n'osant pas poser sa main sur son bras. Il avait seulement fait un immense détour pour lui permettre de se calmer avant d'arriver à sa porte et de dire bonsoir.

— Tu me promets de m'appeler dès que tu la revois?

— Si je la revois.

— Merci. Bonne nuit, Gilbert.

Elle avait rouvert la porte : « Tu vas la revoir ! » et s'était éloignée, les bras chargés.

C'est au deuxième palier qu'il l'a sentie : elle est là, elle est là et elle l'attend ! Lui qui perdait du temps à aller chez elle. Il atteint le dernier étage : elle est là, assise sur la dernière marche, ramassée sur elle-même, les yeux fous d'inquiétude, d'anxiété. Elle le regarde soucieuse, attend son verdict. Il ralentit son allure, s'arrête avant les dernières marches, s'assoit :

— T'as dormi là?

— Un peu.

— Combien de temps que tu es là?

411

Elle hausse les épaules. Ils s'observent sans rien dire, avec toutes les questions, toutes les colères, toutes les phrases non dites qui s'épuisent dans leurs yeux. Il tend la main, elle met la sienne dedans en murmurant : « T'aurais le droit de m'envoyer chier, tu sais. »

Il la lève en se levant : « Je sais. »

Il ouvre la porte, la pousse à l'intérieur : « C'est parce que c'est Noël. »

Il s'active, range l'appartement sans dire un mot, prépare du café, se fait des toasts, sort le beurre de peanut. Il ne dit rien, mange en silence sans rien lui offrir. Elle se verse un café, prend une toast, la mange:

— Tu le demanderas pas?

— Non.

— Ça t'intéresse pas?

— J'en sais rien.

— T'étais où, toi?

Il passe au salon, ne peut s'empêcher de ricaner:

— Tu m'as cherché?

— Oui.

— J'étais avec une femme.

Les yeux de Diane sont quand même plus brillants. Il ajoute, sournois:

— J'ai passé les deux derniers jours avec elle.

— Ah...

— Elle s'appelle Évelyne.

Le visage s'éclaire, se détend. Gilbert devient sarcastique: «C'est ce que tu es venue contrôler? Tu veux savoir si je t'échappe?»

Il se lève, incapable de dominer sa colère, incapable de ne pas avoir furieusement envie de l'attaquer. Il jette, avant de passer dans la chambre : « Finalement, je pense que je vais t'envoyer chier. »

Il ferme la porte de la chambre. Il s'assoit sur le lit, prisonnier de sa rage. Il entend la douche couler. Longtemps. Puis un petit coup à la porte. Il soupire : « Oui. »

Elle entre, enveloppée dans sa robe de chambre, les cheveux mouillés. Il se dit qu'elle doit avoir froid aux pieds sur le plancher de bois. Elle s'assoit en face de lui, très calme :

— Je peux te parler avant de m'en aller ?

— T'as pas l'air d'une fille qui s'en va.

— J'en avais besoin.

Elle se lève, marche, finit par allumer une lampe sur la commode, une vieille lampe Mickey Mouse de son enfance, dont l'abat-jour a été recollé mille fois. Elle caresse doucement un Mickey, dos à lui. Il se meurt d'envie de lui donner des pantoufles.

— Elle avait raison, Évelyne, j'ai pensé à moi. Seulement à moi. Jamais à elle. Elle avait raison sur plusieurs points... y compris celui du blâme.

Elle soupire, le regarde, penaude : « Je sais que j'ai l'air de ne penser à rien ces derniers temps, mais j'ai quand même fait du chemin. Je... je ne pourrai probablement jamais réparer le tort que je lui ai fait à elle, la peine aussi, mais... comme je peux pas revenir sept ans en arrière et m'excuser... On s'est jamais parlé. On se battait à coups de griffes : moi pour l'accrocher, elle pour se libérer. J'ai toujours refusé de croire qu'elle m'aimait uniquement parce qu'elle ne m'aimait pas selon mes critères... mes "normes de petite bourgeoise"! J'ai été la fille la plus jalouse du monde. Je la lâchais pas: une vraie maladie. J'ai eu peur qu'elle me quitte toute ma vie. Peut-être parce qu'elle quittait les hommes. Peut-être parce que j'avais seulement elle. Je sais pas. J'ai eu cette peur-là tellement fort que c'est moi qui ai fini par la quitter. Je l'accusais d'inconstance sans voir que, moi non plus, j'ai jamais été bien constante. Même ma tante Méli, je l'ai plantée là comme une vieille chaussette. En me servant de ses arguments à elle. Ceux que je contestais en plus. Je faisais ce qui m'arrangeait: quand j'avais l'air dans mon tort, c'était de sa faute à elle. Même mon divorce, c'était sa faute à elle! Parce que c'était une mauvaise mère, tout ce que j'échouais devenait sa responsabilité. Très pratique. Très débrouillard, le petit pou.»

Elle circule encore à travers la chambre, puis s'assoit par terre, appuyée contre la commode. Gilbert écoute sans bouger. Elle rit avec tristesse:

— Les deux derniers jours, j'ai essayé de penser à elle, de me mettre dans sa peau, de m'oublier... je ne te dis pas que le bébé n'est pas revenu crier qu'il voulait son tour, mais j'ai essayé. Je me suis aperçue que je ne la connaissais pas. Je pense qu'Évelyne en sait plus que moi sur elle. Je pense que je ne l'ai jamais aimée. Je l'ai voulue, je l'ai trouvée belle, je voulais la posséder pour moi toute seule, mais elle, elle, la femme qu'elle était, comment elle pensait... je ne m'en suis jamais souciée... comme je ne me suis pas souciée de toi. Comme si c'était normal que les autres m'aiment, prennent soin de moi, s'inquiètent pour moi.

Comme si on me le devait... Égoïste, ça c'est sûr. Cruelle, probablement... méchante, je sais pas, peut-être que oui, mais sans être consciente du mal que je pouvais faire... Tu sais ce que j'ai découvert les deux derniers jours, Gilbert? Qu'elle m'aimait et que je ne l'ai jamais laissée m'aimer. Qu'elle essayait de respecter ce que je désirais, alors que je ne savais même pas ce que je voulais. Comme si elle me donnait plus d'importance que j'en avais. Comme si elle me traitait en adulte que je ne voulais pas devenir. Si tu savais combien elle a essayé, comme elle a voulu... Si tu savais tous les reproches qu'Évelyne aurait pu me faire si elle avait su! J'espère que personne ne saura jamais ça. Le pire, tu sais, c'est la bonne conscience que j'avais, la certitude d'être dans mon droit, d'avoir raison de la mépriser, de mépriser son plaisir, son rire. Juste parce que j'étais jalouse. Jalouse et humiliée de ne pas savoir faire comme elle. Un jour, j'ai fait une crise à Philippe, mon ex, je ne me souviens pas avoir crié autant dans ma vie. Une vraie crise de folie. Tu sais pourquoi?

— Il avait parlé d'Yseult?

— Non. Il voulait un enfant. Ça m'avait tellement choquée, tellement ulcérée, j'aurais voulu le tuer! Je pense que je trouvais ça indécent qu'on veuille déjà passer mon tour, me remplacer. J'étais sûre de ne jamais être capable de mettre un enfant au monde et de m'en occuper. À cause de qui, tu penses? Yseult! La réponse magique. Le passe-partout qui endosse tout ce qui m'empêche d'être heureuse ou parfaite. Je me disais que, quand on a eu une si mauvaise mère, on ne peut que le devenir, que perpétuer l'erreur. Je te dis que j'en avais des théories pour ne rien analyser, pour ne pas douter de mon bon droit. Avec une mère comme ça, je pouvais être sûre que tout le monde trouverait qu'effectivement j'avais été lésée à vie. Même la psy a marché. Tout le monde en fait...

— Sauf Évelyne.

— Même toi.

— Disons que je suis arrivé dans une période trouble... tu jouais à Yseult, c'est ça? « Yseult pour l'amour. »

— Je le croyais, tu sais. Je pensais que c'était son domaine, l'amour physique. Je me suis persuadée que j'étais inapte parce que je ne savais pas quoi faire du désir et que je méprisais le plaisir. Yseult disait que je méprisais la vie parce qu'il fallait se salir les mains pour y goûter. Ben... c'est comme ça que je voyais le sexe: sale et réservé à Yseult. Secret comme elle, sourd, caché... comme elle. Sais-tu quoi, Gilbert? T'as affaire à une belle hypocrite.

— Tu trouves pas que tu y vas un peu fort dans l'autoflagellation? Elle n'avait pas de défaut, elle?

— Tu ne sais pas la moitié de ce que j'ai fait... Au moins, elle a eu des amis, des gens qui l'ont aimée et consolée de son pou pas fin.

— Pourquoi tu t'appelles de même?

— C'est elle qui me disait ça quand j'étais petite.

— Pas très gentil...

— C'est ce que j'ai toujours dit. Je m'en suis vantée pour faire pitié, tu penses bien. Mais c'était aussi un jeu entre nous, un beau jeu. Son petit pou doux...

— Ah... ça c'est déjà moins laid.

— Ça doit faire bizarre d'avoir un enfant qui ne va pas avec toi, un enfant tellement différent de toi qu'on dirait un étranger sorti d'un pays encore inconnu. Je ne sais pas ce que j'aurais fait à sa place.

— Tu penses que vous n'aviez rien en commun ?

— Laisse-moi encore un peu de temps.

Elle le regarde en silence, sourit :

— Je savais que tu t'inquiétais.

— Bof, je m'inquiétais un peu pour moi, tu sais.

— Je sais... pour ma vertu qui t'intéresse tant.

Il s'agite, mal à l'aise : « Tu vas prendre froid, assise par terre. »

Elle se lève, se penche vers lui en prenant appui sur le lit :

— On règle ça, Gilbert ?

— Quoi ?

— Mes deux jours.

Il n'en a plus envie. Il déteste l'idée de savoir. Il veut garder la paix entre eux, ce beau moment qu'il aperçoit dans ses yeux :

— Ça te regarde, je ne veux pas le savoir.

— Menteur.

— O.K., ça me regarde mais je ne veux pas le savoir.

— Tu fais exactement ce que je faisais avec elle : t'as tellement peur de me voir me salir à tes yeux que t'aimes mieux rien savoir.

— Qu'est-ce que tu veux ? Te complaire dans tes soûleries ?

—Non, je veux que tu saches à qui t'as affaire.

—Je le sais. Pas besoin de ça pour le savoir.

—Pareil! On jurerait que c'est moi!

Elle se redresse, sort. Il crie:

—Bon, O.K, si ça te prend ça.

—Non Gilbert, ça ne me le prend pas, ça nous le prend. Tu ne peux pas classer les confidences et choisir juste celles qui ne te menacent pas.

—Mais je le sais d'avance: tu t'es soûlée, t'es allée avec un gars, tu peux pas dire qui, *that's it!*

—Je me suis soûlée. Je suis partie avec un gars qui s'appelait Normand. Un grand brun, la trentaine, aussi soûl que moi.

Gilbert soupire et regarde ailleurs, vers la fenêtre.

—On est allé chez lui, il m'a raconté la moitié de sa vie et on a baisé.

—Bon! Tu t'es soûlée avec un Normand, tu t'en souviens, *that's it!*

—Non. Ça a pas marché.

Il change d'air, la regarde, intéressé. Elle répète: «Rien. Ça a pas marché. Néant. Même soûle, sais-tu ce que je voyais au lieu du gars?»

Il aimerait dire «moi?», n'ose pas, fait seulement non de la tête.

—Évelyne Guindon qui me fonçait dessus pour me dire que je l'avais traitée de putain! Évelyne qui m'accusait. C'est ça que j'entendais.

Elle lui épargne le reste: qu'elle regardait froidement le gars chercher son plaisir, la tripoter comme Philippe le faisait. Que de le voir s'agiter sur elle et de se sentir à des millénaires de lui, dure, sans aucun sentiment autre que le mépris, étrangère qui sert de réceptacle à une autre solitude lui était devenu odieux et qu'elle n'arrivait plus qu'à se mépriser elle-même.

— T'as fait quoi?

— Je suis repartie. J'ai marché. Je suis entrée dans un bar, je me suis soûlée plus dur et j'ai refusé de partir avec le gars qui m'embrassait parce que c'était encore pareil.

La fureur du gars! Il l'avait traînée dans le parking, avait essayé de la forcer en la traitant de tous les noms disponibles dans le dictionnaire du dégoût. Diane s'était enfuie, affolée, parce que, comme Évelyne, il n'avait pas tort de la haïr.

— Pareil comment?

— Froid. Écœurant. Pas capable de m'oublier. Pas capable de dépasser ma tête, de me rentrer dans le corps. Pas capable de lâcher prise, de ne pas observer ce que je faisais. Pas d'abandon, quoi.

— Et après?

— J'ai seulement marché. Je pense que c'est fini, le scotch.

— Ce qui allait avec aussi?

Elle ne sait pas quoi dire. Elle ne sait pas quoi penser ni quoi répondre aux yeux inquiets de Gilbert. Il s'approche:

— Pourquoi me dire ça? Pourquoi il faut que je sache cela?

— Pour ne pas que tu imagines pire?

— C'était dans ce goût-là, plaisir en plus.

— Ben c'était ça... plaisir en moins.

— Tu vas arrêter maintenant de te flageller? C'est fini j'espère, la contrition?

— Tu parles des bars ?

— Non... de tout. T'es pas pour commencer à payer des factures qu'elle ne t'a pas réclamées ? Ça ne lui donne rien que tu te détruises.

— Mais je ne me détruis pas... j'essayais de lui voler quelque chose, c'est tout.

— Elle n'était quand même pas propriétaire du plaisir ! Mêle-la pas à ça. Fais ta vie !

— C'est exactement ce qu'elle me demandait.

Elle a l'air bien dépitée. Il la prend dans ses bras, respire ses cheveux humides, promène sa bouche dans ce noir si duveteux, « petit pou doux », oui, c'est vrai en plus : « J'ai envie de toi. »

Le recul immédiat contre son corps, les yeux noirs inquiets, le dos qui se raidit sous sa main, refuse. Il la maintient contre lui, continue d'embrasser ses cheveux, sa nuque. Il la sent rétive, très loin de céder à quelque caresse que ce soit. Lentement, il relâche son étreinte. Il retire toute pression. Il la tient seulement, ne fait rien d'autre que la regarder en caressant son visage, repassant chaque sillon en revue du bout du doigt, la fossette à droite, la bouche si tentante. Elle soupire, déçue d'elle-même :

— Gilbert...

— Chut ! Pas de panique.

Le doigt passe sur la bouche, fait taire toute objection, suit la mâchoire, descend, dessine une ligne le long de l'ouverture de la robe de chambre, s'arrête là où les deux pans de tissu se croisent, remonte, la main tout entière se glisse derrière, prend sa nuque, gagne la tête, la masse doucement, repart, se glisse sous le vêtement pour tâter la rondeur parfaite de l'épaule, émerge, revient vers le cou, la joue, les tempes. Comme ça, sans rien demander, petite excursion qui nomme le corps. Elle ferme les yeux. Il effleure les paupières, l'arcade, frôle le cou qui ploie, se gonfle, espère des lèvres qui ne viennent pas. La main flâne sur le tissu, se rend jusqu'au pied, remonte de la cheville au genou, s'arrête, hésite en un demi-cercle caressant sur la rotule et redescend vers le pied.

Il y a dans cette main si peu d'exigence, un tel abandon dénué de l'aigu du désir que cela l'impatiente. Alarmé, son corps attentif vérifie à chaque geste qu'on ne lui demande rien, ne revendique rien. Le fait que lui ne semble rien espérer d'autre éveille un désir confus de persistance. Calmement, il frotte son dos, sans aucune arrière-pensée apparente, puis la main s'infiltre sous les cheveux, pressante, passe devant, reprend l'épaule, évite le sein comme si le renflement n'était qu'un accident de terrain sans intérêt. Elle ouvre les yeux, la bouche de Gilbert est tout près. En s'étirant un peu, elle pourrait la saisir, l'ouvrir, la pénétrer. Il recule, le traître, alors qu'elle s'avançait! La main la quitte, se pose sur le bras, caresse l'intérieur du poignet, griffe légèrement l'avant-bras. Elle voudrait qu'il touche à ses jambes et qu'il ne s'arrête pas aux genoux. Mais la main reste sur le bras, reprend sa course, ouvre sa main, écarte les doigts, s'y enferme totalement. La bouche de Gilbert a ce pli gourmand que le désir lui donne, mais il n'y a rien d'impérieux dans sa main, comme s'il s'en fichait complètement, comme s'il avait l'éternité devant lui. Elle commence à trouver qu'elle n'a pas l'éternité, elle. Enfin, la main regagne la cheville, l'étreint, creuse le pied, l'articule, retourne en amont à l'intérieur de la jambe, perd de l'énergie au genou, se désintéresse. Elle éloigne légèrement la cuisse pour lui permettre d'aller plus haut, il renonce, comme inconscient de l'invite, redescend, s'éloigne, s'attarde au mollet pour finalement se reprendre et atteindre rapidement sa cuisse chaude. Il replace la robe de chambre qui s'est écartée d'elle-même, la referme minutieusement, fait de même avec le décolleté qui béait, invitant. Rêveur, il joue avec la ceinture du vêtement, puis, brusquement, il pose la main bien à plat sur son ventre, sans bouger, large et lourde, puissante d'immobilité. Il se penche, respire sa peau près du cou, la hume, la bouche tout près sans jamais se poser, sans jamais embrasser. La main sur son ventre semble ramasser toute l'électricité du corps, la contrôler dangereusement. Elle respire plus vite, oppressée par l'envie qu'il attaque plus franchement, n'osant rien risquer elle-même de crainte de ne pas tenir la promesse. La main bouge enfin, s'introduit, s'agrippe un instant à la peau du ventre, le temps d'une secousse électrique et s'enfuit. Elle allait gémir quand sa bouche cueille le son, s'enfonce, la fouille, l'ouvre, sa bouche enfin. Doucement, il écarte la robe de chambre. Comme il aime cette peau, comme il aime goûter cette texture, cette chaleur. Ses mains glissent sous son dos, la soulèvent, l'attirent sur lui. Le mouvement la surprend, réveille sa réticence. Mal à l'aise, elle est comme une débutante qui ne sait pas quoi faire de ses mains. Il la renverse très vite, s'étend sur elle, pesant de tout son corps habillé sur sa peau. Ébranlée, elle ferme les yeux pour mieux goûter son poids sur elle, cette pesanteur rassurante. Oui, cela elle aime bien, voilà un frémissement, voilà le visage qui se tend, yeux clos, lèvres entrouvertes. Il demeure allongé sur elle, sans un geste, le sexe dur contre son ventre qu'il sent palpiter ou seulement ému par sa respiration précipitée. Il tient son visage dans ses mains, le fixe, attend qu'elle ouvre les yeux, lui donne son consentement. Comme c'est long, comme elle tarde... Quand ils s'ouvrent, Gilbert ne voit que des prunelles agrandies, mi-gagnées, mi-effrayées, à cheval sur deux sensations contradictoires. Des yeux qui s'excusent de ne pas être assez troublés, des yeux qui regrettent déjà. De la main, il efface le pli soucieux entre les sourcils, sourit:

— Tu veux que j'arrête?

— Non.

— Tu veux quoi?

Elle hausse les sourcils, émet un «ça!» plutôt mystérieux mais engageant. Gilbert remue, retire sa chemise, contemple les seins de Diane, tranquilles, qui ont l'air de ne rien attendre de lui, immunisés contre le désir. Il les prend dans ses mains, les recouvre totalement, s'incline, en mord délicatement le bout, les bouscule avec sa langue. Ses mains retournent au ventre, petite masse onduleuse, petit monticule tendu entre les os du bassin qui se soulève timidement. À la limite du sexe, il suspend sa caresse, regagne la taille. Son souffle se précipite de dépit. Sa bouche abandonne les seins, remonte vers le cou, se coince derrière l'oreille — oui, c'est ce qu'il pensait, elle n'aime pas ça, elle veut encore qu'il touche ses seins, elle veut encore qu'il caresse son ventre. Il immobilise ses mains à l'angle exact des cuisses, à l'aine, là où la peau est divine de douceur, là où les veines palpitent, plus bleues qu'ailleurs. Les pouces reposent à la limite de son sexe mais ne l'atteignent pas. Enfin, son bassin bouge, il appelle un mouvement des mains, provoque ou supplie. Il impose son immobilité, retient le moindre geste, exaspère son attente jusqu'à sentir ses seins plus durs contre sa peau, ses seins excédés qui, eux, savent demander. Il tient bon sous ses efforts. Elle s'agite, cherche sa peau, ondule pour s'y frotter. Les hanches emprisonnées dans ses mains dansent dangereusement, essaient de déverrouiller ses pouces si près, si près... Il saisit son sein dans sa bouche, goûlument, avidement, il en éprouve un plaisir aigu jusqu'au creux des reins. Elle a enfin un gémissement qui libère ses mains à elle, ses mains qui le saisissent, impérieuses, le prennent, glissent sur son dos, repoussent son pantalon.

Il a beau se dire qu'il ne doit pas aller si vite, qu'il ne faut rien précipiter, ce corps le rend fou. Il roule avec elle, retrouve la douceur de ses cuisses, de cette peau plus tendre que sa bouche, l'odeur de fleur mouillée de son sexe. C'est lui maintenant qui résiste, empêche ses mains qui veulent finir de le déshabiller, doutant de son endurance. Elle insiste, le bouscule, s'impose, convaincante, il murmure un «non» pas très fort

ni très autoritaire, un non de jeune vierge qui
l'amuse : «T'es bien prude!» La voix! La voix qu'il
aime, la grave, la courte, l'altérée par le plaisir, la
voix fiévreuse, exigeante qui balaie tous ses
principes d'homme en contrôle. Comme il la laisse
le déshabiller, le déstabiliser, le chevaucher.
Comme il aime ces seins vus d'en dessous, secoués
par sa frénésie à elle et ce cou qui s'étire, comme
si l'imminence du plaisir la cravachait, la tendait
comme un arc, vibrante contre lui, avec lui,
dressée, furia galopante à l'assaut de l'extase qui
les submerge, violente, et qui l'abat, vaincue,
contre sa poitrine, coursier au cœur fou, à la
croupe humide, frémissante, secouée de frissons
que sa main apaise.

Il la recouvre maladroitement de la couette,
la garde serrée contre lui, immensément soulagé,
délivré d'une angoisse qui lui gâchait presque son
plaisir, l'encombrait d'éclairs de lucidité cal-
culatrice. Elle reprend son souffle, bouche ouverte
sur sa peau, bouche humide sur son sein. Elle se
met à le lécher doucement, le cueille, l'agace et
finit par le saisir et le sucer franchement. Un désir
irrésistible le surprend en pleine détente ;
suffoqué, il sent son sexe ragaillardi se gagner une
place au creux du sien, pousser son avantage,
reprendre la course qu'il croyait achevée. Et elle
qui se fait creuse, invitante, qui l'aspire, l'attire
encore plus profond, plus loin. Elle qui le grise
avec son «encore» grave, rauque, avec son appétit
plein la bouche, plein le sexe, elle qui le ramène
sur la crête de la vague, oublieux de ses inquiétudes, abandonné au tyran du plaisir, le fouillant

jusqu'à couler au plus fort de la tempête, secoué, tenu vibrant au bout de son cri, à implorer sa reddition. Encore une fois, le jour se lève sans qu'il ait dormi. Mais cette fois, le corps alangui, il tient presque un petit bonheur noir dans ses bras. Il prend sa tête dans une seule main, l'approche de sa bouche : « Tu sais ce que je pense ? T'aimes ça avoir le contrôle. » Elle grommelle quelque chose, rit pour elle-même à moitié endormie. Une bouffée de bonheur le traverse, c'est enfin Noël.

L a boîte Laura Secord, elle l'a tout de suite reconnue. C'est la même que celle de son enfance, celle qui contient tous les trésors brillants de sa mère. Elle l'écarte, ne l'ouvre même pas. L'enveloppe blanche attend sur ses genoux. L'enveloppe avec son nom, son adresse, son numéro de téléphone. L'enveloppe qu'Yseult lui envoie de si loin, dernier plastique sur le corps maintenant brûlé. Elle hésite à l'ouvrir, elle a peur. «Oui, maman, j'ai toujours peur de toi, de la vérité.» Elle est seule avec sa mère, seule dans le loft pour cette dernière conversation.

Elle déchire le bord de l'enveloppe, sort un paquet de feuilles manuscrites, emplies de l'écriture violette, souvent raturée, reprise à l'endos avec des flèches. Quoi? Sa mère lui donne un vieux roman inachevé, une de ses «œuvres» dont elle se moquait tant? («J'ai trop de respect pour les mots pour me prendre au sérieux. Je les maltraite sur une feuille, c'est tout.») Sur la page de garde, un papier collé avec une note vite rédigée:

IL Y A SEPT ANS, JE T'AI ENVOYÉ UNE CASSETTE. COMME TU AS DÛ CROIRE QUE JE TE PROVOQUAIS,

TU L'AS PROBABLEMENT JETÉE. VOICI CE QUE JE T'AI
LU SUR LA CASSETTE. ET C'EST TOUJOURS MA FAIBLE
PARTICIPATION À L'ÉLUCIDATION DU MYSTÈRE DE TA
VIE. Y.

Bien sûr qu'elle l'a jetée sans l'écouter! Elle
était si certaine de s'entendre, petite voix haïssable
d'accusatrice, faire le procès de sa mère libidineuse.
Elle l'a jetée le jour même, il y a sept ans, comme
on coupe la conversation quand il s'agit d'un appel
obscène. Elle retire la note autocollante et entend
presque la voix d'Yseult en lisant ses mots.

MA PETITE, TROP PETITE DI — COMME TU ES
VIOLENTE ET SAUVAGE! COMME TU NE SAIS PAS TE
DÉPATOUILLER AVEC TES PEURS. QUELLE ÉNERGIE
TU METS À FUIR! PLUTÔT ALARMANT D'ÊTRE TON
SPECTATEUR. EST-CE MOI QUI T'EMPÊCHE DE VIVRE
OU EST-CE QUE JE TE SERS DE GARDE-FOU LUXUEUX
CONTRE LE RISQUE? OUI, JE SUIS UNE MAUVAISE
MÈRE, MAIS Y A-T-IL DE BONNES MÈRES? JE
N'EN CONNAIS PAS. CE QUI, BIEN SÛR, À TES YEUX
IMPITOYABLES NE M'EXCUSE PAS. MAIS JE NE VEUX
PAS M'EXCUSER, JE TROUVE LES EXCUSES
DÉRISOIRES ET PITOYABLES. TOUS CES MOTS QUE
TU AS LANCÉS SUR MOI POUR ME BLESSER,
M'ATTEINDRE, M'ONT BLESSÉE, JE TE RASSURE TOUT
DE SUITE. JE LE DIS PARCE QUE TU ME CROIS
INVINCIBLE ET INDIFFÉRENTE. JE NE LE SUIS PAS.
J'AI SEULEMENT MOINS D'ILLUSIONS QUE TOI,
DONC MOINS DE SURPRISES. CE QUI EST DIFFÉRENT.
JE N'AI PAS, COMME TOI, LE DON DU RÊVE, QUI ME
SEMBLE D'AILLEURS UN DON EMPOISONNÉ: COMME

TU VAS PAYER CHER CETTE FUITE FASTUEUSE LOIN DE L'ARIDE RÉALITÉ. LE RÉEL FINIT TOUJOURS PAR NOUS RATTRAPER, MON PETIT POU, LE RÉEL EST CE « MONSIEUR » SANS VISAGE DONT TU ENTENDAIS LES PAS DANS TES CAUCHEMARS D'ENFANT, CET INCONNU QUI TE POURSUIVAIT POUR TE FAIRE DU MAL ET QUE TU FUYAIS FOLLEMENT. JE NE PEUX PAS ARRÊTER LA COURSE DU RÉEL, JE NE PEUX PAS L'EMPÊCHER DE FRACASSER TES RÊVES. JE NE SUIS PAS UNE BONNE MÈRE. C'EST CETTE PROTECTION QUE TU RÉCLAMES ET JE NE PEUX PAS TE L'OFFRIR PARCE QUE, MÊME SI JE LE POUVAIS, CE SERAIT TE FAIRE ENCORE PLUS MAL. TU ES UN PETIT POULAIN AUX PATTES BIEN CHÉTIVES, TU NE TIENS PAS SOLIDE, TU TREMBLES, REFUSES DE TE LEVER. TOUS MES EFFORTS TE SEMBLENT DES CONDAMNATIONS À MORT, DES INCITATIONS À TE DÉTRUIRE. JE CROIS QUE JE NE SAURAI JAMAIS T'APAISER, SEULEMENT T'INQUIÉTER. JE VAIS DONC TE LAISSER FAIRE TOUTE SEULE. JE VAIS LAISSER CE PETIT POULAIN SAUVAGE GALOPER TOUT SEUL... EN ESPÉRANT, MOI QUI SAIS SI MAL LE FAIRE, ET EN MISANT SUR TA FORCE DONT TU DOUTERAS TOUJOURS. JE NE REVIENDRAI PAS TE HARCELER, DIANE. CECI EST UNE PROMESSE : JE NE TE POURSUIVRAI PAS. JE VAIS TE LAISSER À LA VIOLENCE DE TA HAINE, À LA VIOLENCE DE TA VIE ET DE TES COMBATS SANS ESSAYER DE T'AIDER OU DE T'EXASPÉRER AVEC MA VISION DES CHOSES. JE NE REVIENDRAI PAS TROUBLER TA VIE. JE N'AI PAS SU TE RENDRE HEUREUSE, C'EST CE QUE TU ME DIS, JE VAIS TE LAISSER CONSTATER QUE TA SOUFFRANCE ET TA COLÈRE VIENNENT AUSSI DU DÉPIT D'ÊTRE PRIVÉE

DE CES PETITS BONHEURS QUI NE SONT PAS ÉTER-
NELS ET QUE JE N'AI PAS SU RENDRE PLUS VASTES
MAIS QUI CONSTITUENT EN SOMME UNE CERTAINE
FÉLICITÉ DONT TU AS LA NOSTALGIE. C'EST MINCE
POUR RÉSUMER CE FAMEUX BONHEUR SUR LEQUEL
TU TABLES TANT, MAIS C'EST TOUT CE QU'ON PEUT
HONNÊTEMENT ATTENDRE DE LA VIE. MAIS TU
N'AIMES PAS LES ASPÉRITÉS DE LA VIE. TU LA VEUX
DOUCE, UNIFORME ET RÉCONFORTANTE COMME
ELLE NE SERA JAMAIS. TU POURSUIS TES CHIMÈRES
AVEC UNE DÉTERMINATION ENVIABLE, SI TU
POUVAIS LA METTRE AU SERVICE DE DÉFIS PLUS
RÉELS, COMME CE SERAIT ENCOURAGEANT. MAIS EN
VINGT-DEUX ANS, BIENTÔT VINGT-TROIS, JE N'AI PAS
SU TE FAIRE VOIR LA VIE D'UN ŒIL PLUS AMICAL.
ET TU M'EN VEUX TOUJOURS COMME SI J'ÉTAIS
L'AUTEURE DE TANT D'ATROCITÉS. JE NE SUIS QUE
CELLE QUI T'A PLACÉE AU CŒUR DE CETTE BAR-
BARIE. JE NE POUVAIS PAS TE SAUVER DE L'ÂPRETÉ
DE LA VIE. JE POUVAIS SEULEMENT T'Y PRÉPARER.
ET LE MOINS QU'ON PUISSE DIRE EST QUE TU ÉTAIS
(ET SEMBLES TOUJOURS ÊTRE) FORTEMENT
RÉTICENTE.

NON, DIANE, JE NE T'ACCUSE PAS, JE NE TE
POURFENDS D'AUCUN DE CES BLÂMES DONT TU TE
SERS RÉGULIÈREMENT EN M'EN FAISANT PORTER
L'ODIEUX. JE NE SUIS QUE TA MÈRE. TU TE DÉBATS
POUR ME REJETER ET REPOUSSER DU COUP TOUT
CE QUI TE DÉPLAÎT DANS LA VIE. JE NE VEUX PAS
T'OFFRIR UN DÉLAI SUPPLÉMENTAIRE EN INCAR-
NANT LE SEUL PROBLÈME QUI EMPÊCHE LA VIE DE
DANSER. DANS QUELQUES ANNÉES, COMME JE
N'AURAI PAS ÉTÉ LA CAUSE DES MALHEURS ET

TRISTESSES INÉVITABLES QUE LA VIE CHARRIE, TU POURRAS PEUT-ÊTRE TE DIRE : CETTE PUTAIN QU'EST MA MÈRE, CETTE SALETÉ INFIDÈLE N'A QUAND MÊME PAS PU S'ALLIER AVEC LA VIE POUR FAIRE MON MALHEUR. ELLE N'EST PEUT-ÊTRE COUPABLE QUE DE MA NAISSANCE ET D'UNE CERTAINE ENFANCE. DANS QUELQUES ANNÉES, JE PRENDRAI MA PLACE DANS LE RANG DES BOURREAUX ET JE NE CRISTALLISERAI PLUS À MOI SEULE TOUTES LES TORTURES. JE NE SAIS PAS SI JE VERRAI CELA DE MON VIVANT ! JE SAIS QUE TU AS HORREUR DE MON HUMOUR, MAIS C'EST MA FAÇON À MOI D'ENDURER TES EXCÈS. PARCE QUE SI JE SUIS UNE MÈRE ODIEUSE, J'AI UNE FILLE DIGNE DE MOI. TU VAS ME DÉTESTER UN PEU PLUS, MAIS TU FERAS PROFITER TA PSY DE LA COLÈRE QUE JE PROVOQUE. TU ES UNE INFERNALE MENTEUSE ET COMME C'EST UN DES RARES PLAISIRS QUE TU TROUVES À LA VIE, JE NE VOIS PAS COMMENT JE POURRAIS CONTRER CELA.

COMME JE NE SUIS PAS CERTAINE QUE TU VAS M'ÉCOUTER JUSQU'AU BOUT, J'ESPÈRE AU MOINS QUE TU VAS CONSERVER CETTE CASSETTE POUR DES JOURS MEILLEURS. DES JOURS OÙ TA FUREUR AURA DIMINUÉ ET OÙ ELLE AURA BESOIN D'ÊTRE FOUETTÉE. BON, JE SAIS QUE TU NE RIS PAS. PAS ENCORE. MAIS S'IL ME RESTE UNE ILLUSION (CE DONT JE DOUTE), JE CROIS QU'UN JOUR, UN JOUR OÙ TU AURAS GRANDI ET RENCONTRÉ L'INDULGENCE (VERTU RARE ET QUI S'ÉPUISE DE NOS JOURS), UN JOUR TU SAURAS RIRE DE TA SÉVÈRE EXIGENCE DE DESPOTE AMOUREUX. PETIT POU AMOUREUX, COLÉREUX, ORGUEILLEUX, PETITE

LE POIDS DES OMBRES

FILLE DURE AUX YEUX SOMBRES, CETTE CASSETTE N'EST PAS POUR TE FAIRE DU MAL, C'EST MON AU REVOIR, IL FAUT ME PERMETTRE MA MANIÈRE PUISQUE JE NE TE L'IMPOSERAI PLUS. IL FAUT SUPPORTER ENCORE MA VOIX RAILLEUSE DONT TU TE DÉFIES TANT.

J'AI DÉCIDÉ DE TE DIRE CE QUE JE SAIS, JE VAIS TE PARLER DE TON PÈRE. PEUT-ÊTRE TOUT SIMPLE-MENT POUR TE DONNER L'OCCASION DE FRAPPER AILLEURS ET DE MORDRE DANS UN NOUVEAU REPROCHE. PEUT-ÊTRE MÊME POUR DÉCHIRER UN AUTRE DE TES RÊVES. JE SERAI CELLE QUI NE T'AURA APPORTÉ QUE DÉSILLUSIONS, MA BELLE ILLUMINÉE QUI CROIT ENCORE AUX FÉES.

TON PÈRE EST MORT.

TU TE SOUVIENS SÛREMENT (OUI, CE DOIT MÊME ÊTRE UNE DE TES SCÈNES FAVORITES DANS LA TRAGÉDIE DE TA VIE) DE CE JOUR OÙ TU AS EXIGÉ DE SAVOIR QUI ÉTAIT TON PÈRE. TU AVAIS SEPT ANS ET TU ME FIXAIS AVEC UNE SÉVÉRITÉ QUE J'IMA-GINAIS ÊTRE CELLE DE DIEU LE PÈRE LE JOUR DU JUGEMENT DERNIER. TES YEUX RIVÉS SUR MOI, DÉTERMINÉS À M'ARRACHER LA VÉRITÉ. JE T'AI MONTRÉ LE SAPHIR QU'IL M'AVAIT DONNÉ. ET J'AI ESSAYÉ DE T'EMPÊCHER DE RÊVER, D'IMAGINER DES MERVEILLES SANS TE RETIRER LE DROIT DE LE CONSTRUIRE DANS TON CŒUR. C'EST PROBA-BLEMENT UN DES ÉCHECS LES PLUS RETENTISSANTS DE MA VIE. TU M'AS HAÏE. FOLLEMENT. QU'AURAIS-TU FAIT SI JE T'AVAIS DIT LA VÉRITÉ ? TU M'AURAIS SANS DOUTE LACÉRÉE EN HURLANT. ÉTRANGEMENT, TON PÈRE EST MORT PEU DE TEMPS AVANT QUE TU POSES LA QUESTION. TU ES QUAND MÊME UN PEU

SORCIÈRE. IL EST MORT ASSEZ TRISTEMENT. TON PÈRE ÉTAIT UN VOLEUR, DIANE. UN PETIT VOLEUR. LE SAPHIR EST UN BIJOU VOLÉ QUE JE N'AI JAMAIS RENDU PARCE QUE J'EN AVAIS BESOIN. IL ME L'A DONNÉ LE LENDEMAIN DU JOUR DE TA CONCEPTION. JE NE SAVAIS PAS QUE J'ÉTAIS ENCEINTE, BIEN SÛR. NI QU'IL L'AVAIT VOLÉ. IL ME L'A OFFERT NÉGLIGEMMENT (TON PÈRE AVAIT UNE CERTAINE ALLURE, JE DOIS DIRE), COMME UN CAILLOU SANS GRANDE IMPORTANCE, POUR FAIRE LE FIER ET PROBABLEMENT POUR TÉMOIGNER D'UNE CHOSE QU'IL N'AVOUERAIT JAMAIS : QU'IL M'AIMAIT. J'ÉTAIS TRÈS AMOUREUSE DE LUI. IL S'APPELAIT FRÉDÉRIC DUPUIS. IL AVAIT VINGT ANS. IL AVAIT LÂCHÉ L'ÉCOLE À QUATORZE ANS, S'ÉTAIT FAIT LA MAIN SUR DE PETITES RAPINES ET S'ESSAYAIT À L'ÉPOQUE OÙ JE L'AI RENCONTRÉ AUX PLUS GROS COUPS. IL FUMAIT DE LA DROGUE, RACONTAIT DES HISTOIRES FABULEUSES (C'EST DE SON IMAGINATION FOLLE QUE TU AS HÉRITÉ), NE FAISAIT RIEN COMME LES AUTRES ET ÉTAIT TRÈS BEAU. SOMBRE, COMME TOI, PAS TRÈS GRAND (CE QUI L'HUMILIAIT D'AILLEURS), UN CORPS SOLIDE, TRÈS FORT, DES YEUX BRÛLANTS, ANIMÉS D'UNE VIOLENCE TERRIBLE. UN VOYOU. UN VRAI. JE NE DÉSIRAIS QU'UNE CHOSE DANS LA VIE : M'ÉCHAPPER DES TRISTES COMPLAINTES DE MA MÈRE, FUIR LE POISSON DU VENDREDI, LE SPORT À LA TÉLÉVISION ET LES PHOTOROMANS. FUIR LOIN DE LA MÉDIOCRITÉ, LOIN DU PETIT RÊVE SANS ENVERGURE QU'ON ME PRÉPARAIT. FRÉDÉRIC REPRÉSENTAIT TOUT CE QUE MA VIE ESPÉRAIT : L'AVENTURE, LES ÉMOTIONS FORTES ET... LA SENSUALITÉ. C'ÉTAIT RIMBAUD QUI

TRAVERSAIT MA VIE, LA SECOUAIT, L'OBLIGEAIT À FONCER AU CŒUR DES CHOSES ET À CESSER DE LES CONTOURNER. JE SUIS PARTIE DE CHEZ MOI, J'AVAIS DIX-HUIT ANS. SANS AVERTIR, SANS PRÉVENIR AUTREMENT QUE PAR UNE NOTE : *JE PARS, J'EN AI ASSEZ.* PAS TRÈS POLI, JE SAIS. J'AI CONNU TROIS SEMAINES DE BONHEUR INTENSE ET D'INITIATION ACCÉLÉRÉE À LA VIE : TOUT ÉTAIT NEUF, EXALTANT ET FRÉDÉRIC ÉTAIT UN AMANT FABULEUX. JE SAIS QUE ÇA TE DÉGOÛTE UN PEU, MAIS C'EST COMME ÇA QU'IL M'A ENTRAÎNÉE AVEC LUI, POURQUOI NE PAS L'AVOUER ? C'ÉTAIT UN HOMME QUI AIMAIT LE PLAISIR. C'EST RARE. IL AVAIT MILLE DÉFAUTS, MILLE LÂCHETÉS, IL ÉTAIT MENTEUR, VIOLENT, DÉLINQUANT MAIS IL ÉTAIT *VIVANT.* ET TOUT CE QUI VIBRAIT L'EXALTAIT. AU BOUT DE TROIS SEMAINES, IL A ÉTÉ ARRÊTÉ. COMME C'ÉTAIT SA QUATRIÈME RÉCIDIVE, ILS ONT ÉTÉ SÉVÈRES. JE SUIS ALLÉE LE VOIR CINQ OU SIX FOIS EN PRISON : IL ME FAISAIT RIRE ET ME RACONTAIT MILLE PERVERSITÉS POUR NOURRIR MES FANTASMES, QU'IL DISAIT. ET PUIS, AU BOUT DE TROIS MOIS, LA PETITE OIE BLANCHE QUE J'ÉTAIS S'EST RÉVEILLÉE ENCEINTE. JE N'AVAIS JAMAIS COMPTÉ LES JOURS DE MON CYCLE, MA MÈRE M'AYANT SOIGNEUSEMENT MISE À L'ABRI DE CES UTILES SCIENCES. JE ME RETROUVAIS AVEC, POUR TOUTE POSSESSION, VINGT-SEPT DOLLARS, UN SAPHIR ET UN BÉBÉ À VENIR DANS SIX MOIS. JE POUVAIS LE DIRE À MES PARENTS ET DEVENIR LE MALHEUR CONSACRÉ DE MA FAMILLE OU PARTIR. JE SUIS PARTIE. TON PÈRE N'A JAMAIS SU QUE J'AVAIS EU SON BÉBÉ. IL A SEULEMENT CRU QUE, COMME TOUT LE MONDE, JE L'AVAIS TRAHI.

QUE J'AVAIS TROUVÉ MIEUX QUE LUI. ET J'AVAIS TROUVÉ MIEUX : TOI.

PAS UN INSTANT JE N'AI PENSÉ T'ABANDONNER. MÉLISANDE, QUI ÉTAIT AU COURANT, MILITAIT POUR QUE JE TE DONNE EN ADOPTION. ON LE FAISAIT AVANT LA NAISSANCE DU BÉBÉ, AVANT DE LE VOIR. J'AI LU LES PAPIERS, JE ME SOUVIENS, TU ME FRAPPAIS DÉJÀ, ME MALTRAITAIS RAGEUSEMENT AVEC TES PIEDS QUI COGNAIENT MON VENTRE, TU CONTESTAIS DÉJÀ. TU T'ESSAYAIS À LA RUADE. JE N'AI JAMAIS PU IMAGINER TE LAISSER À DES GENS INCONNUS. JE SAVAIS QUE JE SERAIS SEULE, QUE FRÉDÉRIC ÉTAIT TROP UN ENFANT LUI-MÊME POUR DEVENIR UN PÈRE, JE SAVAIS QUE CE SERAIT PROBA-BLEMENT DUR MAIS JE TE DÉSIRAIS. TU ÉTAIS MA PREMIÈRE BRAVADE, MA PREMIÈRE RÉBELLION. JE NE TE FERAI PAS CROIRE QUE J'ÉTAIS ATTENDRIE, RAMOLLIE À L'IDÉE DE BERCER MON BÉBÉ. NON. J'AVAIS PEUR. JE CRÂNAIS, C'EST TOUT. ET LE SENTIMENT QUI M'EST VENU EN TE SERRANT DANS MES BRAS APRÈS TA NAISSANCE TENAIT PLUS DE LA PANIQUE QUE DE L'ÉMERVEILLEMENT. JE CROIS QUE ÇA A PRIS TROIS SEMAINES. TU RÉCLAMAIS CONTINUELLEMENT QUELQUE CHOSE, UNE VRAIE DESPOTE. MAIS QUAND TU T'ENDORMAIS SUR MON SEIN, LA BOUCHE OUVERTE, LE NEZ ÉCRAPOUTI, UNE GROSSE GOUTTE TRANSLUCIDE QUI TE COULAIT SUR LE MENTON, LE POING SERRÉ COMME UN BOXEUR SUR LE QUI-VIVE, UNE SORTE DE VIOLENCE ME PRENAIT : MA FILLE, MA PETITE FILLE ET JE ME SENTAIS DEVENIR INVINCIBLE, CAPABLE D'ABATTRE LE MONDE POUR TOI. C'ÉTAIT UN AMOUR VIOLENT, SANS CONCESSION, D'UNE FÉRO-

CITÉ INCROYABLE. RIEN DANS TOUTE MA VIE NE
RESSEMBLE À CET ATTACHEMENT, DIEU MERCI. RIEN
QUI S'APPROCHE DE CETTE TERRIBLE SERVITUDE.
TU VERRAS TOI-MÊME.
JE N'AI JAMAIS DIT À FRÉDÉRIC QU'IL AVAIT UNE
FILLE. QUAND IL EST SORTI, TU AVAIS PRESQUE UN
AN. JE L'AI REVU. IL RÊVAIT DE GRANDS COUPS, DE
BRAQUAGES, DE FAIRE SAUTER L'UNIVERS. IL ÉTAIT
HABITÉ D'UNE TELLE RAGE, D'UNE TELLE DÉTER-
MINATION À FAIRE ÉCLATER CE QUI COMPRIMAIT SA
VIE. IL NE CONNAISSAIT RIEN DE LA TENDRESSE. IL
ÉTAIT UN AMOUREUX VIOLENT, SANS CONCESSION,
MAIS CELA ME CONVENAIT. LA SEULE CONSÉQUENCE
REGRETTABLE ÉTAIT UN INSTINCT DE POSSESSION
TERRIBLE... DONT, JE CROIS, TU AS HÉRITÉ. POUR
TE PRÉSERVER, JE LUI AI DIT QUE J'ÉTAIS MARIÉE
ET QUE J'AVAIS UN TOUT PETIT BÉBÉ. ON SE VOYAIT
CHEZ SES AMIS OU À L'HÔTEL. IL DEVENAIT
INTOLÉRANT, SE DROGUAIT DE PLUS EN PLUS ET
L'AMERTUME LE GAGNAIT. JE L'AI QUITTÉ. IL
A REFUSÉ, BIEN SÛR. J'ÉTAIS SERVEUSE DANS
UN RESTAURANT À L'ÉPOQUE. IL VENAIT S'ASSEOIR
AU COMPTOIR, BUVAIT SYSTÉMATIQUEMENT
EN OBSERVANT LES CLIENTS D'UN ŒIL MENAÇANT.
UN JOUR, IL A BATTU UN PAUVRE HOMME
QUI M'AVAIT TIPÉ UN PEU GÉNÉREUSEMENT. IL
ME FAISAIT DES SCÈNES TERRIBLES, ME
SOUPÇONNAIT CONTINUELLEMENT D'AVOIR DES
PLAISIRS AILLEURS AVEC D'AUTRES HOMMES. IL SE
RENDAIT FOU À IMAGINER LES PIRES DÉBAUCHES. IL
ME SUPPLIAIT DE L'ÉPARGNER, DE REVENIR AVEC
LUI. JE N'AI JAMAIS PU SUPPORTER LES GENS QUI
SUPPLIENT. JE N'AI JAMAIS EU DE PITIÉ POUR LES

AGENOUILLÉS. C'EST LA PRISON QUI A MIS FIN À SES ASSIDUITÉS. UN VOL QUI LUI A VALU QUATRE ANS. QUATRE ANS OÙ J'AI ENFIN PRIS MON ÉLAN ET MA LIBERTÉ. QUATRE ANS OÙ NOUS ÉTIONS HEUREUSES TOUTES LES DEUX, JE CROIS. TU M'AS MÊME POUSSÉE À MENTIR, À NOURRIR TES ILLUSIONS. COMME JE L'AI REGRETTÉ! MAIS TU ÉTAIS SI AVIDE DE RÊVES ET TU SUPPORTAIS SI MAL MES ABSENCES. QUEL ENFER DE QUITTER LA MAISON, QUEL PRIX TU ME FAISAIS PAYER MON TRAVAIL. JE TE DISAIS QUE J'ÉTAIS L'ACTRICE ET NON LE RÉGISSEUR ET, RAVIE, TU ÉTAIS CERTAINE QUE TOUT LE MONDE ÉPROUVAIT TA FASCINATION POUR TA FÉE DE MÈRE. CES QUATRE ANS ONT MALGRÉ TOUT ÉTÉ REMPLIS DE RIRES, DE SUCRE À LA CRÈME ET DE COMPLICITÉ. TES EXIGENCES ME FAISAIENT RIRE, TES JALOUSIES ME LAISSAIENT BIEN LÉGÈRE. JE PENSAIS QUE C'ÉTAIT UNE PASSADE, UNE PHASE OBLIGÉE QUI S'ESTOMPERAIT ET QUI ÉTAIT PEUT-ÊTRE JUSTIFIÉE PAR LA PASSION QUE JE VIVAIS AVEC UN HOMME QUI VENAIT CHEZ NOUS, VIVAIT AVEC NOUS À L'OCCASION. IL S'APPELAIT GABRIEL, JE NE SAIS PAS SI TU TE SOUVIENS. PROBABLEMENT, PARCE QUE TU ÉTAIS SI JALOUSE... MAIS TA JALOUSIE N'EST JAMAIS PASSÉE. AU CONTRAIRE. J'AI APPRIS DEPUIS QU'IL S'AGIT D'UN SENTIMENT PERVERS QUI SE NOURRIT DE LUI-MÊME.

LA DERNIÈRE FOIS QUE J'AI VU TON PÈRE, C'ÉTAIT EN 1966. IL SORTAIT DE PRISON, IL AVAIT PERDU L'ÉCLAT DE LA JEUNESSE. ENFUIS CETTE LUMIÈRE, CE CHARME FOU, IL NE RESTAIT QUE LA VIOLENCE DANS SES YEUX. JAMAIS JE N'OUBLIERAI CELA. J'AI CRU VOIR UN INSTANT CE QUE SERAIENT TES YEUX

SANS L'ILLUSION, SANS LE RÊVE. JE ME SUIS JURÉ QUE TU N'IRAIS PAS JUSQUE-LÀ POUR DÉFIER LE RÉEL, LE FORCER À T'OBÉIR ET À SE PLIER À TA FANTAISIE. J'AI EU ATROCEMENT MAL DE LE VOIR SI DÉTRUIT, SI VAINCU PAR LA VIE À VINGT-SIX ANS. LE VOYOU AVAIT PERDU SA BELLE GUEULE D'ADOLESCENT REBELLE, NE RESTAIT QUE LA LIGNE DURE DU DÉSENCHANTEMENT ET UNE CERTAINE BRUTALITÉ DE BÊTE TRAQUÉE. JE SAVAIS QUE JE NE LE VERRAIS PLUS. IL VOULAIT DÉTRUIRE OU LE MONDE OU LUI-MÊME, MAIS DÉTRUIRE. SANS CONCESSION. JE SAVAIS QU'IL N'ÉTAIT PAS LE PREMIER À ESSAYER ET QU'IL SE BRISERAIT À CE JEU-LÀ. IL A ÉTÉ TUÉ PAR UN POLICIER EN SEPTEMBRE 1967. LE 17 SI TU VEUX VÉRIFIER CE QU'EN ONT DIT LES JOURNAUX. UN PETIT, TOUT PETIT ENTREFILET SUR UN VOL À MAIN ARMÉE DANS UNE ÉPICERIE. LE POLICIER NE VENAIT LÀ QUE POUR S'ACHETER DES CIGARETTES. UN HASARD, UNE BAD LUCK, AURAIT DIT FRÉDÉRIC. IL EST MORT DANS LA RUE, LÀ OÙ IL ÉTAIT NÉ, TOUT SEUL ET SANS UN CRI, COMME IL A VÉCU. MORT SUR LE COUP. AVEC EXACTEMENT 63,57 $ DANS UNE MAIN ET UN REVOLVER DE 300 $ DANS L'AUTRE. LE POIDS DU RÊVE ET CELUI DU RÉEL. LE PRIX DES DEUX.

COMMENT PARVENIR À CE QUE TU NE TE SENTES PAS HUMILIÉE DE TES ORIGINES ? COMMENT MANŒUVRER POUR T'OFFRIR LE RÉEL SANS TE PRIVER DE TA PART DE RÊVE ? L'ÉTERNEL DILEMME DE MA VIE. TU VEUX TELLEMENT T'ABSTRAIRE DU CRU, DU VULGAIRE DE LA VIE QUE TU RÉUSSIS À NE PAS VIVRE. À TOUT CAMOUFLER. À TOUT REPORTER. TU AS VINGT-TROIS ANS, TU ES ENCORE BIEN JEUNE.

Mais ni nos guerres, ni tes jalousies, ni ton mariage, ni ton divorce ne sont parvenus à imposer le réel dans ta vie. Tu juges encore comme si un certificat d'exemplarité reposait au fond de ta poche. Tu te préfères encore victime et tu stigmatises ma conduite pour avoir un tortionnaire à ta disposition.

Je ne veux pas de diplôme de perfection. Je suis pour toi une mauvaise mère. Je ne discuterai pas cela. Tu as profondément le droit de me juger selon tes normes. Ma mère était pour moi une mauvaise mère pour des raisons strictement opposées aux tiennes : parce qu'elle affectionnait le malheur, le mensonge et le martyre.

Je t'ai semblé souvent cruelle avec les hommes qui ont traversé ma vie, simplement parce que tu as toujours reconnu en eux ton appétit de possession et en moi l'envie de m'affranchir de toi à travers eux. Tu ne sauras jamais qui ils sont. Tu ne veux que les investir de tes désirs et tu ne t'intéresses pas à eux. Tu les réduis à ce que tu veux qu'ils soient : des consommateurs triviaux qui m'avilissent. Essaie de t'éloigner d'eux, de les oublier parce qu'ils ne te concernent pas. Ils sont ma vie, pas la tienne, et il faut que tu acceptes que j'ai ma vie et même du plaisir à vivre sans toi. Ce qui me semble la seule façon de cesser de mépriser le plaisir et d'y accéder.

Mon plaisir, ma sexualité, ma sensualité ne sont pas des trahisons à ton égard. C'est un domaine duquel tu dois t'exclure, ce n'est

PAS TON AFFAIRE. TU NE PEUX PAS ME POSSÉDER JUSQUE-LÀ. JE NE TE LAISSERAI JAMAIS FAIRE. CET ASPECT DE MA VIE M'APPARTIENT, C'EST PRIVÉ, N'Y VA PAS. COMME J'AURAI EU DU MAL À TENIR LA PORTE DE MA CHAMBRE FERMÉE ! COMME TU AS VOULU Y METTRE TON NEZ POUR T'ASSURER QUE TOUT CE PLAISIR QUI NE PROVENAIT PAS DE TOI NE POUVAIT QU'ÊTRE OBSCÈNE. TU NE ME SUFFIS PAS, DIANE, EXACTEMENT COMME JE NE TE SUFFIS PAS ET COMME JE NE TE SUFFIRAIS PAS MÊME DÉGUISÉE EN MÈRE IDÉALE COMME TU ME RÊVES. TU NE PEUX PAS CONTINUER À FABRIQUER TA VIE DE TOUTES PIÈCES SANS DANGER. IL FAUT VOIR CE QUI EST ET TEL QUE C'EST. LES DÉSILLUSIONS AMÈRES ET LES FAITS CRUS ET DURS. SANS CELA L'AMERTUME ET L'INTOLÉRANCE VONT TE GUETTER ET JE VOIS AVEC TERREUR LE REGARD VIOLENT DE TON PÈRE GAGNER TES YEUX.

JE N'AI PAS SU T'ÉLEVER, T'AIMER SUFFISAMMENT ? TRÈS BIEN. D'ACCORD. C'EST POSSIBLE. C'EST TROP TARD, MAINTENANT, NOUS NE REBÂTIRONS PAS TON ENFANCE. NOUS NE RÉCRIRONS PAS CETTE HISTOIRE. ALORS, IL FAUT TOURNER LA PAGE, SE DIRE ADIEU ET CESSER DE FOUILLER LES VESTIGES. SI TU TROUVES UN SEUL SOUVENIR RÉCONFORTANT, GARDE-LE POUR LES AUBES NAVRANTES. NE TE LAISSE PAS EMPORTER PAR TON IMAGINATION DRAMATIQUE QUI CONSTRUIT DES SAGAS TRAGIQUES AUX FINS LUGUBRES. TU N'ES PAS UNE HÉROÏNE MALMENÉE. TU ES COMME TON PÈRE ET TU REDOUTES D'ÊTRE COMME MOI. MAIS JE NE VEUX PAS QUE TU MEURES ÉCARTELÉE PAR TON RÊVE IMPOSSIBLE EN TENANT DANS UNE MAIN TES

REPROCHES ET DANS L'AUTRE TES ILLUSIONS. LA VIE EST PLUS SIMPLE ET PLUS DIFFICILE QUE CELA. PLUS EXIGEANTE ET MOINS SPECTACULAIRE. TU N'AS PAS SURPRIS TA MÈRE AVEC TON ONCLE (COMME TU LE VOUDRAIS TANT PARCE QUE CE SERAIT OBSCÈNE), TU AS SEULEMENT ÉTÉ HUMILIÉE QUE TA TRÈS BELLE MÈRE SE COMMETTE AVEC UN HOMME COMME LUI. ET PARCE QUE CELA TE DÉRANGEAIT, TU AS DÉVIÉ L'INTRIGUE ET TU EN ES DEVENUE LE CENTRE. COMME ÇA, TU FUYAIS ENCORE ET DEVENAIS LE PRINCIPAL PROBLÈME. CET ÉVÉNEMENT DONT TOUT LE MONDE SAUF TOI S'EST REMIS EST À L'IMAGE MÊME DE TA VIE. MÉDITE UN PEU LÀ-DESSUS... ET SINCÈREMENT DEMANDE-TOI S'IL N'Y A PAS CHEZ TOI UNE DISPOSITION À CETTE LUXURE QUE TU ME REPROCHES TANT. CELA NE SERAIT PAS DOMMAGE, TU SAIS... SI TU APPRENAIS À LA VIVRE AU LIEU DE LA MÉPRISER. REGARDE MÉLISANDE ET DIS-MOI MAINTENANT CE QUE TU PENSES DE SA RÉSERVE, DE SA RIGIDITÉ. DIS-MOI QU'ELLE RESPIRE LE BONHEUR ET JE RÉVISE MON ATTACHEMENT AUX PLAISIRS CHARNELS.

POUR ÊTRE FRANCHE, DIANE, L'ASSORTIMENT DES PLAISIRS DISPONIBLES DANS LA VIE EST ASSEZ PEU DIVERSIFIÉ : AU TOTAL ET EN COMPARAISON, LES LIFE SAVERS OFFRENT PLUS DE VARIÉTÉS. TU N'ES PAS OBLIGÉE DE TE RALLIER AUX MIENS, MAIS JE TE DEMANDE DE TROUVER LES TIENS. DE LES POURCHASSER, DE TE LES OFFRIR GÉNÉREUSEMENT : LE PLAISIR ÉLOIGNE LA MESQUINERIE ET L'AMER-TUME. LE PLAISIR DES SENS EST LE SEUL ANTIDOTE AU RESSENTIMENT. JE NE PRÉTENDS PAS QU'IL EST TOUJOURS POSSIBLE, MAIS JE JURE QU'IL EST VIVANT

ET QU'IL CONTIENT ET LES LARMES ET LA SALIVE DE LA VIE (NON, JE NE DIRAI PAS SÈVE, QUI FAIT PLUS JOLI ET MOINS VRAI). JE NE CONNAIS RIEN QUI DONNE PLUS DE SENS À LA VIE QUE L'AMOUR. ET JE NE PARLE PAS QUE DE L'AMOUR PHYSIQUE. LE TIEN, LE MIEN, MÊME IMPARFAIT, SURTOUT IMPARFAIT, CELUI DES HOMMES, DES FEMMES QUE L'ON RENCONTRE, À QUI L'ON S'ATTACHE, SANS LES LIGOTER, LES CONTRAINDRE, EN TOUTE LIBERTÉ, AVEC NOS EXCÈS MAIS AUSSI AVEC LE COURAGE D'ENDOSSER LEURS CONSÉQUENCES. SANS FAIRE UN CALCUL PRÉALABLE POUR S'ÉVITER UN ÉVENTUEL DÉFICIT. PENSE À TON ONCLE LE COMPTABLE QUI, LUI, N'A PAS LÉSINÉ ET S'EST OFFERT ET LE PLAISIR ET SES CONSÉQUENCES. ESSAIE POUR UNE FOIS DE CONSIDÉRER LA CHOSE SANS LA JUGER: SI, POUR LUI, VIVRE SIGNIFIAIT BALAYER TOUTES SES SERVITUDES AU RISQUE D'ÊTRE SÉVÈREMENT CONDAMNÉ MAIS AVEC LA CERTITUDE QU'À L'HEURE DE MOURIR IL AURAIT ENCORE LE SOURIRE, N'EST-CE PAS ESTIMABLE?... PENSE AU SOURIRE CONTRAINT DE MÉLI DONT LA GAINE RETIENT PLUS QUE LES CHAIRS... TU VOIS CE QUE JE VEUX DIRE?

POURRAS-TU JAMAIS ADMETTRE QUE TANT D'INSUF-FISANCES, TANT DE FRUSTRATIONS INCARNAIENT TOUT DE MÊME QUELQU'UN QUI T'AIME? POURRAS-TU UN JOUR PASSER SUR MES ERREURS (ET J'EN AI FAIT), MES COUPS DE SPLEEN, ET VOIR LES HOMMES QUI ONT TRAVERSÉ MA VIE COMME DES ALLIÉS ET NON PLUS DES ENNEMIS? TU ES MON PETIT POU ENRAGÉ, TU VOUDRAIS ME TUER DE N'ÊTRE PAS LA BONNE, PAS CELLE QUE TU VEUX QUE JE SOIS ET

QUAND TU TE VOIS DÉTESTABLE, TU ES SÛRE QUE C'EST MOI QUI DÉTEINS SUR TOI. J'AI MES LÂCHETÉS, DIANE, DONT CELLE DE NE PAS CROIRE À L'INDULGENCE. MAIS JE VOUDRAIS INVENTER L'INDULGENCE AUJOURD'HUI POUR TE L'OFFRIR. POUR TE PRÉSERVER DU JUGEMENT TERRIBLE QUE TU NE MANQUERAS PAS DE PORTER UN JOUR SUR TOI-MÊME. VIS, MON ACHARNÉE, VIS, OUBLIE LES GRIEFS, ENTERRE LES REPROCHES, VIS ET ÉLOIGNE-TOI DE LA MAUVAISE MÈRE QUI NE SAIT QUE TE PROVOQUER AVEC CETTE TRISTE TENDANCE AU PLAISIR.

ET SI LE PLAISIR TRAVERSE TA VIE, SAISIS-LE, PRO-TÈGE-LE AUSSI SAUVAGEMENT QUE TU LE FAIS DU RÊVE PRÉSENTEMENT. IL N'Y AURA PAS DE RABAIS POUR TOI MALHEUREUSEMENT : QUI RESSENT LE DOUX, RESSENT L'AMER, TU NE POURRAS PAS CHOISIR LES SENSATIONS. TU NE POURRAS PLUS ME PRÊTER LA BEAUTÉ D'UNE FÉE ET LES MANIÈRES D'UNE PUTAIN. OUI, DIANE, J'AVOUE QUE LÀ TU M'AS EUE, TON NUMÉRO DE LA SEMAINE PASSÉE ÉTAIT ASSEZ DUR À ENCAISSER, MAIS J'AI TOUJOURS SU QUE C'EST LÀ QUE TU FRAPPERAIS. J'ESPÈRE SEULEMENT QUE TU NE TE FRAPPERAS PAS DE LA MÊME MANIÈRE. QUAND TU ÉTAIS TRÈS PETITE, TU ME MORDAIS VIOLEMMENT. TU ME FAISAIS VRAIMENT MAL, J'AVAIS DES BLEUS ! UN JOUR UN AMI M'A DIT : ELLE VEUT TE DÉVORER, ELLE VEUT T'AVALER, ELLE REFUSE DE NE PAS AVOIR LE DROIT DE T'ENGLOUTIR. JE L'AVAIS TROUVÉ PLUTÔT SÉVÈRE. JE SAIS MAINTENANT QUE CES PETITES DENTS POINTUES, QUE J'AI TANT ATTENDUES, COMPTÉES, JE SAIS QU'ELLES VOULAIENT ME DÉCHIQUETER. TU ES TROP

LE POIDS DES OMBRES

GRANDE POUR ME MORDRE, ALORS TU CRIES ET TE
SERS DES MOTS POUR RÉCLAMER LE DROIT DE
T'APPROPRIER DE MOI. PERSONNE NE POSSÈDE
PERSONNE. POSSÈDE-TOI ET N'ESPÈRE JAMAIS ÊTRE
POSSÉDÉE : C'EST L'ENFER. FAIS TA VIE, MA PETITE
EXCLUSIVE, ÉLOIGNE-TOI DE MOI ET SOUVIENS-TOI
QUE LORSQU'ON GRAVIT UNE MONTAGNE, IL EST
INUTILE DE SE RETOURNER CONTINUELLEMENT POUR
TENTER D'ÉVALUER LA RAIDEUR DE LA PENTE QU'ON
AURA À DESCENDRE DE L'AUTRE CÔTÉ DU SOMMET.
IL Y A DES FORCES QU'ON ACQUIERT EN MONTANT
QUI NOUS AIDENT À DESCENDRE. N'EXIGE PAS DE
TOUT SAVOIR AUJOURD'HUI. ACCEPTE DE TE TROM-
PER, DE ME TRAHIR, DE TRAHIR CE RÊVE D'ENFANT
IMPOSSIBLE : POSSÉDER TA MAMAN BLONDE ET
DEVENIR LA FÉE.
TU ES MA FÉE, TU ES POUR TOUJOURS MA FILLE
SOMBRE ET VIOLENTE À L'AMOUR ÂPRE ET EXI-
GEANT. MA PETITE « VÉNUS TOUT ENTIÈRE À SA
PROIE ATTACHÉE », NE SOUFFRE PLUS L'ENFER
D'ÊTRE DÉPOSSÉDÉE PUISQUE TU AS, POUR TOU-
JOURS, MON IMMENSE ET INSUFFISANT AMOUR. Y.

La lettre était, comme toujours avec Yseult,
datée : 1983.

Diane reprend les feuillets, les assemble soigneusement. Elle ne veut pas penser à ce qui serait
advenu si elle avait écouté la cassette en 1983. Elle
refuse de spéculer sur un passé hypothétique. Elle
ne veut pas travailler à sa culpabilité et se forger une
responsabilité (comment dirais-tu, Yseult ? lugubre ?
morbide ? sinistre ?) dans la mort de sa mère.

Elle sait bien qu'elle a eu sa part dans le

spleen qu'Yseult n'a jamais cassé, mais le spleen était aussi déjà dans cette fille de dix-huit ans qui voulait faire exploser la vie avec un petit bandit. Elle regarde le mont Royal tout blanc sous le soleil d'hiver : trop de rêves pour moi, pas assez pour toi, Yseult. Et ce père mort à vingt-sept ans... elle qui en a déjà trente. On meurt jeune dans la famille ! Il faudra se méfier... Elle soupire, le cœur gros : se méfier de quoi ?

De sa stupidité ? Comment a-t-elle pu croire que sa mère lui renvoyait méchamment la cassette de ses reproches ? Comment a-t-elle pu la voir aussi malveillante ? Parce que je l'étais, moi. Parce que, si j'avais eu de telles armes, je les aurais utilisées sans scrupules. Oui maman, je t'aurais dévorée si j'avais pu. Oui, il faut se méfier de moi, je suis une acharnée. Oui, je regrette infiniment une chose : ne t'avoir jamais tenue dans mes bras d'adulte pour te bercer avec la tendresse que je n'éprouve que maintenant. N'avoir jamais été assez grande pour avoir du respect pour toi, pour ton courage et ta lucidité. Tu me donnes mon père, mais je ne connais pas non plus ma mère, Yseult. Je l'ai fabriquée égoïste, vénale et cruelle. Tu t'es donné bien du mal pour un pou aussi mesquin.

Elle fait le tour de l'appartement, désœuvrée, ne parvient à fixer sa pensée sur rien. Elle ne sait qu'une chose : elle ne veut pas pleurer. (« Pleurer, se désoler, quelle perte de temps. ») Elle voudrait être digne d'Yseult pour une fois, forcer son admiration, lui montrer qu'elle peut se fier à elle, que c'est fini les grands numéros de désolation, fini, les «finales d'opéra pour émouvoir les bonnes âmes». Mais elle est si seule, si isolée avec cet étau qui serre sa gorge, avec ce désir tout neuf de l'aimer et cette impossibilité aussi neuve. Elle fait jouer la cassette de l'émission et, quand elle se met à pleurer, elle se dit que, comme Yseult, elle aime beaucoup les poètes.

Au bout de deux cassettes, les yeux bouffis, le nez rouge, elle se contemple dans le miroir, se bouscule un peu («Belle entreprise d'apitoiement, tu veux aller jusqu'où, le pou? Jusqu'à la disparition de tes yeux?») et décide de casser le spleen.

— Allô, Gilbert? Je ne veux pas te déranger longtemps, c'est pour t'inviter à souper ce soir.

— Ah oui? Où?

— Chez moi.

— Un souper... une réception?

— Oui, un souper habillé, je te préviens.

— Ah bon... beaucoup de monde?

— Trois: toi, moi et une robe noire.

— Oh...

— Ça te convient?

— Tout à fait.

— À huit heures?

— Mmm... répète-moi encore le nom de la dernière invitée?

— Une robe noire.

— Que je connais, je pense?

— Mmm...

— Elle ne restera pas longtemps.

Diane prend les feuillets, les embrasse tendrement avant de les ranger. C'est en ouvrant la boîte de carton qu'elle trouve le dernier message de sa mère, rédigé le 17 octobre 1990 à vingt et une heures.

— Je peux vous déranger un instant?

Évelyne émerge de ses boîtes. Diane lui semble très différente de celle qu'elle a rencontrée il y a un mois. Plus sûre d'elle, très soignée avec un chemisier qui ne déplairait pas à Yseult, presque belle, en tout cas moins enfantine.

— Avec plaisir, Diane.

— Vous partez?

Le bureau est presque complètement vide. Évelyne ferme une dernière boîte, se relève en époussetant sa jupe: «Non, je déménage. Finalement, je suis d'accord avec toi: le paysage n'est pas fameux.»

Diane se retourne, regarde le pont.

— Tu veux qu'on aille dans mon nouveau bureau? Y a une vue imprenable sur le boulevard.

Diane s'assoit dos à la fenêtre en souriant: «On peut rester ici.»

Évelyne prend place sur un coin du bureau, examine attentivement son vis-à-vis: cette fille n'est pas loin de lui plaire:

— Ça va mieux?

— Pas mal, oui. J'y arrive tranquillement. Vous?

— Comme tu vois: je m'agite, je fais du bruit.

Le silence n'est pas contraint. Évelyne est heureuse d'avoir une occasion de penser à Yseult avec quelqu'un. Pas à la façon de ces commérages odieux qui se sont répandus dans tout l'édifice et que sa bienveillante secrétaire a freinés vigoureusement à sa porte. Non, juste la sentir vibrante dans la mémoire de cette fille, sa fille.

— Tu as repris ton travail?

— Non. J'ai envoyé ma démission.

Évelyne la considère avec surprise. Diane rit:

— Ils m'auraient endormie jusqu'à la retraite. J'ai des dispositions, vous savez.

— On en a tous.

— Pas elle.

— Non... sûrement pas elle. Je pense qu'elle ne l'a même jamais souhaité. Pas de répit pour elle.

— On peut en parler?

Évelyne fait oui doucement.

— C'est pas pour m'excuser ou me justifier, vous savez. C'est juste que... je ne connais personne d'autre que vous pour en parler.

— Il y en a d'autres...

— Je ne ferai pas le tour des bagues.

— Non? C'est fini l'inventaire?

— Celui-là, oui. Il me reste deux ou trois choses à explorer.

Elle se tait, réfléchit:

— J'ai appelé Roger. Vous le connaissez?

— Un peu.

— Ça l'a secoué, le pauvre. Il a été assez gentil de prévenir tante Méli pour moi.

— L'acte trois?

Diane rit. Évelyne regarde cette tête se renverser comme... ce rire ressuscité, plus clair mais aussi plus joyeux, avec une touche de cette insolence batailleuse, ce rire jeune, franc, la plus belle promesse que Diane pouvait lui faire.

— Je l'ai quand même appelée après. Je trouve que Méli a droit à son drame. Et puis, vous savez, elle a été très près de nous au début.

— Ça a été comment?

— Pénible. Ça m'enrageait parce qu'elle ne regrettait pas les bonnes choses. Enfin... ce qui me semblait les aspects les plus importants. Elle ne voulait pas parler d'Yseult. Elle parlait d'elle, de ce qu'Yseult lui avait fait de mal, de sa vie, de ses reproches...

Elle aperçoit la lueur dans l'œil d'Évelyne:

— Oui, comme moi. Mais la parenté me pesait cette fois-là.

— C'est bon signe.

— Ça commence à être le temps, vous ne pensez pas?

Évelyne hausse les épaules: le temps a fort peu d'importance dans ces cas-là. Diane hésite, puis elle plonge:

— Je voudrais vous demander quelque chose, mais ce n'est pas comme avant... je veux dire, pas pervers, pas pour les mêmes raisons qu'avant.

— Quoi?

— Jocelyn...

Prudente, Évelyne murmure un « oui? » et attend la suite.

— Je sais que c'était aussi votre ami, mais... est-ce qu'il l'aimait?

451

— Oui.

— Vraiment? Je veux dire, comme elle l'entendait, elle, vous savez: pas un esclave. Est-ce que c'était quelqu'un de bien qui ne lui a pas fait mal?

— Oui. Sincèrement, en vingt ans, je pense que c'est l'homme qui a apporté le plus de bonheur à Yseult.

— Et de plaisir?

Évelyne soutient le regard de cette fille si surprenante. Comme elle a compris de choses depuis cette mort!

— En tout cas, toi, tu parles vraiment d'Yseult! Oui, et de plaisir.

— Vous... vous avez une photo de lui?

Évelyne ouvre une de ses boîtes, fouille, extirpe une chemise, en extrait la photo ramassée chez Yseult. Diane la regarde longtemps en silence, puis elle murmure: «Pourquoi c'est comme ça? Pourquoi quand on est bien, heureux, il y a toujours quelque chose qui vient tout briser? Pourquoi ça peut pas durer?»

(«C'est une sorte de clémence: parce qu'on serait tellement gêné que ce soit nous et non la vie qui mette fin au bonheur.») Toutes les deux l'entendent, cette phrase d'Yseult, toutes les deux revoient le mouvement de la main pour balayer l'impuissance humaine. Évelyne entend la suite, criée avec cette voix rauque: «Mon amour tordu dans une auto. Tassez-vous, on va balayer! Pas de rachat!» Elle ne veut pas penser à ça devant Diane, elle ne veut pas qu'elle sache, qu'elle s'en doute seulement.

— Parce que, sans ça, on serait assez bête pour oublier qu'on va mourir?

— C'est à Yseult, ça!

— Oui, c'est à elle et, maintenant, c'est à nous.

Diane lui tend la photo:

— Il n'est pas si beau. Je l'imaginais très beau, très séduisant.

— Ça ne me surprend pas!

—Il avait quel âge?

— Huit ans de moins qu'elle. Quand ils se sont rencontrés, Jocelyn n'avait pas quarante ans.

— Et elle?

— Quarante-sept.

— Comment il était devenu votre ami?

— Par hasard. Je l'ai rencontré dans un hôpital. Il était préposé aux malades pour boucler ses fins de mois.

— Il étudiait encore?

— Mon dieu, oui! Il a étudié longtemps, tu sais. C'était un grand chercheur.

— Vous l'avez rencontré avant de connaître ma mère?

— Oui, un peu. Il était très jeune à l'époque, mais il m'a beaucoup aidée. Il avait une sorte de maturité que je n'ai jamais rencontrée ailleurs. Ou rarement. Peut-être parce qu'il en avait arraché dans la vie, qu'il n'avait pas été gâté. En tout cas, il m'a aidée et on s'est toujours revus.

— Vous étiez amoureuse de lui?

Pour la deuxième fois, on lui pose cette question. Évelyne regarde la photo, le cœur vraiment tranquille:

— Non. En fait, je pense que je n'y ai jamais pensé. Nos rapports n'étaient pas de cet ordre-là, il était vraiment trop jeune. J'avais des enfants qui avaient presque son âge.

— Et c'est lui qui vous aidait? Si jeune?

— Oui. Il a été la bonne personne au bon moment, tout simplement. Il m'a aidée sans rien dire, ou presque. On s'est rattrapé après, par exemple. On en a passé des soirées à discuter!

— Je peux vous demander c'était quoi qui faisait que vous aviez besoin d'aide?

— La mort de ma mère.

Un temps où Diane semble prospecter sa propre vie, puis elle revient à la photo:

— Il s'est marié? Il avait des enfants?

— Non, pas d'enfant. Des femmes... pas de mariage, pas d'enfant. Son travail l'absorbait beaucoup.

— Et pour ma mère, ça s'est fait comment?

— Ici. Un hasard. Je suppose qu'on appellerait ça un coup de foudre.

— Ah oui?

— Fulgurant.

— Ça vous a fâchée?

— Non.

— Pourquoi vous ne les aviez jamais présentés l'un à l'autre?

— Je voulais peut-être les garder pour moi chacun de leur côté.

— Je peux comprendre ça! Ils habitaient ensemble?

— Non.

— Pourquoi?

— Ça ne s'est pas fait... je sais pas.

Cette petite pitié qui refusait de partir. Il avait émigré dans l'appartement d'Yseult. Puis il avait finalement réintégré ses quartiers, quand la petite avait compris qu'il ne céderait pas. Ils se cherchaient une maison («Assez grande pour nos deux indépendances.») quand la fille avait finalement joint Yseult.

— Vous avez une photo d'eux ensemble?

Évelyne cherche, elle en a plusieurs... Elle dépose la chemise d'où dépasse la photo d'Yseult nue, fouille dans sa boîte. Diane tire la photo et la regarde en silence.

— Voilà! Je l'ai.

Évelyne lui tend le cliché pris au party de fin d'année. Yseult, sur l'accoudoir du fauteuil qui regarde Jocelyn, se penche vers lui qui l'enlace, la main sur son dos nu. Diane place l'autre photo tout près:

— Combien d'années entre les deux?

— Sur le nu, elle a trente ans. Ton âge... celle-ci, c'est le 31 décembre 1988, il y a deux ans.

— Jocelyn est plus beau sur cette photo.

— Yseult avait un certain don pour ça.

— Et celle-là?

Elle tend la main, ramasse une autre photo avant qu'Évelyne puisse l'arrêter. Jocelyn, un an plus tard, dévasté, les yeux absents, un verre à la main, le sillon sur le front jamais disparu après le départ d'Yseult. Diane le fixe:

— Qu'est-ce que c'est? C'était quand?

— Une dispute.

Elle place les trois photos côte à côte: Jocelyn

seul qui lit, Jocelyn et elle, et la dernière. On dirait
la vie entière de Jocelyn en trois instantanés : le
sérieux, l'ensorcelé et le désenchanté. Diane place
le nu de sa mère au-dessous :

— Il a vraiment l'air désespéré... Ça s'est arrangé ?

— Oui.

— C'était grave ? C'était Yseult qui avait fait
une escapade ?

— Non, non...

— Évelyne, vous pouvez me le dire, ce n'est
plus comme avant.

— Je ne l'ai jamais su. J'ai essayé mais Yseult
ne voulait pas en parler. Vraiment, Diane, j'en sais
rien. Je sais seulement qu'ils ont été très tristes un
moment donné.

— Et ils ont repris ?

— Oui.

— Avant qu'il meure.

— C'est ça.

Évelyne s'éloigne, ferme une boîte doucement
et inutilement. Pour la première fois, elle a un
désir fou d'épargner Diane, que cette fin qui est
la vraie ne soit que pour elle-même. Et je ne le
fais pas pour toi, Yseult.

— Elle a parlé un peu quand il est mort ?

— Non.

— Vous n'avez pas pu l'aider ?

— Un peu... mais c'était difficile.

— Parce que vous étiez triste vous aussi ?

— Oui... non. Yseult ne se laissait pas faire.
Elle résistait.

— Elle avait peur peut-être...

Un silence où Évelyne revoit encore Yseult le soir de la mort de Jocelyn. Statue blanche contre la fenêtre, impassible à supporter l'assaut de la douleur. («L'ennui avec la lucidité, c'est qu'il n'y a pas de contrôle de volume.») Yseult, les dents serrées, écrabouillée mais debout, anéantie mais debout.

— Pensez-vous que j'aurais pu la consoler?

Évelyne respire profondément, cherche une sorte de réponse. Elle murmure malgré elle un « peut-être... » qui s'écorche, faiblit. Elle se reprend bravement:

— C'est le genre de question obsolète qu'elle n'apprécierait pas.

— Obsolète?

— Un mot qu'elle aimait. Un mot agonisant comme elle disait. Ça veut dire dépassé, une question rendue inutile pour une raison ou pour une autre.

— C'est vrai.

Diane se lève, reprend la photo du nu:

— Je pourrais en faire faire une autre?

— Je crois qu'il y a toute une série. Je pourrais essayer de les retrouver.

— C'est celle-là que je veux. En dehors de la main, c'est la partie de ma mère dont j'ai hérité. Pour une fois que j'en suis fière.

— Garde-la.

— Non, je vais vous la rendre. Je peux vous demander un service encore?

— Oui.

— Son appartement... je ne veux pas y aller. Pourriez-vous... je ne veux pas que ce soit Méli ni personne d'autre que vous. C'est sa vie à elle, ses affaires...

— Je vais le faire. Je t'appellerai pour savoir ce qu'on fait de ses objets, ses meubles, ses livres.

— Non. Donnez-les ou gardez-les.

— Tu ne veux rien? Ses vêtements...

— Elle était plus grande que moi... Là-dessus, je tiens de mon père. Je garderais juste les livres de poésie.

— Je t'appellerai de toute façon.

— Merci.

Diane se dirige gauchement vers la sortie, puis revient vers Évelyne:

— Je peux vous demander autre chose?

— Vas-y.

— Je voudrais vous prendre dans mes bras.

Trop émue pour bouger, Évelyne laisse Diane la prendre doucement, l'enlacer et la serrer très fort. Avant de la laisser, Diane effleure chaque joue d'un léger baiser. Puis elle se détourne en silence et Évelyne ne la regarde pas, la croyant intimidée par son geste. Elle fixe encore le pont quand la voix de Diane la distrait: «Je voudrais que vous acceptiez ceci. Je crois que c'est vous qui devriez la porter, c'est précisément la couleur de vos yeux.»

Elle se dirige vers la porte. Évelyne fixe l'émeraude déposée sur son bureau, comme un retour de tendresse. Elle revoit les mains blanches à plat sur la table du restaurant. Elle entend la voix étouffée de Diane: «J'ai aussi recopié son dernier message. Il est en dessous de la bague. Même si je le sais par cœur comme un poème, je serais incapable de vous le répéter. Il est pour moi, mais... vous allez comprendre.»

La porte se ferme doucement.

L'écriture de Diane est plus petite que celle de sa mère.

TA MÈRE N'EST PAS UNE FÉE.
LA VIE N'EST PAS UN CONTE
LES AUTRES SONT TOUJOURS INSUFFISANTS,
MAIS NOUS AUSSI,
NOUS AUSSI.
PETIT POU DOUX, PETITE EXIGENCE NOIRE
NE TE DÉBATS PAS TROP CONTRE L'ÉVIDENCE
ET CHERCHE, DE TEMPS EN TEMPS, LE SENS DU
MOT «ILLUSION».
PETITE CHIMÈRE CHIFFONNÉE,
PETITE GOURGANDINE ADORÉE, VA TON
CHEMIN, SOIS BIEN BRAVE ET NE TE RETOURNE
PAS.

Y.
17 OCTOBRE 1990
21 HEURES.

FIN

Typographie et mise en pages :
Les Éditions du Boréal

Ce deuxième tirage a été achevé d'imprimer en novembre 1994
sur les presses de l'Imprimerie Gagné
à Louiseville, Québec